Ortografía Didáctica

PRIMARIA, SECUNDARIA, BACHILLERATO, COMERCIO Y UNIVERSIDAD

CARLOS LÓPEZ PADILLA

Argensola 26
Madrid 28004

Marsella 53
México 06600 D.F.

17 Rue du Montparnasse
75298 París Cedex 06

Valentín Gómez 3530
1191 Buenos Aires

ORTOGRAFÍA DIDÁCTICA

PRIMERA EDICIÓN

ISBN 970-607-097-4

Impreso en México — Printed in Mexico

Hel.-Helv.-*Meg. 9/11 y 10/12 — Bask. 12/12

INTRODUCCIÓN

El objetivo principal al elaborar **Ortografía Didáctica** ha sido proporcionar un libro complementario para el aprendizaje del idioma Español que sea teórico-práctico, sobre todo práctico, para los maestros y estudiantes, así como para los profesionistas que requieren conocer mejor el uso correcto del idioma: gerentes, secretarias, locutores, periodistas, etcétera.

Para sacar el mejor provecho de esta manual, sugerimos no olvidar las siguientes recomendaciones que, en su meridiana sencillez, esconden los fundamentos de la escritura correcta.

* Es necesario identificar cada letra del alfabeto con su nombre para facilitar la ortografía de las palabras.
* Es indispensable saber que por un fonema pueden existir una o más grafías.
* Es importante reconocer que la visualización de las palabras de ortografía dudosa, mediante la lectura de textos seleccionados, es la mejor manera de aprender a escribir con corrección.
* Es finalmente imprescindible que la ejercitación sea frecuente, siempre razonada y atenta y no memorística.

Los temas de **Ortografía Didáctica** son varios: distinción de fonemas y grafías, acentuación de las palabras, división silábica, uso de mayúsculas, uso de las diferentes letras o grafías que tienen un mismo fonema; abreviaturas y siglas más comunes en comunicación; escritura correcta de los números cardinales, ordinales y romanos; vocabularios con prefijos y sufijos, de homófonos y parónimos; para Secundaria, para Bachilleres y para Comercio.

Aprovechar todo lo anterior, sólo es posible cuando existe una participación colectiva de maestros, estudiantes, profesionistas y autor. Queda abierta nuestra invitación para la aplicación, revisión y crítica de este libro.

El Autor.

SUGERENCIAS METODOLÓGICAS PARA USAR EL LIBRO

Estimado compañero maestro:

Este manual puede parecer extenso para un programa de Español ya en sí amplio. Con todo, la dosificación y jerarquización de los ejercicios siempre queda en tus manos, así como la aplicación gradual de una medicina está en manos del médico. Este libro te ayudará a prestar una atención personalizada a cada uno de tus alumnos según lo requieran sus necesidades.

A continuación te damos algunas sugerencias para que la clase de Ortografía no se limite a llenar espacios y se vuelva tediosa.

a) Cuenta el número de palabras de los listados y divídelos entre 3. Suponiendo que fueran 60 palabras en total, se podrá practicar primero (o en primer año) con 20, y después con el resto, de 20 en 20, siguiendo las instrucciones propuestas para cada caso.
b) De las 20 palabras se seleccionará una o dos palabras y se elaborarán oraciones.
c) De las mismas palabras se escogería una y los estudiantes harían un dibujo elaborando un diccionario ilustrado.
d) Del mismo grupo de vocablos se pueden utilizar técnicas grupales como podría ser un philips 6-6. Para esta dinámica se requieren 6 alumnos y cada uno dispone de un minuto. Podría utilizarse de la siguiente manera:

—El primero diría una palabra, con "MB" por ejemplo.
—El segundo explicaría el significado de ésta.
—El tercero elaboraría oralmente una oración.
—El cuarto haría un dibujo en el pizarrón sobre el vocablo que se quiere practicar.
—El quinto escribiría una oración en relación con el dibujo.
—El sexto podría hacer una pantomima de la oración escrita en el pizarrón.

e) De las 20 palabras se seleccionarían 10 y se podría redactar una anécdota, un cuento o historieta.

Aunque no sería posible realizar este tipo de ejercitación con mucha frecuencia, eventualmente es recomendable que se haga. Estamos seguros que éstos y otras que procedan de tu inventiva las disfrutarán los estudiantes.

CONTENIDO

PRIMERA PARTE

NOMBRE DEL ALFABETO EN ESPAÑOL

Se llama alfabeto a los signos o letras que utilizamos para representar los fonemas (sonidos) de nuestro idioma, que es el español. Éste tiene 28 letras y en la lista aparecerán 30, porque se agregó la "rr" y la "w" (la última no pertenece a nuestro alfabeto, pero se usa en palabras extranjeras. Ejemplo: Washington).

a	a	n	ene
b	be	ñ	eñe
c	ce	o	o
ch	che	p	pe
d	de	q	cu
e	e	r	ere
f	efe	rr	erre
g	ge	s	ese
h	hache	t	te
i	i	u	u
j	jota	v	uve
k	ka	w	doble u
l	ele	x	equis
ll	elle	y	ye
m	eme	z	zeta

30 letras

RELACIÓN ENTRE LOS FONEMAS Y LAS GRAFÍAS DEL ESPAÑOL

Fonema: sonido de una letra.
Letra o **grafía:** representación gráfica de un fonema.

FONEMAS (SONIDOS)	GRAFÍAS (LETRAS)	EJEMPLOS
/a/	a	Alicia, América, atar
/e/	e	Emilio, escuela, ese
/o/	o	Once, orden, oso
/ch/	ch	Chapultepec, Chávez, China
/d/	d	Disco, domingo, dulce
/f/	f	Fácil, foco, futuro
/l/	l	Lado, lazo, Lola
/m/	m	Mariana, Mendoza, murciélago
/n/	n	Nene, Nicaragua, nuevo
/ñ/	ñ	Niña, daño, Núñez
/p/	p	Papel, pereza, puerta
/r/	r	Cero, loro, pera
/t/	t	Tania, trío, turno
/b/	b	Biombo, Blanca, buzón
	v	Vaca, Valdivia, vestido
	w	Wagner
/g/	ga	Galindo, ganar, ganso
	go	Gobierno, González, gorda

	gu	Gusano, gustar, Guzmán
	gue	Guelatao, guerra, Guerrero
	gui	Guillermo, guión, guisado
	güe	Bilingüe, cigüeña, güera
	güi	Güiro, pingüino, pingüica, agüita
/i/	i	Impar, Isabel, Italia
	y	Maguey, mamey, Rey
/j/	j	Jiménez, Juan, juego
	ge	Genaro, Génova, Gerente
	gi	Gilberto, girasol, gitana
	x	Mexicali, México, Oaxaca
/k/	k	Kilocaloría, kilogramo, kilómetro
	ca	Calvo, capítulo, Carlos
	co	Comedor, concierto, corazón
	cu	Cuatro, Cuba, cuervo
	que	Querétaro, querer, queso
	qui	Quien, químico, quince
	x	Examen, éxito, extravagante
/ll/	ll	Llave, llorar, lluvia
	y	Ya, yo, yunque
/rr/	rr	Cerro, perro, burro
	r	Radio, respuesta, Rosa
	r	Enrique, Israel, honra
/s/	s	Semana, sesenta, suelo
	ce	Cecilia, celoso, cerca
	ci	Cine, círculo, cirugía
	x	Taxqueña, Texcoco, Xochimilco
	z	Zapato, zorro, zurdo
/u/	u	Uno, útil, uva
	w	Washington, Wenceslao, William
		22 Fonemas (sonidos)

Observaciones

1. El idioma español tiene 22 fonemas (sonidos) y 28 letras o grafías.
2. De los 22 fonemas que tiene el idioma español, 5 son vocales y 17 son consonantes; se caracteriza por ser económico, porque con pocos fonemas se puede construir palabras, oraciones y párrafos. Ejemplo:

/o/p/a/s/	Paso, posa, sapo, sopa

3. Las siguientes letras tienen un solo fonema y una sola grafía: a, e, o, ch, d, f, l, m, n, ñ, p, r, t y su relación es unívoca (uno a uno).

FONEMA	GRAFÍA	EJEMPLOS
/a/	a	Alicia, América, atar

4. Las siguientes letras tienen un solo fonema y más de una grafía: b, g, i, j, k, ll, rr, s, u.

FONEMA	GRAFÍA	EJEMPLOS
/b/	b	Biombo, Blanca, buzón
	v	Vaca, Valdivia, vestido
	w	Wagner

5. Los fonemas dobles en el idioma español son: ch, rr, ll. Si necesita saber cuántos fonemas

hay en una palabra, éstos se cuentan como uno.

PALABRAS	FONEMAS	NÚMERO DE FONEMAS
lluvia	ll-u-v-i-a	(5)
Chabela	Ch-a-b-e-l-a	(6)
perro	p-e-rr-o	(4)

6. No se debe pronunciar la letra "u" en los siguientes casos: guerra, guitarra.
7. Se pronuncia la "u" cuando se escribe diéresis (¨) sobre esta letra. Ejemplos: bilingüe, pingüino.
8. Actualmente la letra "h" no pertenece a fonema alguno y no tiene sonido. Ejemplos: hotel, hola.
9. El fonema "k" tiene diferentes grafías: k, ca, co, cu, que, qui, x; esta última se pronuncia (ks) como en los siguientes casos: examen (eksamen), extranjero (ekstranjero).
10. No se debe pronunciar la letra "u" en los siguientes casos: querer, queso (kerer, keso).
11. El fonema "r" es unívoco, su sonido es suave y es intervocálica (entre vocales). Ejemplos: cero, loro, pera.
12. El fonema "rr" no es unívoco y tiene tres diferentes usos. Veamos:

    a) Si se pronuncia fuerte y es intervocálica, se escribe doble. Ejemplos: cerro, perra.
    b) Si al principio de palabra, el sonido es fuerte y no es posible duplicarla. Ejemplos: rama, robo.
    c) Cuando el sonido es fuerte y va después de consonante, no se duplica. Ejemplos: Enrique, Monroy.

13. El fonema "u" tiene dos grafías: la "u" y la "w". Esta última se usa solamente en palabras extranjeras. Ejemplo: William.

Ejercicios

1. Se sugiere que trabaje por parejas los nombres correctos del alfabeto.
2. Se recomienda que el profesor escriba algunas palabras en el pizarrón, propuestas por él o por los alumnos, y otros estudiantes las deletreen. Ejemplo:

   Mariana (eme, a, ere, i, a, ene, a)

3. Ordene alfabéticamente las siguientes palabras: Baja California Norte, aletazo, zurdo, pozo, alcohol, máscara, álbum, Baja California Sur, bimembre, algodón.

   a) ______________________
   b) ______________________
   c) ______________________
   d) ______________________
   e) ______________________
   f) ______________________
   g) ______________________
   h) ______________________
   i) ______________________
   j) ______________________

4. Anote los diferentes usos que puede tener el alfabeto. Dígalos al grupo a través del moderador (corrillos, etc.).

   a) ______________________
   b) ______________________
   c) ______________________
   d) ______________________
   e) ______________________

5. Divida por fonemas las siguientes palabras y escríbalos a la derecha. Fíjese en el ejemplo.

PALABRAS	FONEMAS
puerta	p-u-e-r-t-a
ventana	____________
pluma	____________
ferretería	____________
llanura	____________
chocolate	____________

6. Cuente los fonemas de las palabras siguientes y escriba el número correspondiente en el paréntesis de la derecha. Observe el ejemplo.

PALABRAS	NÚMERO DE FONEMAS
Guerrero	(6)
choza	( )
ferrocarril	( )

llavero ( )
vitamina ( )
zorro ( )

7. ¿Cuál es la diferencia entre un fonema y una letra o grafía?

8. Escriba un fonema que sea unívoco y dé tres ejemplos.

_____ _____ _____ _____

9. Escriba un fonema que no sea unívoco y anote tres ejemplos.

_____ _____ _____ _____

10. ¿Cuáles son los fonemas dobles en español? Escriba tres ejemplos de cada uno de éstos.

_____ _____ _____ _____

_____ _____ _____ _____

_____ _____ _____ _____

SEGUNDA PARTE

PREFIJOS Y SUFIJOS GRIEGOS O LATINOS MÁS USUALES

Concepto e importancia de la palabra etimología

El término **etimología** proviene del griego *étymos*, que significa verdadero y *logos*, palabra. Es la ciencia que analiza el origen, significado y evolución de las palabras de un idioma. ¿Qué utilidad tiene conocer la etimología de una palabra? Nos ayuda a conocer la acepción propia de ésta.

Prefijo: La letra o letras que se escriben al principio de algunas palabras y cambian el significado de ésta. Ejemplo: **ab**usar, exceso en el uso de algo.

Sufijo: Gramema derivativo que se añade a una palabra primitiva y se escribe al final de ésta. Ejemplo: mortí**fero**, que puede provocar la muerte.

---

1. **A**: Prefijo que expresa negación o carencia; *átona*: sin tono.
2. **Ab**: Prefijo que indica ruptura o alejamiento; *abdicar*: renunciar a su cargo o traspasarlo un soberano. Redundancia en una acción; *abusar*: hacer uso excesivo de algo o alguien. Forma parte de palabras cultas de origen latino; *aborigen*: habitante de un país que vive de manera primitiva; propio de su tierra.
3. **Abs**: Prefijo con el mismo significado que "a"; *abstinencia*: renuncia temporal o definitiva a un goce determinado.
4. **-áceo, a**: Sufijo que expresa semejanza con el nombre primitivo: *grisáceo*: la forma femenina se emplea en la clasificación de las familias botánicas.
5. **Acet, aceto**: Prefijo latino que significa vinagre; *acetobacter*: bacteria que transforma el alcohol en ácido *acético*.
6. **-aco, -aca**: Sufijo que expresa valor despectivo (*pajarraco*), gentilicio (*polaco*: de Polonia), cierto carácter (*paradisiaco*: delicioso, muy agradable) o dolencia (*hipocondriaco*: obsesión por la salud propia).
7. **-acho, -cha**: Sufijo despectivo; *covacha* cueva o lugar poco recomendable; *baca* de un carruaje.
8. **Ad**: Prefijo de origen latino (lugar o dirección: a, junto a, hacia). *Adyacente*: contiguo o próximo.
9. **Adip, adipo**: Prefijos de origen latino (grasa). *Adiposo*: tejido caracterizado por la acumulación de grasa en sus células.
10. **Aero**: Prefijo de origen griego (aéreo o gaseoso). *Aeropuerto*; *aerosol*; dispersión de un sólido o un líquido en un gas.
11. **-agogía**: Sufijo de origen griego que significa conductor y condición, guía; *pedagogía*: ciencia de la educación.
12. **-aje**: Sufijo que indica acción, proceso (*hospedaje*), o globalidad, totalidad (*follaje*: conjunto de ramas y hojas de los árboles y plantas).
13. **-al**: Sufijo químico que indica la presencia de un grupo *aldehídico*.
14. **Aldo**: Prefijo químico que indica presencia, origen o estructura aldehídica; *aldosa*: cada uno de los azúcares monosacáridos —carbohidratos— con un grupo aldehído.
15. **-ales**: Sufijo algo despectivo que se emplea en adjetivos (*viejales* de viejo).
16. **Alo**: Prefijo de origen griego (otro). *Alófono*: término que se utiliza para nombrar las variantes fonéticas de un fonema.
17. **Ambli**: Prefijo de origen griego (obtuso, débil). *Ambliopía*: pérdida de la agudeza visual, sin aparente lesión ocular.
18. **-amen**: Sufijo que indica conjunto de; *velamen*: conjunto de velas de un barco.
19. **Amigdal, lo**: Prefijo de origen griego (almendra o en forma de almendra). *Amígdala*: órgano en forma de almendra.
20. **Amil, lo**: Prefijo que significa almidón; *amiláceo*: que contiene almidón o es semejante a él.
21. **Amino**: Prefijo que indica la presencia del radical amina —NH_2; *aminoácido*: conjunto de moléculas orgánicas que poseen simultáneamente una función amina NH_2.
22. **Ana**: Prefijo griego (contra arriba, otra vez). *Anáfora*: figura retórica —arte de la oratoria— que consiste en la repetición de una o varias palabras al empezar una frase o párrafo. *Anacronismo*: discordante de una época.

    -ana: Sufijo que aparece en los polisacáridos —carbohidrato que por hidrólisis da por cada molécula un número elevado de azúcares sencillos—.

23. **Andro, andria; -andro, -andria**: Prefijos o sufijos de origen griego (varón, estambre). *Andróforo*: parte de una flor portadora o formadora de gametos masculinos.
24. **Anem, anemo**: Prefijos de origen griego (viento). *Anemómetro*: instrumento que mide la velocidad y la fuerza del viento.
25. **Anfi**: Prefijo de origen griego (doble, a ambos lados y alrededor de). *Anfibología*: palabras o expresiones de doble sentido.
26. **Angi, gio**: Prefijo de origen griego (vaso, receptáculo —cavidad en la que se contiene o puede ser contenido algo). *Angiología*: especialidad médica que estudia vasos y circulación sanguínea.
27. **Anglo**: Prefijo (de Inglaterra). *Angloamericano*: de ingleses y americanos al mismo tiempo.
28. **Anis, so**: Prefijos de origen griego (desigual). *Anisofilia*: desigualdad entre las hojas insertas en un mismo nivel.
29. **-ano**: Sufijo de origen latino que indica origen y pertenencia; *presbiteriano*: relativo a las iglesias que carecen de jerarquía episcopal —propia del Obispo—; cualidad, *secano*: tierra de cultivo que carece de riego, cosa muy seca. Sufijo del nombre de los hidrocarburos saturados.
30. **Anom**: Prefijo de origen griego (sin ley, sin norma). *Anómalo, la*: irregular, raro.
31. **Ante:** Prefijo que significa precedencia —anterioridad que una cosa o persona tiene respecto a otra— en el tiempo o en el espacio —lugar—; *antedata*: en un documento, fecha anterior a la verdadera.
32. **Anti**: Prefijo que indica oposición o contrariedad; *antirromántico*: en contra del Romanticismo; *antítesis*: oposición.
33. **Anto**: Prefijo de origen griego (flor). *Antófilo*: aves de distintas familias que se alimentan del néctar —jugo— de las flores.
34. **Antropo** (o **-antropo**): Prefijo o sufijo que significa hombre; *antropología*: ciencia que estudia al ser humano.
35. **Apo**: Prefijo de origen griego (procedente de, relacionado con, alejado de, fuera de, ausencia de, etc.). *Apócope*: supresión de una sílaba o de un fonema al final de una palabra —tanto, tan; bueno, buen—.
36. **Archi**: Prefijo de origen griego que con sustantivos significa preeminencia —superioridad— *archiduque*: Príncipe o Princesa de la casa de Austria); y con adjetivos —muy—, *archisabido*: muy conocido).
37. **Aritmo, -aritmo**: Prefijo y sufijo de origen griego (cuenta, cálculo). *Aritmomanía*: tendencia maniática a contarlo numéricamente todo.
38. **Arque, arqueo**: Prefijos de origen griego (origen, antiguo, primitivo). *Arquebacteria*: microorganismo conocido más primitivo, hace 3500 millones de años. *Arqueología*: ciencia que estudia los monumentos y artes de la antigüedad.
39. **Arqui**: Prefijo de origen griego variante de archi; *arquiatra*: en Roma, médico imperial.
40. **-ato**: Sufijo que forma sustantivos de dignidad, oficio o acción (*bachillerato*: grado de bachiller), o adjetivos de cualidad (*pazguato*: que se escandaliza de todo). Agregado a nombres de animales, nombra a la cría (*ballenato*: cría de ballena).
41. **Audio**: Prefijo de origen latino (oír). *Audiología*: ciencia especializada en el estudio de los fenómenos acústicos —de sonido— en relación con la audición —percepción de los sonidos por el oído—. *Audiómetro*: aparato para medir la agudeza auditiva.
42. **Auri**: Prefijo de origen latino que significa oro; *aúrico*: de oro.
43. **-avo, ava**: Sufijo numeral partitivo u ordinal; *octavo*: se aplica a cada una de las ocho partes iguales en que se divide algo.
44. **Axo, axono**: Prefijo de origen griego (eje). *Axonomorfo*: la raíz con un eje principal muy desarrollado en relación a los secundarios —Botánica—.
45. **-azo, za**: Sufijo aumentativo (*perrazo*); también expresa el golpe que se da con algo (*bastonazo*) o alguna acción violenta (*arañazo*).
46. **Baro**: Prefijo de origen griego (peso). *Barometría*: rama de la física dedicada a la medida y estudio de la presión atmosférica.
47. **Basi**: Prefijo latino (base). *Basicidad*: carácter de base en Química.
48. **Bi**: Prefijo que significa dos; *bimembre*: dos miembros o elementos.
49. **Bio**: Prefijo de origen griego (vida). *Biografía*: historia de la vida de una persona.
50. **Bis**: Prefijo que significa dos veces; *bisectriz*: se dice de la recta que divide un ángulo en otros dos iguales entre sí.
51. **Blasto**: Prefijo de origen griego (germen). *Blastocisto*: fase en el desarrollo en el embrión de mamíferos.
52. **Braqui**: Prefijo de origen griego (corto). *Braquilogía*: uso de frases cortas equivalentes a otras más largas; *braquigrafía*: estudio de las abreviaturas.
53. **Bronco**: Prefijo de origen griego (bronquio). *Bronconeumonía*: proceso inflamatorio que se origina en los bronquios.
54. **Caco**: Prefijo de origen griego (malo). *Cacofonía*: repetición de un mismo sonido, que produce un efecto desagradable al oído.

55. **Calco**: Prefijo de origen griego (cobre o bronce). *Calcotipia*: grabado en cobre para componer tipos de carácter movible.
56. **Carcino**: Prefijo de origen griego (cangrejo o cáncer). *Carcinología*: estudio morfológico y taxonómico —clasificación— de los crustáceos.
57. **Cardi, cardio, cardia**; **-cardio**: Prefijos y sufijo griegos (corazón). *Cardiectasia*: dilatación de las cavidades del corazón. *Pericardio*: membrana serosa que rodea el corazón.
58. **Cario**: Prefijo de origen griego (nuez, núcleo). *Cariología*: disciplina de la Biología que estudia el núcleo celular desde un punto de vista morfológico como bioquímico y genético.
59. **Carpo**: Prefijo de origen griego (fruto, unión). *Carpófago*: que se nutre de frutos.
60. **Cata**: Prefijo de origen griego (hacia abajo). *Catacumbas*: galerías subterráneas para uso funerario.
61. **Centi**: Prefijo que, en el sistema métrico decimal, indica la centésima parte de una medida; *centiloquio*: obra que contiene 100 partes o tratados.
62. **-cetena**: Sufijo químico que indica la presencia del radical =C=C=O.
63. **Cian**, **ciano**: Prefijo de origen griego (color azul oscuro). *Cianismo*: fenómeno hereditario por el que algunas especies de animales colorean la totalidad o parte de su cuerpo de color azul.
64. **Ciclo**, **-ciclo**: Prefijo y sufijo griegos (círculo). *Ciclometría*: estudio de la rectificación de la circunferencia y de la cuadratura del círculo. *Periciclo*: tejido del cilindro vascular de las plantas.
65. **Cis**: Prefijo de origen latino (de la parte de acá). *Cisalpino*: en relación a Roma, localizado más acá de los Alpes.
66. **Cito**: Prefijo griego que indica relación con las células. *Citogenética*: especialidad de la genética que estudia todas las estructuras celulares relacionadas con la herencia.
67. **Clepto**: Prefijo de origen griego (robar). *Cleptomanía*: impulso morboso que, no por afán de lucro sino por el deseo de tener lo ajeno, motiva a un individuo a robar.
68. **Clino**: Prefijo de origen griego (inclinación). *Clinómetro*: aparato que mide el grado de inclinación y desplazamiento con relación a la vertical.
69. **Co**: Prefijo que indica unión, participación o compañía; *coeducación*: educación conjunta e igual de personas de ambos sexos.
70. **Contra**: Prefijo que indica oposición (*contraveneno*: antídoto), segundo en grado o jerarquía (*contraalmirante*: oficial de la armada de grado inferior al de vicealmirante). Prefijo que, antepuesto al nombre de un instrumento o al de una voz humana, significa más grave que, indica una octava más baja. *Contrabajo*: llamado también violón, sonido grave y se escribe una octava más alta de como suena; *contratenor:* en las polifonías —sistema de composición en el que se combinan diversas líneas melódicas independientes— medievales, el sonido es más grave que el de tenor, interpretado por hombres o mujeres.
71. **Copro**: Prefijo de origen griego (excremento). *Coprófago*: especies animales que obtienen su alimento a base de excrementos.
72. **-cracia**: del griego kratos, poder. Sufijo que expresa hegemonía —predominio de una nación sobre otras; superioridad de una persona sobre otras— especialmente en política. *Plutocracia*: régimen político en el que el poder es ejercido o directamente controlado por el sector económicamente más poderoso.
73. **Crio**: Prefijo de origen griego (frío). *Criología*: estudio de los fenómenos que se dan a bajas temperaturas.
74. **Cripto**: Prefijo de origen griego (oculto). *Criptógamas*: conjunto de plantas, que carecen de órganos de reproducción aparentes flores.
75 **Criso**: Prefijo griego (oro). *Crisografía*: en los manuscritos medievales, es el arte de escribir con oro diluido y plata.
76. **Cromo**, **-cromo**: Prefijo y sufijo griegos que indican la presencia de color; *cromógeno*: células que producen sustancias colorantes; *Policromo*: de varios colores.
77. **Crono**, **-crono**: Prefijo y sufijo griegos (tiempo). *Cronología*: ciencia que estudia las fechas de los acontecimientos históricos. Sucesión de personas o hechos históricos, según un criterio temporal.
78. **Dacri**, **dacrio**: Prefijos griegos (lágrima). *Dacrioadenitis*: proceso inflamatorio que afecta a la glándula lacrimal.
79. **Dáctilo**: Prefijo griego (dedo). *Dactiloscopia*: estudio de las huellas dactilares (relativo al dedo) con finalidad de identificación personal.
80. **De**: Prefijo latino equivalente a **ex** y **es**; *deambular*: andar sin rumbo fijo.
81. **Deca**: Prefijo griego (diez). *Decálogo*: conjunto de diez normas o preceptos.
82. **Deci**: Prefijo latino (la décima parte de). *Decímetro*: medida de longitud que equivale a la décima parte de un metro.
83. **Demo**: Prefijo griego (pueblo). *Democracia*: Sistema de organización político-social, basado en la participación de todos los miembros en una sociedad.

84. **Dendri, dendro**: Prefijos griegos (árbol). *Dendrometría*: ciencia que se ocupa de la medición de los árboles (altura, volumen, peso, etc.).

85. **Dent**: Prefijo latino (diente). *Dental*: relativo a los dientes.

86. **Dermato**: Prefijo griego (piel). *Dermatología*: Parte de la medicina que estudia la piel, sus funciones y enfermedades.

87. **Des**: Prefijo latino que indica negación, carencia, intensificación o fuera de; *desafinar*: no dar la voz, o un instrumento musical el tono justo.

88. **Deutero, deuter, deuto**: Prefijo griego (segundo). *Deutóxido*: combinación de un cuerpo con el oxígeno en un segundo grado de oxidación. Antiguamente llamado bióxido.

89. **Dextro**: Prefijo latino (a la derecha). *Dextrorso*: movimiento cuyo giro se realiza a la derecha.

90. **Di**: Prefijo latino (contradicción). *Disociar*: separar una cosa de otra o descomponer los elementos de algo; origen, *dimanar*: provenir y fluir el agua de un manantial; venir una cosa de otra; extensión, *difuminar*: volver imprecisos los contornos de algo.

Di: Prefijo griego (doble). *Dióxido*: compuesto que tiene dos átomos de oxígeno por uno del elemento no metálico. Son óxidos de los no metales.

91. **Dia**: Prefijo griego que indica, generalmente, distancia entre dos partes; *diafragma*: membrana elástica que separa dos fluidos en una máquina o circuito; con, *diaquilón*: pomada para reblandecer los tumores.

92. **Difenil**: Prefijo químico que expresa la presencia de dos grupos fenilo —C_6H_5 es un radical orgánico aromático monovalente— en una molécula. *Difenilo*: C_6H_5 —C_6H_5 es un hidrocarburo formado por soldadura de dos núcleos bencénicos —de benceno, C_6H_6, es el más elemental de los hidrocarburos cíclicos aromáticos—.

93. **Dinamo**: Prefijo griego (fuerza o energía). *Dinamómetro*: instrumento que por deformación elástica mide fuerzas.

94. **Diplo**: Prefijo griego (doble). *Diploide*: individuo, célula o fase de un ciclo biológico en el que cada cromosoma del núcleo está duplicado.

95. **Dis**: Prefijo latino (negación o contrariedad). Prefijo griego que indica dificultad, mal; se usa generalmente en palabras científicas. *Disacusia*: trastorno de la audición.

96. **Dodeca**: Prefijo griego (doce). *Dodecasílabo*: verso de 12 sílabas que varía en su acentuación.

97. **Dolico**: Prefijo griego (largo). *Dolicocefalia*: característica antropológica del cráneo en la que hay gran predominio del diámetro anteroposterior sobre el transversal —que atraviesa de un lado a otro—, dándole un aspecto alargado.

98. **Drom, -dromo**: Prefijo y sufijo griegos que significan carrera. *Dromedario*: mamífero de patas largas y marchador muy resistente. *Velódromo*: pista para carreras en bicicleta.

99. **-ducto**: Sufijo latino (conducción). *Oleoducto*: canal cerrado para la conducción del petróleo a grandes distancias.

100. **E**: Prefijo que significa procedencia, origen; *educar*: guiar desde algo.

101. **Eco**: Prefijo griego (casa, entorno, medio ambiente). *Ecofobia*: pánico a permanecer en casa. *Ecología*: ciencia que estudia la relación de equilibrio entre los organismos vivos y el ambiente en que viven.

102. **Ecto**: Prefijo griego (fuera o la parte externa de). *Ectoplasma*: parte externa del citoplasma —parte esencial de la célula entre la membrana celular y el núcleo.

103. **Electro**: Prefijo griego (eléctrico). *Electrobomba*: Bomba hidráulica —que se mueve por a través del agua— impulsada por un motor eléctrico.

104. **Eleo**: Prefijo griego (aceite). *Eleotecnia*: elayotecnia (conjunto de técnicas y conocimientos destinados a la producción del aceite de oliva).

105. **En**: Prefijo de origen latino de significado equivalente a la preposición **en** (limitación temporal o espacial —de lugar—, duración o permanencia). *Enamorar*: piropear a alguien.

En: Prefijo griego (dentro de, en, entre). Se emplea en términos científicos. *Encéfalo*: conjunto de órganos del sistema nervioso central contenido en la cavidad craneal (cerebro, cerebelo y tronco cerebral).

106. **Endeca**: Prefijo griego (once). *Endecasílabo*: verso compuesto por once sílabas.

107. **Endo**: Prefijo griego (dentro). *Endógeno*: que se forma u origina en el propio organismo, en contraposición a exógeno.

108. **Enea**: Prefijo griego (nueve). *Eneasílabo*: verso de 9 sílabas.

109. **Eno**: Prefijo griego (vino), *Enografía*: estudio de las diferentes clases de vinos.

110. **Enter**: Prefijo griego (intestino). Usado también como sufijo. *Enterotomía*: incisión —corte, hendidura superficial que se practica en un cuerpo— del intestino.

111. **Ento**: Prefijo griego (dentro de). *Entoldado*: espacio cubierto con un toldo para celebrar festejos.

112. **Entomo**: Prefijo griego (insecto). *Entomófago*: animales en cuya dieta alimentaria participan los insectos.
113. **Eo**: del griego *eós*, aurora. Prefijo que se emplea para designar los primeros estadios —fase evolutiva de un proceso evolutivo— de un proceso. *Eocámbrico*: fase inicial del cámbrico —primer periodo de la era Paleozoica, con una antigüedad aproximada de 500 millones de años—.
114. **Epi**: Prefijo griego (sobre). **Epicráneo**: conjunto de tejidos blandos que recubren el cráneo.
115. **Equi**: Prefijo griego (igual). *Equiángulo*: figuras y cuerpos cuyos ángulos son iguales entre sí.
116. **Eritro**: Prefijo griego (rojo). *Eritropoyesis*: proceso por el cual la médula ósea forman los glóbulos rojos.
117. **Ero**: Prefijo griego (impulso sexual). *Erótico*: relativo al amor.
118. **-érrimo**: Sufijo que indica el grado superlativo de algunos adjetivos. *Paupérrimo*: muy pobre.
119. **Es**: Prefijo equivalente a **ex** (fuera, o más allá de); a veces es sólo expletivo —palabras y nexos que no son necesarios pero que adornan la frase—. *Esbelto*: de figura alta y delgada.
120. **Escato**: Prefijo griego (excremento, último). *Escatocolo*: Protocolo final de un diploma.
121. **Escler**: Prefijo griego (duro). *Esclerema*: estado de endurecimiento especialmente de la piel.
122. **Esfigmo**: Prefijo griego (pulso). *Esfigmocardiografía*: registro simultáneo del pulso arterial y de los latidos cardíacos (del corazón).
123. **-ésimo, ma**: Sufijo que significa parte, lugar que ocupa una serie ordenada. *Vigésimo*: que sigue en orden al décimo noveno, cada una de las 20 partes iguales en que se divide un todo.
124. **Eso**: Prefijo griego (interior). *Esófago*: conducto del aparato digestivo que une la faringe con el estómago.
125. **Esplen**: Prefijo griego (bazo). *Esplénico*: relativo al bazo.
126. **Esquizo**: Prefijo griego (división, disociación). *Esquizocarpo*: fruto seco indehiscente —órganos vegetales, generalmente frutos, que no se abren en forma espontánea— que surge a partir de varios carpelos —hoja transformada que se encuentra en la parte central de la flor, en la que forma el gineceo—.
127. **Estear**: Prefijo griego (sebo). *Esteárico*: $C_{18}H_{36}O_2$. Ácido orgánico que pertenece a la serie de ácidos grasos saturados. Se emplea para fabricar velas, cirios, etc.
128. **Esteno**: Prefijo griego (estrecho, apretado). *Estenosis*: Estrechamiento anormal de algún conducto u orificio; puede ser congénito (que surge desde el nacimiento o antes) o adquirido. *Estenografía*: taquigrafía.
129. **Estéreo**: Prefijo griego (sólido). *Estereognosia*: capacidad para reconocer los objetos por su forma y solidez.
130. **Estilo**: Prefijo griego (punzón). *Estilógrafo*: Col., Nic. Estilográfica (pluma).
131. **Estomat**: Prefijo griego (boca). *Estomático*: relativo a la boca del hombre.
132. **Estrepto**: Prefijo griego (trenzado o redondeado). *Estreptococo*: variedad de cocos —bacterias— en cadena.
133. **Estrob**: Prefijo griego (remolino). *Estroboscopia*: método de observación a frecuencia reducida de movimientos periódicos de frecuencia elevada.
134. **Étimo**: del griego *étymos*, verdadero. Palabra o raíz de la cual deriva otra. *Etimología*: ciencia que analiza el origen, significado y evolución de las palabras de un idioma.
135. **Etno**: Prefijo griego (pueblo). *Etnografía*: ciencia que describe las costumbres y las tradiciones de los pueblos.
136. **Eu**: Prefijo griego (bien, bueno). *Eubolia*: virtud de hablar bien y con recato.
137. **Ex**: Prefijo latino (fuera o más allá de). Ante sustantivos o adjetivos denota el cargo o filiación que ha tenido una persona. Puede ir unido, separado o con guión. *Exalumno*.
138. **Exo**: Prefijo griego con significado de fuera. *Éxodo*: salida.
139. **Extra**: Prefijo latino (fuera de). *Extranjero*: individuo que reside en otro país que no es el propio.
140. **Faco**: Prefijo griego (lente, cristalino). *Facómetro*: utensilio óptico que mide la refracción del cristalino —relativo al cristal—.
141. **Fago, -fago**: Prefijo y sufijo griegos que significan devorador, comedor. *Fagoterapia*: tratamiento mediante sobrealimentación en el periodo de convalecencia. *Esófago*: conducto del aparato digestivo que une la laringe con el estómago. Los movimientos peristálticos —contracción muscular a modo de ondas— conducen el bolo alimenticio durante la deglución —proceso por el cual el bolo alimenticio pasa de la boca al estómago a través del esófago—.
142. **-fero, ra**: Sufijo latino (que lleva o que produce). *Mortífero*: que puede provocar la muerte.
143. **Ferri**: Prefijo latino (hierro). *Férrico*: compuestos de hierro en los que éste tiene una valencia + 3.

144. **Fic, fico**: Prefijos griegos (alga). *Ficófago*: que se nutre de algas.
145. **Fili**: Prefijo latino (hilo). *Filiforme*: en forma de hilo.
146. **-filia**: Sufijo griego (amor). *Bibliofilia*: afición a los libros.
147. **Filo, -filo-a**: Prefijo y sufijo griegos (amigo, aficionado a; raza; hoja, lámina). *Filotecnia*: simpatía hacia las artes. *Filogenia*: desarrollo general de una especie. *Filófago*: que se nutre de hojas. *Clorofila*: cada uno de los distintos pigmentos porfirínicos —de porfirina, es una sustancia derivada de la porfina que se forma en el metabolismo de la hemoglobina— dispuestos en los cloroplastos de los órganos verdes de las plantas.
148. **Fisio**: Prefijo griego (naturaleza). *Fisiocracia*: conjunto de opiniones del siglo XVIII en las cuales se dice que la tierra es la única fuente de excedente —que sobra—.
149. **Fiso**: Prefijo griego (vejiga). *Fisoclisto*: peces teleósteos primitivos, cuya vejiga natatoria conserva la comunicación con el tubo digestivo.
150. **Fito, -fito, ta**: Prefijo y sufijo griegos (vegetal, planta). *Fitofármaco*: cualquier producto eficaz para combatir las enfermedades de las plantas. *Clorofitos*: división de las algas caracterizada por incluir especies uni o pluricelulares provistas de cloroplastos —órgano citoplasmático de las células vegetales con clorofila—.
151. **Flabeli**: Prefijo latino (abanico). *Flabelicornio*: insecto con las antenas en forma de abanico.
152. **Flebo**: Prefijo griego (vena). *Flebotrombosis*: formación de un trombo —masa sólida formada en la luz del sistema vascular por los productos de la coagulación sanguínea— en un vaso venoso sin que exista inflamación previa de sus paredes.
153. **Fluvio**: Prefijo latino (río). *Fluvioglaciar*: fenómenos geológicos —ciencia que estudia la composición de la corteza terrestre y su transformación en el tiempo— producidos por el agua procedente de la fusión de hielo de un glaciar —acumulación de masas de hielo—.
154. **-fobia**: Sufijo griego (horror, aversión). *Claustrofobia*: temor enfermizo a los lugares cerrados con una sensación de ahogo.
155. **Foli**: Prefijo latino (hoja). *Folíolo*: cada uno de los elementos foliares —de foliar, relativo a la hoja o a sus características— de una hoja compuesta.
156. **Fono, -fono**: Prefijo y sufijo griegos (sonido, voz). *Fonotecnia*: estudio de todas las formas de registrar, obtener, reproducir y transmitir el sonido. *Homófono*: palabras que semánticamente son diferentes en cuanto a su significado, pero se pronuncian igual: *abano, habano*.
157. **Foro, -foro**: Prefijo y sufijo griegos (el que lleva). *Forofo*: fanático, hincha, incondicional. *Nicéforo*: nombre de 3 emperadores bizantinos —de Bizancio, relativo al imperio romano de Oriente—.
158. **Foto**: Prefijo griego (luz), *Fotófilo*: plantas que necesitan suficiente luz para su desarrollo normal.
159. **Fren**: Prefijo griego (mente, diafragma). *Frénico*: relativo al diafragma.
160. **Galacto**: Prefijo griego (leche). *Galactofagia*: tendencia a ingerir casi exclusivamente leche.
161. **Gamo**: Prefijo griego (unión). *Gamopétalo*: flor o planta con los pétalos total o parcialmente soldados.
162. **Gaster, gastero, gastro**: Prefijos griegos (estómago). *Gastropatía*: afección o enfermedad del estómago.
163. **Geno, -geno**: Prefijo y sufijo griegos (engendrar —fecundar, perpetuar la especie, originar, producirse—). *Genocentro*: centro geográfico donde una especie presenta su máxima variedad. *Oxígeno:* elemento químico situado en el grupo VIa de la tabla periódica.
164. **Geo**: Prefijo griego (tierra). *Geografía*: ciencia que trata de analizar la localización y la distribución en el espacio de los diferentes elementos de la superficie terrestre.
165. **Gero, geronto**: Prefijos griegos (viejo, anciano). *Gerontología*: estudio de la vejez desde el punto de vista biológico, psicológico y social.
166. **Gimno**: Prefijo griego (desnudo). *Gimnospermas*: subdivisión de plantas fanerógamas que se caracterizan por tener semillas primitivas, desnudas, sin formar un verdadero fruto.
167. **Gineco**: Prefijo griego (mujer). *Ginecología*: especialidad dedicada al estudio de la fisiología y patología del aparato genital femenino.
168. **Gloso**: Prefijo griego (lengua). *Glosodonto*: animales con elementos dérmicos duros en la lengua.
169. **Gluco**: Prefijo griego (dulce). *Glucómetro*: densímetro para determinar la cantidad de azúcar contenida en un líquido.
170. **Gonio**: Prefijo griego (ángulo). *Goniometría*: técnica de medir o trazar ángulos.
171. **Gono**: Prefijo griego (generación, germen —microorganismo, especialmente bacteria—). *Gonococia*: enfermedad venérea causada por un gonococo —bacteria gramopositiva, generalmente inmóvil, que forma pigmentos anaranjados o rojos—.

172. **-grafía**: Sufijo griego (escritura, descripción). *Ortografía*: parte de la gramática que se dedica a la forma correcta de escribir.
173. **Grafo**, **-grafo**: Prefijo y sufijo griegos (escribir, grabar). *Grafomanía*: manía de escribir. *Taquígrafo*: persona que se dedica a la taquigrafía —tipo de escritura a base de ciertos signos que nos permite transcribir con rapidez un texto al dictado—.
174. **-grama**: Sufijo griego (escrito, línea, trazado). *Pentagrama*: pauta musical constituida por cinco líneas paralelas horizontales —que forman 4 espacios—, donde se escriben las notas musicales.
175. **Halo**: Prefijo griego (sal o mar). *Halobiótico*: que tiene como medio ambiente el agua del mar.
176. **Haplo**: Prefijo griego (simple). *Haplología*: fenómeno fonético que consiste en suprimir una sílaba en una palabra cuando es igual o semejante a la sílaba contigua —cercana—. Ejemplo: metarso por metatarso.
177. **Hecto**, **ta**: Prefijo griego (cien). *Hectolitro*: cien litros.
178. **Helico**: Prefijo griego (espiral). *Helicómetro*: aparato que sirve para medir el rendimiento de la hélice de un barco.
179. **Helio**, **heli**: Prefijos griegos (sol). *Heliófilo*: animales y plantas que necesitan luz directa del sol para su desarrollo.
180. **Hema**, **hemat**, **hemato**, **hemo**: Prefijos griegos (sangre). *Hemorragia*: salida de la sangre de los vasos sanguíneos.
181. **Hemero**: Prefijo griego (día). *Hemeroteca*: lugar en que se conservan periódicos y revistas que puede consultar la gente.
182. **Hemi**: Prefijo griego (medio). *Hemianopsia*: disminución o pérdida de la visión en la mitad del campo visual de uno o ambos ojos. Es causada por lesión de la vía óptica.
183. **Hepta**: Prefijo griego (siete). *Heptarquía*: conjunto de los 7 reinos más importantes que existieron en Inglaterra entre los siglos VI y IX.
184. **Hetero**: Prefijo griego (otro, distinto). *Heterogéneo*: formado por partes diferentes entre sí. Distinto, extraño.
185. **Hexa**: Prefijo griego (seis). *Hexápodo*: con seis patas.
186. **Hial**, **hialo**: Prefijo griego (vidrio). *Hialógrafo*: dispositivo para grabar sobre vidrio mediante un diamante o esmeril.
187. **Hidro**: Prefijo griego (agua o hidrógeno). *Hidrognosia*: estudio del ciclo del agua en la Tierra.
188. **Higro**: Prefijo griego (húmedo). *Higrófilo*: plantas que necesitan un medio muy húmedo para su desarrollo.
189. **Hiper**: Prefijo griego (excelencia o exceso). *Hipersensible*: persona muy sensible y propensa a la histeria.
190. **Hipno**: Prefijo griego (sueño). *Hipnosis*: estado del sueño parcial provocado por medio de la sugestión —proceso psíquico mediante el cual un individuo induce una idea o un sentimiento en otro individuo o en sí mismo— durante el cual el sujeto cumple órdenes a través del *hipnotizador*. Es usada como anestésico, como un medio auxiliar en la psicoterapia, etc.
191. **Hipo**: Prefijo griego *hypo*, debajo, que indica poca cantidad o subordinación; *hipodérmico*: que se localiza bajo la piel. Prefijo griego *hippos*, caballo, que quiere decir relación con los caballos; *hipódromo*: pista e instalaciones en las que se corren las carreras de caballos.
192. **Hista**: Prefijo griego (tejido). *Histamina*: amina —compuesto obtenido por sustitución de átomos de hidrógeno de la molécula de amoníaco por radicales orgánicos— derivada del aminoácido histidina —aminoácido natural— por descarboxilación del mismo. Se encuentra en los tejidos de forma inactiva.
193. **Hister**: Prefijo griego (matriz, útero). *Histerectomía*: extirpación quirúrgica del útero, que puede ser parcial o completa.
194. **Histio**, **histo**: es el equivalente a **hista**. *Histogénesis*: proceso del periodo embrionario en que se generan los tejidos. *Histología*: rama de la anatomía que tiene por objeto el estudio microscópico de la estructura de los tejidos y órganos.
195. **Holo**: Prefijo griego (que forma un todo). *Holobionte*: organismo cuyo ciclo vital se desarrolla por completo en un mismo ambiente. *Holograma*: imagen óptica obtenida con rayo láser.
196. **Homeo**: Prefijo griego (parecido, igual). *Homeopatía*: se basa en la similitud y en que los medicamentos deben usarse en dosis mínimas.
197. **Homo**: Prefijo griego (identidad, igualdad). *Homogéneo*: se dice de lo que es del mismo género o naturaleza.
198. **Icon**, **icono**: Prefijos griegos (imagen). *Iconolatría*: culto y veneración a las imágenes.
199. **Ictio**: Prefijo griego (pez). *Ictiografía*: especialidad de la zoología dedicada a la descripción de los peces.
200. **Idio**: Prefijo griego (propio). *Idiosincrasia*: temperamento, manera de ser peculiar de cada uno. Forma peculiar de cada individuo de reaccionar frente a un estímulo —alimentos, drogas—.
201. **Igni**: Prefijo latino (fuego). *Ignífero*: que lleva o lanza fuego.

202. **In**: Prefijo latino que expresa negación o privación. También es equivalente a la preposición **en** (limitación temporal o espacial —lugar—, duración o permanencia). *Inabarcable*: imposible de ser abarcado. *Innato*: lo que es característico de una persona.
203. **Infra**: Prefijo latino (inferior, debajo de). *Infraestructura*: en un buque, la parte que queda debajo de la última cubierta.
204. **Inter**: Prefijo latino (entre o en medio). *Intervocálica*: entre vocales.
205. **Intra**: Prefijo latino (dentro de). *Intravenoso*: inyección en la vena.
206. **Iso**: Prefijo griego (igual). En química, indica el *isómero* —dos o más compuestos que presentan isomería; la *isomería* es un fenómeno que se observa en dos o más sustancias, principalmente orgánicas, que teniendo igual composición centesimal, igual peso molecular, tienen distinta estructura molecular—. *Isobara*: línea imaginaria que une los puntos de la Tierra cuya presión atmosférica es la misma.
207. **Kilo**: Prefijo griego (mil). *Kilocaloría*: Unidad de calor equivalente a 1000 calorías.
208. **Lact, lacti, lacto**: Prefijos latinos (leche). *Lactante*: niño de pocos meses cuyo principal alimento es la leche.
209. **Lepido**: Prefijo griego (escama). *Lepidópteros*: insectos de cuatro alas cubiertas de pelos transformados en escamas.
210. **Lepto**: Prefijo griego (delgado, ligero). *Leptorrino*: que tiene la nariz larga y delgada.
211. **Leuco**: Prefijo griego (blanco). *Leucocito*: cada uno de los glóbulos blancos de la sangre.
212. **Lipo**: Prefijo griego (grasa). *Lipodistrofia*: tipo de obesidad en la que existe una acumulación y distribución anómalas de la grasa.
213. **Lito, -lito**: Prefijo y sufijo griegos (piedra). *Litografía*: arte de grabar o dibujar en piedra una imagen o escrito para reproducirlo después.
214. **-logía**: Sufijo griego (ciencia, tratado, doctrina). *Biología*: ciencia que estudia los seres vivos, tanto actuales como extintos —muertos—.
215. **Logo, -logo**: Prefijo griego (palabra). Sufijo griego que indica que una persona se dedica a algunas ramas de la ciencia. *Logorrea*: flujo inagotable e incoercible de palabras generalmente dispersas y desordenadas. **Biólogo**: persona dedicada al estudio y cultivo de la Biología.
216. **Macro**: Prefijo griego (largo, grande). *Macrocéfalo*: que tiene la cabeza grande.
217. **Malaco**: Prefijo griego (blando). *Malacología*: especialidad de la zoología que tiene por objeto el estudio de los moluscos.
218. **Mecano**: Prefijo griego (máquina). *Mecanografía*: escritura a máquina.
219. **Mega**: Prefijo griego (grande) usado en unidades de medida, para indicar un millón. *Megahercio*: unidad de frecuencia, equivalente a un millón de hercios —unidad de frecuencia igual a una vibración por segundo—.
220. **Melan, no**: Prefijos griegos (negro). *Melanodoncia*: proceso degenerativo de la corona de los dientes de leche, que se manifiesta por el color de éstos.
221. **Melo**: Prefijo griego (canto, música). *Melografía*: arte de escribir música.
222. **Meno**: Prefijo griego (mes). *Menologio*: santoral —relación de santos cuya festividad se conmemora en cada uno de los días del año; libro en que se narra la vida y obra de los santos— de los cristianos griegos que sigue los días del mes.
223. **-mente**: Sufijo que forma adverbios modales. *Sutilmente*: equivale a sutil y quiere decir: delicado, muy delgado o tenue.
224. **Meso**: Prefijo griego (medio). *Mesocracia*: gobierno de la clase media.
225. **Meta**: Prefijo griego (más allá, después, además). *Metafísica*: de difícil comprensión, abstracto.
226. **Metro, -metro**: Prefijo y sufijo griegos (medida). Prefijo griego (matriz). *Metrología*: ciencia que tiene por objeto el estudio de los sistemas de medidas. *Cronómetro*: reloj de alta precisión para medir fracciones de tiempo muy pequeñas.
227. **Miceto, -miceto**: Prefijo y sufijo griegos (hongo). *Micetología*: disciplina de la botánica que se ocupa del estudio de los hongos.
228. **Micro**: Prefijo griego (pequeño). En unidades de medida, indica la millonésima parte de dicha unidad. *Microfagia*: células u organismos que se alimentan de partículas pequeñas en relación a su tamaño.
229. **Mili**: Prefijo latino (milésima parte de una unidad). *Milivoltio*: milésima parte de un voltio.
230. **Mio**: Prefijo griego (músculo). *Miografía*: estudio, mediante el miógrafo —dispositivo usado para registrar gráficamente contracciones musculares, con el objeto de estudiar su intensidad, duración y forma— de la actividad contráctil de los grupos musculares.
231. **Miria**: Prefijo griego (diez mil). *Miriada*: cantidad muy grande sin determinar.
232. **Miso**: Prefijo griego (odio). *Misógamo*: rechazo al matrimonio.
233. **Mono**: Prefijo griego (solo, único). *Monoaural*: grabación fonográfica con un solo micrófono, que produce un sonido más plano que el estereofónico.

234. **Morfo, -morfo**: Prefijo y sufijo griegos (forma). *Morfosis*: cambio de crecimiento de un artrópodo —animales invertebrados de simetría bilateral— que no necesariamente cambia su forma.
235. **Moto**: Prefijo que, antepuesto a una palabra, indica que lo que ésta designa se mueve por medio de un motor. *Motonave*: embarcación con motor.
236. **Multi**: Prefijo latino (mucho). *Multimillonario*: inmensamente rico, potentado.
237. **Narco:** Prefijo griego (letargo, entumecimiento). *Narcoterapia:* terapia usada en determinadas enfermedades mentales y consiste en provocar en el paciente, mediante narcóticos, un sueño de varios días de duración.
238. **Necro**: Prefijo griego (muerto). *Necrología*: reseña biográfica de una persona fallecida; relación de personas fallecidas.
239. **Nefro**: Prefijo griego (riñón). *Nefrología*: rama de la medicina interna que se ocupa de la descripción, funcionamiento y enfermedades producidas en el riñón.
240. **Neo**: Prefijo griego (nuevo). *Neologismo*: palabra o giro de reciente introducción en un idioma. Puede provenir de lenguas clásicas o extranjeras.
241. **Neumato**: Prefijo griego (aire). *Neumatosis*: acumulación patológica de gas en los tejidos. Ejemplo: gangrena gaseosa.
242. **Neumo**: Prefijo griego (pulmón). *Neumonía*: proceso inflamatorio agudo de un lóbulo pulmonar de origen generalmente bacteriano.
243. **Neuro**: Prefijo griego (nervio). *Neurología*: rama de la medicina interna especializada en el estudio del sistema nervioso.
244. **Nomo, -nomo**: Prefijo y sufijo griegos (ley). **Nomograma**: gráfico que tiene tres o más escalas con el que pueden ser resueltas gráficamente ecuaciones poniendo sobre él una regla, de manera que su borde pase por dos valores conocidos.
245. **Noso**: Prefijo griego (enfermedad). *Nosofobia*: miedo obsesivo a enfermarse.
246. **Ob**: Prefijo latino (por razón, causa de; en algunos casos oposición). *Obsesión*: idea fija, pensamiento que el sujeto no puede apartar de la mente por mucho que quiera la persona.
247. **Oct, octa**: Prefijos latinos (ocho). *Octacordio*: instrumento musical griego que tenía ocho cuerdas; sistema de notación musical de ocho sonidos.
248. **Odont, odonto**: Prefijos griegos (diente). *Odontalgia*: sensación dolorosa en un diente.
249. **Ofi**: Prefijo griego (serpiente). *Ofiolatría*: adoración y culto a las serpientes.
250. **Oftalmo**: Prefijo griego (ojo). *Oftalmología*: rama de la medicina especializada en el estudio de la fisiología y enfermedad de los ojos.
251. **Óleo**: Prefijo latino (aceite). *Oleoducto*: canal cerrado para la conducción del petróleo a grandes distancias.
252. **Oligo**: Prefijo griego (poco). *Oligohalino*: organismos que viven en medios con poca concentración de sales.
253. **Omni:** Prefijo latino (todo). *Omnímodo:* que abarca e integra todos los aspectos de una cosa.
254. **Onico**: Prefijo griego (uña). *Onicofagia*: mala costumbre de morderse y comerse las uñas.
255. **Onoma**: Prefijo griego (nombre). *Onomancia*: arte de adivinar el futuro de una persona a través de su nombre.
256. **Oo**: Prefijo griego (huevo). *Oología*: parte de la zoología dedicada al estudio de los huevos de los animales.
257. **Opisto**: Prefijo griego (detrás). *Opistótonos*: arqueamiento del cuerpo hacia atrás.
258. **Ornito**: Prefijo griego (pájaro). *Ornitología*: disciplina de la zoología.
259. **Oro**: Prefijo griego (montaña). *Orografía*: parte de la geografía física que estudia el relieve —configuración de formas complejas de la superficie terrestre— de una región y su representación cartográfica —ciencia que estudia los mapas geográficos—. *Orónimo*: nombre de una montaña, colina, sierra.
260. **Orqui**: Prefijo griego (testículo). *Orquialgia*: dolor en los testículos.
261. **Orto**: Prefijo griego (recto). *Ortografía*: parte de la gramática que se dedica a la forma correcta de escribir.
262. **-osa**: Sufijo genérico aplicado a los azúcares simples o no hidrolizables —reacción química entre un compuesto y el agua— y carbohidratos —compuestos que incluyen los azúcares sencillos llamados también hidratos de carbono—. *Maltosa*: $C_{12}H_{22}O_{11}$. Disacárido —nombre genérico de los hidratos de carbono que por hidrólisis dan 2 monosacáridos— formado por dos moléculas de glucosa.
263. **Osteo**: Prefijo griego (hueso). *Osteología*: parte de la anatomía que estudia los huesos.
264. **Oti, oto**: Prefijos griegos (oído). *Otitis*: proceso inflamatorio que afecta al oído.
265. **Ovi**: Prefijo latino (huevo). *Ovíparo*: animales en los que el embrión completa su desarrollo en el interior de huevos puestos por las hembras.
266. **Oxi**: Prefijo griego que se usa para indicar que el oxígeno está presente en una molécula. *Oxímetro*: instrumento fotoeléctrico para medir el contenido de oxígeno en la sangre de una persona.

267. **Paido**: Prefijo griego (niño). *Paidología*: Ciencia que estudia los niños y su desarrollo.

268. **Paleo**: Prefijo griego (antiguo). *Paleontología*: ciencia que estudia a los organismos de épocas pasadas o las muestras de su actividad localizadas como fósiles —viejo, caduco— a fin de reconstruir sus formas de vida.

269. **Palin**: Prefijo griego (de nuevo, otra vez). *Palinodia*: Retractación —desdecirse explícitamente de lo que se dijo— que se hace públicamente de lo que se había dicho con anterioridad.

270. **Pan**: Prefijo griego (todo). *Panacea*: solución o remedio que sirve para todo o para muchas enfermedades.

271. **Paqui**: Prefijo griego (grueso). *Paquidermo*: animales de piel dura, gruesa y casi desnuda.

272. **Para**: Prefijo que significa junto a, al lado. También indica en un sistema de dos electrones que éstos tienen spins opuestos. También indica que un derivado del benceno tiene los dos sustituyentes en los extremos opuestos del anillo bencénico. *Paraarcos*: lámina refractaria que, montada junto a los contactos de ciertos dispositivos de conmutación, limita el arco eléctrico, así como los efectos que se puedan extender a las partes metálicas contiguas —cercanas—.

273. **Pari**: Prefijo latino (igualdad). *Paridad*: gran semejanza o igualdad de las cosas entre sí.

274. **-patía**: Sufijo griego (enfermedad y que en castellano algunas veces toma el significado de sentimiento o afección). *Homeopatía*: se usan dosis mínimas en algunos medicamentos que, de administrarse en dosis mayores, producirían síntomas semejantes a los de la enfermedad que se pretende curar.

275. **Pato**: Prefijo griego (enfermedad). *Patofobia*: temor exagerado a enfermarse.

276. **Ped**: Prefijo griego (niño). *Pediatría*: rama de la medicina dedicada al estudio del crecimiento del niño y de sus enfermedades.

277. **Penta**: Prefijo griego (cinco). *Pentadáctilo*: que tiene cinco dedos en cada mano.

278. **Per**: Prefijo latino que intensifica o refuerza la acepción de un signo lingüístico (palabra). Prefijo de la nomenclatura química que designa compuestos cuya partícula tiene un radical peroxo. **Perácido**: ácido oxidante resultante de la acción del peróxido de hidrógeno sobre ácidos normales.

279. **Peri**: Prefijo griego (alrededor de). **Perilunio**: punto más próximo a la Luna en la órbita elíptica que describe una astronave a su alrededor.

280. **Petro**: Prefijo griego (piedra). *Petroso*: con muchas piedras.

281. **Pireto**: Prefijo griego (fiebre). *Piretoterapia*: forma de tratamiento de algunos procesos que provocan crisis febriles artificiales.

282. **Piro**: Prefijo griego (fuego). *Pirología*: estudio del fuego y sus aplicaciones. *Piromanía*: manía de provocar incendios.

283. **Pleo**: Prefijo griego (numeroso, mucho). *Pleocitosis*: aumento del número de las células del líquido cefalorraquídeo —relativo al cerebro y a la médula espinal—.

284. **Pluri**: Prefijo griego (numeroso, vario). *Pluriempleo*: ocupación de dos o más puestos de trabajo remunerados.

285. **Pluvio**: Prefijo latino (lluvia). *Pluviómetro*: aparato que sirve para medir la lluvia que cae en un lugar y tiempo dados.

286. **Podo**, **-podo**: Prefijo y sufijo griegos (pie). *Podólogo*: médico especialista en enfermedades de los pies. *Ápodo*: que no tiene pies.

287. **Poli**: Prefijo griego (muchos). *Políglota*: que habla varios idiomas. Escrito en varios idiomas.

288. **Porta**: Prefijo que indica la función de transportar que tiene un objeto. *Portafolios*: carpeta o cartera para llevar o guardar documentos.

289. **Pos** (**post**): Prefijo latino (detrás o después de). *Posromanticismo*: después del Romanticismo.

290. **Pre**: Prefijo que expresa anterioridad, superioridad, máximo grado o encarecimiento. *Preámbulo*: prefacio, discurso que antecede al principal.

291. **Preter**: Prefijo latino (más allá de, excepto). *Preterir*: Relegar, omitir, posponer. Excluir, omitir en el testamento a los herederos forzosos sin ánimo de desheredarlos.

292. **Pro**: Prefijo latino (por, en vez de, delante de; también indica sustitución, movimiento hacia delante o continuidad). *Prodigar*: malgastar, desperdiciar. Generosidad excesiva. Regalar de forma continua a uno con privilegios, favores, etc.

293. **Proto**: Prefijo que expresa prioridad, preeminencia o superioridad. *Prototipo*: modelo perfecto y acabado de una virtud, vicio.

294. **Psico**: Prefijo griego (alma racional). *Psicología*: ciencia que estudia el comportamiento del hombre.

295. **Quimo**: Prefijo griego (jugo). *Quimosina*: enzima —cada uno de los biocatalizadores proteicos que intervienen en las reacciones del metabolismo celular— del jugo gástrico del ternero —cría de la vaca—.

296. **Quiro**: Prefijo griego (mano). *Quirología*: estudio de la psicología del individuo por sus líneas de la mano. Manera de hablar de los sordomudos empleando las manos.

297. **Radio**: Prefijo que expresa radioactividad o relación a ella. Prefijo que indica el uso de energía radiante, especialmente ondas de radio. *Radiocomunicación*: comunicación por medio de ondas de radio libres, sin utilizar hilos o guías de ondas para conducirlas del transmisor al receptor.
298. **Raqui**: Prefijo griego (columna vertebral). *Raquialgia*: dolor en la columna vertebral.
299. **Re**: Prefijo que indica repetición, oposición, resistencia, retroceso, negación o refuerzo. *Releer*: volver a leer.
300. **Retro**: Prefijo que denota lugar o tiempo anterior. *Retroactivo*: que actúa u opera sobre un tiempo ya pasado.
301. **Rino**: Prefijo griego (nariz). *Rinoplastia*: cirugía plástica de la nariz.
302. **Rizo**: Prefijo griego (raíz). *Rizoide*: órgano adhesivo, semejante a una raíz, característico de algunas criptógamas.
303. **Rodo**: Prefijo griego (rosa-flor). *Rodomiel*: miel mezclada con agua de rosas.
304. **-rragia**: Sufijo griego que expresa la acción de brotar a través de una herida o ruptura. *Hemorragia*: salida de la sangre de los vasos sanguíneos.
305. **-rrea**: Sufijo griego (fluir al exterior). *Diarrea*: trastorno de la función intestinal que se caracteriza por la profusa emisión de heces —residuos de las sustancias alimentarias una vez que éstas han sufrido el proceso digestivo— muy pastosas o líquidas.
306. **Sapro**: Prefijo griego (podrido). *Saprófago*: organismos que se alimentan de materia orgánica en descomposición.
307. **Sarco**: Prefijo griego (carne). *Sarcófago*: urna para enterrar cadáveres.
308. **-scopio, pia**: Sufijo (examinar, ver). *Microscopio*: instrumento óptico en el cual podemos observar de cerca objetos pequeños. *Miopía*: defecto de refracción ocular causado por presentar el ojo una mayor longitud de su eje anteroposterior respecto al ojo normal.
309. **Seleno**: Prefijo griego (luna). *Selenología*: rama de la astronomía que estudia la Luna.
310. **Semi**: Prefijo latino (medio o casi). *Semicircunferencia*: mitad de una circunferencia.
311. **Semio**: Prefijo griego (signo). *Semiología*: ciencia propuesta por Saussure para el estudio de los sistemas de signos existentes en la vida social. En la actualidad, el término ha sido cambiado por *semiótica*.
312. **Sept**: Prefijo latino (siete). *Septenio*: periodo de 7 años.
313. **Sesqui**: Prefijo latino (una unidad y media). *Sesquihora*: una hora y media. *Sesquitercio*: un tercio y medio.
314. **Seudo**: Prefijo griego (falso, mentiroso). *Seudónimo*: escritor o artista que firma con nombre falso.
315. **Sex**: Prefijo latino (seis). *Sexenio*: periodo de seis años.
316. **Sidero**: Prefijo griego (hierro). *Siderófilo*: organismos que tienen afinidad por el hierro y que viven en aguas ferruginosas.
317. **Sin**: Prefijo griego (unión o simultaneidad). *Sinalefa*: fusión —unión— en una sílaba, teniendo en cuenta, la vocal final de una palabra con la vocal inicial de la palabra siguiente.
318. **Sindesmo**: Prefijo griego (atadura). *Sindesmología*: rama de la anatomía cuyo objeto de estudio son los ligamentos articulares.
319. **Sobre**: Prefijo que aumenta la significación del nombre —sustantivo— o verbo al que se une. También puede expresar que algo está o se hace encima, más arriba o después de la acepción de la palabra con la que se une. *Sobredosis*: dosis excesiva de un medicamento o de una droga.
320. **-sofía**: Sufijo griego (sabiduría). *Filosofía*: reflexión sobre los fundamentos del saber y de la conducta.
321. **Somato**: Prefijo griego (cuerpo). *Somatología*: estudio de la anatomía y fisiología del cuerpo.
322. **Sota**: Prefijo (bajo, debajo). *Sotacoro*: lugar situado debajo del coro.
323. **Sub**: Prefijo que quiere decir bajo o debajo, inferioridad, acción secundaria, o que algo viene detrás o es posterior. *Subacuático*: bajo el agua.
324. **Sulfo**: Prefijo latino (azufre). *Sulfónico*: derivados del ácido sulfuroso por sustitución de un átomo de hidrógeno por un radical orgánico.
325. **Super**: Prefijo latino (sobre, por encima de; exceso o demasía, superioridad). *Supernumerario*: que excede del número señalado o establecido.
326. **Supra**: Prefijo latino (sobre, más allá, arriba). *Supranacional*: que engloba o está por encima de dos o más naciones.
327. **Talaso:** Prefijo griego (mar). *Talasocracia:* dominio político o control económico del mar.
328. **Tanato**: Prefijo griego (muerte). *Tanatofobia*: manifestación hipocondríaca —de hipocondría, preocupación obsesiva por la salud propia— que consiste en sentir angustia de la propia muerte.
329. **Taqui**: Prefijo griego (rápido). *Taquifagia*: ingestión excesivamente rápida de los alimentos con déficit —falta— de masticación e insalivación.

330. **Tauto**: Prefijo griego (lo mismo, igual). *Tautología*: repetición de manera diferente de un concepto ya expresado.

331. **Tax, taxi**: Prefijos griegos (orden, clasificación, distribución). *Taxonomía*: disciplina de la Biología interesada en la clasificación de todos los seres vivos en una serie de categorías, de complejidad creciente —que aumenta—, de acuerdo con sus afinidades naturales.

332. **-tecnia**: Sufijo griego (arte o industria). *Fonotecnia*: estudio de todas las formas de registrar, obtener, reproducir y transmitir el sonido.

333. **Tecno**: Prefijo griego (arte o industria). *Tecnología*: conocimiento del uso de herramientas, máquinas y procedimientos que permiten la transformación de la física en provecho del hombre.

334. **Tele**: Prefijo griego (desde lejos, a distancia). *Telecomunicación*: transmisión a distancia de señales de comunicación en forma de signos, imágenes o sonidos mediante sistemas eléctricos o electromagnéticos y los medios que la hacen posible.

335. **Teleo**: Prefijo equivalente a **tele**. Prefijo griego (desde lejos, a distancia). *Teleobjetivo*: objetivo fotográfico constituido por un sistema de lentes que nos permite fotografiar objetos lejanos.

336. **Telo**: Prefijo griego (final, terminal; pezón). *Telogaster*: tratamiento terminal del tubo digestivo de los insectos.

337. **Teo**: Prefijo griego (Dios). *Teología*: ciencia sagrada que versa —trata— sobre Dios y lo divino.

338. **-terapia**: Sufijo griego (tratamiento). *Fototerapia*: empleo terapéutico de las radiaciones luminosas y ultravioletas; especialmente útil en el raquitismo y en ciertas afecciones reumáticas.

339. **Terato**: Prefijo griego (monstruo, gigante). *Teratosis*: monstruosidad.

340. **Termo**: Prefijo griego (calor). *Termofagia*: hábito de ingerir los alimentos demasiado calientes.

341. **Tetra**: Prefijo griego (cuatro). *Tétrada*: grupo de 4 cosas homogéneas —se aplica a lo que es del mismo género o naturaleza— o muy relacionadas entre sí. Conjunto de 4 síntomas que son característicos de alguna enfermedad.

342. **Tia**: Prefijo químico griego (azufre). *Tiazol*: tiene en posición no contigua —cercana— 1 átomo de nitrógeno y otro de azufre.

343. **Tio**: Prefijo que indica la presencia de azufre en un compuesto. *tioácido*: compuesto orgánico de olor desagradable cuya molécula consta de un radical orgánico y de un grupo carboxílico, en el cual se ha sustituido un átomo de oxígeno por uno de azufre.

344. **Topo**: Prefijo griego (lugar). *Topónimo*: nombre de lugar.

345. **Trans**: Prefijo latino (del otro lado, en la parte opuesta, más allá). *Transoceánico*: situado al otro lado del océano. Que cruza el océano —cada una de las 5 grandes partes de agua comprendidas entre continentes: Atlántico, Índico, Pacífico, Ártico y Antártico.

346. **Trauma** o **traumato**: Prefijo griego (herida). *Traumatología*: parte de la medicina que estudia las lesiones causadas por traumas y los métodos adecuados para su tratamiento.

347. **Tri**: Prefijo griego o latino (tres). *Tríada*: conjunto de tres cosas iguales.

348. **Trico**: Prefijo griego (cabello). *Tricofagia*: tendencia patológica (enfermiza) a mascar e ingerir pelos.

349. **Trof, trofo, -trofo**: Prefijos y sufijo griegos (alimenticio). **Trofología**: estudio de la nutrición.

350. **Ultra**: Prefijo latino (más allá de, al otro lado de, muy). *Ultratumba*: de más allá de la tumba, de la muerte.

351. **-uro**: Sufijo químico de las sales derivadas de ácidos hidrácidos (compuestos químicos formados por la unión directa de un no metal con hidrógeno). *Sulfuro*: cada una de las sales de fórmula SM_2, siendo M un radical monovalente o un metal.

352. **Vermi**: Prefijo latino (gusano). *Vermiforme*: que tiene forma de gusano.

353. **Vice**: Prefijo latino que se antepone a un cargo para designar el de la persona que lo sustituye u otro de categoría inmediatamente inferior. *Vicepresidente*: persona encargada de sustituir al Presidente, o bien, realizar algunas de sus funciones.

354. **Xant**: Prefijo griego (amarillo). *Xantismo*: coloración parcial del cuerpo de un animal en tonos amarillos.

355. **Xeno**: Prefijo griego (extranjero, distinto). *Xenofobia*: aversión —hostilidad— a lo extranjero.

356. **Xero**: Prefijo griego (seco). *Xerófito*: vegetales adaptados para un desarrollo en ambiente seco.

357. **Xilo**: Prefijo griego (madera). *Xilófago*: animales que se alimentan de madera.

358. **Yatro**: Prefijo griego (médico). *Yatrógeno*: se dice de algún proceso especialmente si es patógeno —capaz de producir enfermedades— ocasionado por la actuación del médico.

359. **Yuxta**: Prefijo latino (junto a). *Yuxtalineal*: traducción que aparece junto a su original para facilitar la revisión.

360. **Zoo**: Prefijo griego (animal). *Zoológico*: instalación destinada al mantenimiento y exhibición al público de especies de animales salvajes.

Ejercicios

Resuelva las siguientes cuestiones.

1. Definición de Etimología: ______________________________

____

____

2. Busque el significado de los siguientes prefijos griegos.
   a) Etno: ______________________________
   b) Lepido: ______________________________
   c) Seudo: ______________________________
   d) Yatro: ______________________________
3. Anote la acepción correcta de las siguientes palabras y subraye el prefijo.
   a) Etnografía: ______________________________
   ____
   ____
   b) Lepidópteros: ______________________________
   ____
   ____
   c) Yatrógeno: ______________________________
   ____
   ____
4. Busque el significado de los siguientes prefijos latinos.
   a) Audio: ______________________________
   b) Dent: ______________________________
   c) Ex: ______________________________
   d) Oct. octa: ______________________________
   e) Vice: ______________________________
5. Escriba el significado adecuado de las siguientes palabras y subraye el prefijo.
   a) Audiología: ______________________________
   ____
   ____
   b) Dental: ______________________________
   ____
   ____
   c) Ex alumno: ______________________________
   ____
   ____
   d) Octágono: ______________________________
   ____
   ____
   e) Vicepresidente: ______________________________
   ____
   ____
6. Anote el significado de los siguientes sufijos.
   a) Amen: ______________________________
   b) Fobia: ______________________________
   c) Grafía: ______________________________
   d) Scopio: ______________________________
   e) Uro: ______________________________
7. Escriba la acepción correcta de las siguientes palabras y subraye el sufijo.
   a) Velamen: ______________________________
   ____
   ____
   b) Xenofobia: ______________________________
   ____
   ____
   c) Ortografía: ______________________________
   ____
   ____
   d) Microscopio: ______________________________
   ____
   ____
   e) Sulfuro: ______________________________
   ____
   ____

TERCERA PARTE

LA DIVISIÓN SILÁBICA DE LAS PALABRAS

Sílaba: Es la letra o letras que pronunciamos en una sola emisión de voz. Ejemplos:

A-mé-ri-ca	América
lí-qui-do	líquido

Es importante conocer la división silábica porque si no la dominamos, tendremos problemas cuando la palabra no cabe completa al final del renglón y para pronunciar correctamente cualquier palabra.

Las vocales fuertes —abiertas— son: a, e, o; y las débiles —cerradas— son: i, u.

Las reglas básicas

a) Los diptongos —unión de dos vocales— no deben separarse porque forman una sílaba. Ejemplos:

ai:	sai-ne-te	sainete
au:	pau-sa	pausa
ei:	rei-no	reino
eu:	deu-da	deuda
ia:	di-fe-ren-cia	diferencia
ie:	pla-ni-cie	planicie
io:	e-jer-ci-cio	ejercicio
iu:	ciu-dad	ciudad
oi:	boi-na	boina
ou:	Sou-sa	Sousa
ua:	ma-nual	manual
ue:	fuer-te	fuerte
uo:	cuo-ta	cuota
ui:	cir-cui-to	circuito

b) Los triptongos —unión de tres vocales— no deben separarse porque forman una sílaba. Ejemplos:

iai:	cam-biáis	cambiáis
iei:	des-pre-ciéis	despreciéis
uai:	a-ve-ri-guáis	averiguáis
uei:	con-ti-nuéis	continuéis
uau:	Cuauh-té-moc	Cuauhtémoc

c) El diptongo se destruye o deshace —separación de dos vocales— cuando lleva acento ortográfico una vocal que sea débil y tónica —la que se pronuncia más fuerte.

aí:	pa-ís	país
ía:	ve-ní-a-mos	veníamos
eí:	ca-fe-í-na	cafeína
íe:	ru-bí-es	rubíes
oí:	e-go-ís-ta	egoísta
ío:	trí-o	trío
aú:	Ra-úl	Raúl
úa:	a-va-lú-a	avalúa
eú:	re-ú-ne	reúne
úe:	e-fec-tú-e	efectúe
úo:	a-cen-tú-o	acentúo

d) El triptongo se destruye o deshace cuando la primera vocal que es débil lleva acento ortográfico y forma parte de la sílaba tónica la que se pronuncia más fuerte. Ejemplo:

íai:	can-ta-rí-ais	cantaríais

e) Las palabras que contengan una h precedida de consonante deberá separarse. Ejemplo:

al-ha-ra-ca   alharaca

f) Las palabras en las que la "h" es intervocálica —entre vocales— forman una sílaba. Ejemplo:

ahu-yen-tar   ahuyentar

g) Las palabras en las que la "h" es intervocálica —entre vocales— y la segunda vocal es tónica —la que se pronuncia más fuerte— y débil, deberá llevar acento ortográfico y separarse. Ejemplo:

va-hí-do   vahído

h) Las palabras que tengan dos vocales fuertes (a, e, o) tendrán adiptongo —separación de dos vocales—. Ejemplos:

hé-ro-e	héroe
Le-o-nor	Leonor

i) Las palabras que tengan dos vocales fuertes e iguales deberán separarse. Ejemplo:

co-o-pe-ra-ción	cooperación

j) Las palabras que tengan repetida la letra "c" en una palabra —cc— deberán separarse. Ejemplo:

co-rrec-ción	corrección

k) Las letras dobles —ch, rr, ll— no pueden dividirse en sílabas. Ejemplos:

co-rre	corre
llu-via	lluvia

l) Las palabras que tienen una sílaba se llaman monosílabas y no admiten la división silábica. Ejemplo:

Sol	Sol

Reglas elementales para dividir una palabra al final de renglón

a) Una vocal puede quedar sola al final o principio de renglón, porque forma sílaba. Ejemplos:

.... e-
vitar .... } Correcto

.... evi-
tar .... } Correcto

.... tore-
o .... } Correcto

.... to-
reo .... } Correcto

b) Una palabra que tenga vocal repetida —ee— puede quedar la segunda al principio de renglón, porque forma sílaba. Ejemplo:

.... acre-
edor .... } Correcto

.... acree-
dor .... } Correcto

c) Las palabras que tienen la "h" precedida de consonante deberá dividirse, de manera, que la "h" quede al inicio del renglón que sigue. Ejemplo:

.... desh-
onra .... } Incorrecto

.... des-
honra .... } Correcto

.... deshon-
ra .... } Correcto

d) Las palabras que tengan un prefijo —letra o letras que se escriben al principio de algunas palabras modificando su acepción o significado—, podrán dividirse de manera que el prefijo quede al final del renglón y lo que queda, al principio del siguiente. Ejemplo:

.... tri-
ángulo .... } Correcto

Ejercicios

1. Se sugiere que el profesor anote varias palabras en el pizarrón y pasen varios estudiantes para que las separen en sílabas. Después, dos o tres alumnos explicarán el concepto de sílaba. Es básico que se insista, porque si no entienden la definición será más difícil que capten las reglas.

____

____

2. ¿Cuáles son las vocales fuertes?

____

3. ¿De qué otra forma se denominan éstas?

____

4. ¿Cuáles son las vocales débiles?

____

5. ¿De qué otra forma se llaman éstas?

____

6. Relea las reglas sobre la división silábica y si surgen dudas, consulte a su maestro (a).

7. Divida en sílabas las siguientes palabras:

baile	____________
magnesio	____________
hueco	____________
cambiáis	____________
Cuauhtémoc	____________
acentúo	____________
cafeína	____________
veníais	____________
alharaca	____________

ahuyentar __________

vahído __________

petróleo __________

cooperación __________

dicción __________

ferrocarril __________

Lingüística __________

sal __________

semántica __________

vocal __________

sílaba __________

sintaxis __________

morfológico __________

morfología __________

ortografía __________

diptongo __________

adiptongo __________

triptongo __________

empleaba __________

realizara __________

constituía __________

estaríamos __________

héroe __________

raíz __________

salieron __________

dijeron __________

diferencia __________

Raúl __________

autobús __________

observa __________

vemos __________

regresar __________

regresa __________

suelda __________

boleto __________

vayamos __________

parisiense __________

renuevan __________

medieval __________

cohete __________

examen __________

exámenes __________

resumen __________

resúmenes __________

eficaz __________

eficaces __________

pues __________

peor __________

volibol __________

futbol __________

beisbol __________

decíamos __________

traíamos __________

gripa __________

emplear __________

empleábamos __________

dijiste __________

fuiste __________

tengamos __________

hemorragia __________

diabetes __________

lapso __________

produje __________

saliste __________

trajeron __________

empujar __________

ver __________

hoy __________

ahora __________

ayer __________

Gabriel __________

veniste __________

viniste __________

haya __________

abrir __________

abierto __________

cerrar ____________

cerrado ____________

cónyuge ____________

obra ____________

llegaste ____________

albahaca ____________

sígueme ____________

8. En las siguientes palabras subraye la que esté dividida correctamente al final del renglón.

Rehusar	reh-usar	re-husar
evitar	evit-ar	e-vitar
accesible	acce-sible	acc-esible
farra	fa-rra	farr-a
deshojar	desh-ojar	des-hojar
calefacción	calefa-cción	calefac-ción
cooperación	coo-peración	coop-eración
acreedor	acreed-or	acre-edor
paseo	pase-o	pas-eo

9. ¿Para qué nos sirve la división silábica?

____

____

____

10. ¿Qué importancia tiene la división silábica en exámenes, resúmenes, trabajos, tesis, etc?

____

____

____

____

____

____

LA ACENTUACIÓN DE LAS PALABRAS

Acento: Se denomina a la mayor fuerza con que se pronuncia una sílaba en una palabra. Ejemplos:

Mé-ri-da	Mérida
a-zul	azul

En la acentuación hay que tener en cuenta dos tipos de sílabas:

a) Sílaba tónica: es la que se pronuncia con mayor intensidad o fuerza en una palabra.
b) Sílaba átona: es la sílaba o sílabas que se pronuncian con menor intensidad.

Mé	sílaba tónica
ri	sílaba átona
da	sílaba átona
a	sílaba átona
zul	sílaba tónica

Es fundamental que se lean y analicen las notas siguientes:

Las palabras monosílabas —una sílaba— no llevan acento ortográfico: vio, dio, fui, fue, etc.

Las palabras compuestas llevan el acento ortográfico o prosódico en la segunda palabra si es que están unidas. Ejemplos:

vigesimoséptimo
vigesimoprimero

Si la palabra compuesta no está unida deberá llevar acento ortográfico o prosódico en cada palabra por separado. Ejemplos:

vigésimo séptimo
vigésimo primero

El acento ortográfico o prosódico de la palabra original se conserva en los adverbios terminados en mente. Ejemplos:

fácil + mente	fácilmente
expresa + mente	expresamente

Los diferentes tipos de acentos son:

a) **Ortográfico**: es la raya inclinada que se anota de derecha a izquierda y se denomina tilde ('). Ejemplo: México.
b) **Prosódico**: es la mayor intensidad o fuerza con que se pronuncia una sílaba en una palabra. Ejemplo: Mariana.

c) **Enfático**: es la entonación o énfasis especial que se da a una palabra en un enunciado bimembre o unimembre. Ejemplos:

¡Qué alegría! ¿Dónde la compraste? (directo)
Deseo saber cómo lo trajo (indirecto)

d) **Diacrítico**: proviene del griego *diakritikós* que quiere decir que distingue o hace la diferencia entre dos cosas. Son dos palabras iguales, pero con distinta función gramatical. Ejemplos:

Dé usted toda la información que se nos pide (verbo: dar)
La reunión será a las cinco de la tarde (preposición)

Diversos casos de acento enfático

Los casos más usuales son:

1. Cuál, cuáles: pronombres interrogativos.

¿Cuál es tu nombre?

¿Cuáles vestidos obsequiaste?

2. Cuándo: pronombre interrogativo.

¿Cuándo resolverás tu evaluación de Español?

3. Cuánto, cuánta, cuántos, cuántas: pronombres interrogativos.

¿Cuánta manteca necesitas para el guisado?

4. Dónde: pronombre interrogativo.

¿Dónde comiste esta semana?

5. Qué: pronombre interrogativo.

¿Qué ganas con tener mal carácter?

6. Quién, quiénes: pronombres interrogativos.

¿Quién es el autor más representativo del Romanticismo?
¿Quiénes van a ir al teatro?

Diversos casos de acento diacrítico

Los casos más usuales son:

1. Aquél, aquélla, aquéllos, aquéllas: pronombres demostrativos.
Aquel, aquella, aquellos, aquellas: adjetivos demostrativos.

Aquellos turistas no disfrutaron el postre como aquéllos.
Aquel libro es más interesante que aquél.

2. Aún: adverbio de modo que quiere decir todavía.
Aun: conjunción que quiere decir inclusive, también, hasta.

Aún no lo ha hecho Roberto.
Fernando le compró a Margarita una paleta y aun algunos dulces.

3. Cómo: se emplea en enunciados interrogativos, exclamativos y enfáticos.
Como: se usa en enunciados declarativos afirmativos y no enfáticos.

¿Cómo elabora el cuadro sinóptico?
Tal como me lo dijiste, no fue certero (verdadero).

4. Dé: verbo dar.
De: preposición.

Dé la renta a tiempo y no tendrá problemas.
La casa de mi hermano es pequeña.

5. Él: pronombre personal.
El: artículo determinado.

Él no supo donde estaba el libro.

6. Éste, ésta, éstos, éstas: pronombres demostrativos.
Este, esta, estos, estas: adjetivos demostrativos.

Esta televisión no es tan bonita como ésta.

7. Ése, ésa, ésos, ésas: pronombres demostrativos.
Ese, esa, esos, esas: adjetivos demostrativos.

Ese libro no es tan bueno como ése.

8. Más: adverbio de cantidad y comparación.
Mas: conjunción adversativa que equivale a pero.

El pequeñito quiere más pastel.
Queríamos ir al cine mas no teníamos dinero.

9. Mí: pronombre personal.
Mi: adjetivo posesivo; nota musical.

A mí no me gustó mi fiesta.

10. Sí: adverbio de afirmación.
    Si: conjunción condicional; nota musical.

¿Quieres ir a Canadá?
Sí.

Te llevo al teatro si haces bien tu tarea.

11. Sé: verbo ser y saber.
    Se: pronombre personal en tercera persona.

No sé la respuesta y mi calificación no será óptima (buena).
No se lavó los dientes y su maestra le llamó la atención.
Sé buen profesionista y te sentirás mejor.

12. Sólo: adverbio que equivale a solamente.
    Solo: adjetivo.

Deseábamos sólo que cambiaras de actitud.
Estuve solo durante mis vacaciones.

13. Té: planta (sustantivo).
    Te: pronombre personal en segunda persona; nombre de una letra consonante.

Mi amigo Jack es inglés y acostumbra tomar té todas las mañanas.
Te lo dije y no hiciste caso.

14. Tú: pronombre personal en segunda persona.
    Tu: adjetivo posesivo.

Tú no irás a Chapultepec hasta la próxima semana.
No has arreglado tu recámara últimamente.

Ejercicios

1. Definición de acento enfático.

2. Ejemplifique el concepto.

3. Definición de acento diacrítico.

4. Ejemplifique el concepto.

5. Relea los casos sobre el acento enfático y diacrítico antes de resolver los ejercicios.
6. Escriba el acento ortográfico en las palabras subrayadas cuando sea necesario.

   a) Aun no ha presentado a su novia con sus padres.
   b) Aquel muchacho se rebeló contra su suegra.
   c) ¿Cuanto cuesta el kilo de carne?
   d) ¿Cuando confesará que es culpable de sus delitos?
   e) El resolvió el caso de Patricia sin dificultad.
   f) Ese señor fue castigado por el Juez.
   g) Este obsequio fue el más preciado —que más gusto— por todos.
   h) Este auto no me gustó a mi; pero en cambio este, si te agradó a ti.
   i) Quien se exige a sí mismo y se disciplina, triunfa.
   j) No se si podré ir a tu graduación.
   k) ¿Que quieres que te diga después de tu falta?
   l) Betito quería mas helado.
   m) Te interpretan la canción que te gusta si te portas bien.
   n) Necesito solo un poco de paciencia con los huéspedes.
   ñ) Tu eres mi mejor amigo.
   o) ¿Cuantos ejemplares tienes del primer diccionario bilingüe de homófonos?

7. Explique gramaticalmente las palabras subrayadas de los ejercicios del número 6. Aún (adverbio de modo), etc.

Importancia de la posición de la sílaba tónica

¿Qué pasa si no dominamos la división silábica? Ud. no podrá pronunciar o separar las palabras al final de renglón correctamente; también será difícil saber a qué clasificación corresponden: agudas, etc. Veamos:

sem-án-ti-ca	incorrecto
sem-án-t-ica	incorrecto
se-mán-ti-ca	CORRECTO

Ejercite oralmente las siguientes palabras, de acuerdo a la posición de la sílaba tónica —la que se pronuncia más fuerte— en **negritas**.

La pronunciación correcta de las palabras va a depender de la sílaba tónica, así como el significado de éstas.

Si se trata de un verbo sólo cambia el tiempo:

há-bi-to (sustantivo, esdrújula)
ha-**bi**-to (verbo, grave)

en-**ví**-o (verbo, presente, indicativo)
en-**vió** (verbo, pretérito, indicativo)

am-plio, am-**plí**-o, am-**plió** (adjetivo, verbo, verbo)
á-ni-mo, a-**ni**-mo, a-ni-**mó** (sustantivo, verbo, verbo)
a-pli-**ca**-ra, a-pli-ca-**rá** (verbo, verbo)
cán-ta-ra, can-**ta**-ra, can-ta-**rá** (sustantivo, verbo, verbo)
ca-**pí**-tu-lo, ca-pi-tu-**lo**, ca-pi-tu-**ló** (sustantivo, verbo, verbo)
cé-le-bre, ce-**le**-bre, ce-le-**bré** (adjetivo, verbo, verbo)
Cé-sar, ce-**sar** (sustantivo, infinitivo)
Co-**lón**, **co**-lon (sust. propio, sust. común)
con-**ti**-nua, con-ti-**nú**-a (adjetivo, verbo)
con-**tra**-rio, con-tra-**rí**-o, con-tra-**rió** (sust. y adj., verbo, verbo)
diag-**nós**-ti-co, diag-nos-**ti**-co, diag-nos-ti-**có** (sustantivo, verbo, verbo)
dó-mi-ne, do-**mi**-ne, do-mi-**né** (sustantivo, verbo, verbo)
en-**ví**-o, en-**vió** (verbo, verbo)
es-**tí**-mu-lo, es-ti-**mu**-lo, es-ti-mu-**ló** (sustantivo, verbo, verbo)
há-bi-to, ha-**bi**-to, ha-bi-**tó** (sustantivo, verbo, verbo)
ha-cia, ha-**cí**-a (preposición, verbo)
in-**di**-can, in-di-**cán** (verbo, sustantivo)
lí-qui-do, li-**qui**-do, li-qui-**dó** (sustantivo, verbo, verbo)
más-ca-ra, mas-**ca**-ra, mas-ca-**rá** (sustantivo, verbo, verbo)
nú-me-ro, nu-**me**-ro, nu-me-**ró** (sustantivo, verbo, verbo)
pú-bli-co, pu-**bli**-co, pu-bli-**có** (sustantivo, verbo, verbo)
prác-ti-co, prac-**ti**-co, prac-ti-**có** (adjetivo, verbo, verbo)
pró-di-go, pro-**di**-go, pro-di-**gó** (adjetivo, verbo, verbo)
re-gia, re-**gí**-a (adjetivo, verbo)
ré-pro-bo, re-pro-**bó** (adjetivo, verbo)
rí-o, me **rí**-o, se **rió** (sustantivo, verbo, verbo)
sa-bias, sa-**bí**-as (adjetivo, verbo)
se-cre-**ta**-ria, Se-cre-ta-**rí**-a (sust. común, sust. propio)
si-**tú**-o, si-**tuó** (verbo, verbo)
son-**rí**-o, son-**rió** (verbo, verbo)
su-dan, Su-**dán** (verbo, sustantivo)
te-nia, te-**ní**-a (sustantivo, verbo)
tér-mi-no, ter-**mi**-no, ter-mi-**nó** (sustantivo, verbo, verbo)
trán-si-to, tran-**si**-to, tran-si-**tó** (sustantivo, verbo, verbo)
va-**lú**-o, va-**luó** (verbo, verbo)
ve-nia, ve-**ní**-a (sustantivo, verbo)

Elabore en su cuaderno una oración con las palabras del ejercicio que practicó oralmente: amplio, amplío, amplió, etc.

Clasificación de las palabras por la posición de la sílaba tónica

a) Agudas: llevan acento ortográfico cuando la sílaba dominante es la última y terminan en n, s, vocal. Ejemplos:

co-mu-ni-ca-ción	n
in-glés	s
co-no-ce-rá	vocal (a)

b) Agudas: no llevan acento ortográfico cuando la sílaba dominante es la última y terminan en cualquier letra que no sea n, s, vocal. Ejemplos:

rui-se-ñor r
mu-si-cal l
Ma-drid d

c) Graves: llevan acento ortográfico cuando la sílaba dominante es la penúltima y terminan en cualquier letra que no sea n, s, vocal. Ejemplos:

Gon-zá-lez z
ál-bum m
crá-ter r

d) Graves: no llevan acento ortográfico cuando la sílaba dominante es la penúltima y terminan en n, s, vocal. Ejemplos:

sa-lie-ron n
en-ton-ces s
Li-te-ra-tu-ra vocal (a)

e) Esdrújulas: llevan siempre acento ortográfico, sin importar la letra en que termine, y la sílaba dominante es la antepenúltima. Ejemplos:

me-tá-fo-ra
Lin-güís-ti-ca
se-mán-ti-ca

f) Sobresdrújulas: llevan siempre acento ortográfico, sin importar la letra en que termine, y la sílaba dominante es antes de la antepenúltima. Ejemplo:

re-cuér-da-se-lo

Acentuación en las formas verbales con enclítico

Enclítico: sílaba -me, te, se, le, la, lo, nos, os- que se agrega a una palabra formando una sola. Ejemplo: habla + me = háblame.

Hay dos formas para saber si la palabra lleva acento ortográfico o prosódico en las formas verbales que tienen enclítico.

a) Si la palabra original o verbo lleva acento ortográfico deberá conservarse, aunque se agregue un enclítico. Ejemplo:

creyó + se = creyóse

b) Si la palabra original o verbo no lleva acento ortográfico, deberá anotarse éste al agregar un enclítico si es necesario.

escribe + me = escríbeme es-crí-be-me
asusta + se = asústase a-sús-ta-se

Ejercicios

1. ¿Qué es un enclítico?

____

____

2. Explique los dos casos de las formas verbales que llevan enclítico.

____

____

____

____

____

3. Anote dos ejemplos en cada caso.

____

4. Escriba en el espacio indicado si el verbo corresponde a la regla "a" o "b" y anote el acento ortográfico (') cuando sea necesario.

compraselo ______ callose ______
devuelvemela ______ demelo ______
dijole ______ produjole ______
recitame ______ rogome ______
recuerdaselo ______ cantanos ______

Acentuación ortográfica y prosódica de términos latinos

Estas palabras se acentúan, teniendo en cuenta, las mismas reglas de nuestro idioma.

ac-cé-sit accésit
a-ffi-dá-vit affidávit
dé-fi-cit déficit
ul-ti-má-tum ultimátum
há-bi-tat hábitat
ipso-facto ipso-facto
í-tem ítem

má-xi-mum	máximum	su-pe-rá-vit	superávit
me-mo-rán-dum	memorándum	quó-rum	quórum
pe-cca-ta mi-nu-ta	peccata minuta	vade mecum	vade mecum
ré-quiem	réquiem	veni, vidi, vici	veni, vidi, vici
per **sae**-cu-la sae-cu-ló-rum	per saécula saeculórum	verbi, gratia	verbi gratia
		vox **po**puli, vox Dei	vox pópuli, vox Dei

Ejercicios

Primera parte: palabras agudas

Escriba el acento ortográfico de las palabras agudas, subraye la sílaba tónica —la que se pronuncia más fuerte— y practíquelas en voz alta.

Absolví	absolvio	absorbi	absorbio
acepte	acepto	acrecentara	ademas
advertira	afinara	ahi	alli
ampliara	aprovechara	asente	asento
asi	a traves	bebio	buey
cien	civilizacion	cogi	cogio
conjuncion	colonizacion	compas	comprendera
comunicacion	conocera	conoci	conocio
Constitucion	conversacion	debi	decidi
decidio	depresion	desarrollara	descomposicion
describira	despues	diferenciara	dio
dirigi	dirigio	diseccion	disminucion
distincion	disyuncion	elaborara	eleccion
enriqueci	enriquecio	entonacion	erosion
esta	exclamacion	excursion	explosion
expresion	fue	fui	fusion
gane	gano	gis	gris
guio	halle	hara	hare
identificara	indecision	informacion	ingles
inspeccion	interrogacion	interseccion	jamas
jugara	Juan	localizara	mas
me pareci	me parecio	mejorara	multiplicacion
ocasion	ocurrio	operacion	pedi
perfeccionara	pidio	pie	presentacion
prosegui	prosiguio	puntuacion	raiz
Ramon	Raul	reaccion	realizara
recreacion	redaccion	refraccion	repercusion
resolucion	Saul	segui	seleccion
siguio	tambien	tendras	usara
utilizara	vio	volvi	volvio

Segunda parte: palabras graves

Escriba el acento ortográfico cuando sea necesario a las palabras graves, subraye la sílaba tónica —la que se pronuncia más fuerte— y practíquelas en voz alta.

Aceptarían	acercaran	acercaron	angel
Antropologia	arbol	automovil	azucar
baules	Biologia	buho	cadaver
caido	cambiaran	cambiaron	cancer
caracter	Carmen	cesped	comerian
constituia	creido	crias	Cuauhtemoc
decidieron	diferencia	dijeran	dijeron
duo	elixir	empezaran	empezaron

energia	examen	fie	Geologia
Geografia	Geometria	germen	grafia
Gonzalez	habia	Hector	Hernandez
huesped	inutil	jerarquia	joven
Juarez	lapiz	leido	lio
matarias	oidos	oyeron	parecia
Perez	persiguieran	persiguieron	podian
poseido	pugil	queria	querrias
recibian	regañarian	reian	resumen
revolver	reunen	rie	rio
Rodriguez	sabias	salian	salieron
se burlaran	se burlaron	servia	soberania
subieran	subieron	Tibet	tio
torax	tradujeran	tradujeron	traido
trajeran	trajeron	transeunte	trebol
venian	vias	virgen	volumen

Tercera parte: palabras esdrújulas

Escriba el acento ortográfico a las palabras esdrújulas, subraye la sílaba tónica —la que se pronuncia más fuerte— y practíquelas en voz alta.

Acético	acidos	acropolis	Africa
aguila	albondiga	albumina	alcoholicas
ambito	America	anhidridos	anonimo
antirrabico	antiseptico	antitesis	area
articulo	atomico	atmosfera	atona
autoctona	autonoma	autotrofos	auxiliate
avicola	baculo	barometro	bascula
basicas	belico	benevolo	bibliograficas
bioxido	boveda	buscalas	calculo
cambiarsela	Cardenas	carnivoro	caracteristicas
catedra	celulas	cientifico	circulo
citricos	civicas	concavo	consultenlos
copreterito	Cordova	cuadrilatero	dandoles
deciamos	demografica	dialogo	diastole
dramatico	electrolisis	electromagnetico	empirico
emprestitos	encefalo	enfasis	entomofila
epica	especificos	especimenes	estariamos
estetica	examenes	excentrico	fabula
fantastica	fenomenos	fijate	fisicas
formula	fosiles	fotosintesis	genero
geografica	geologicas	glandulas	glucido
gonada	grafica	gravimetro	halogeno
herbivoro	heroe	heterogeneo	heterotrofos
hexagono	hibrido	hidrofilas	higienico
hipotesis	hipotetico	hispanicas	historico
hominidos	homogeneo	homologo	homonimo
homoteticas	huerfano	idoneas	imagenes
indice	lexico	Lingüistica	liquida
lirico	Logica	maximo	mayuscula
Merida	Mexico	miercoles	mimica
monzonica	morfologico	multiplo	nucleo
numero	orbita	ordenes	organica
orquidea	ortograficas	paginas	pajaro
parasitos	parentesis	parrafo	pasale
patogeno	perifrastica	platano	practiquelas
primogenito	psicologico	psicopata	quimica

reciproca resumenes riendose semantica
simbolo somatico sinoptico sintesis
sistole taxonomico tecnica telefono
termino traiamos triangulo vehiculo
veniamos vigesimo volcanico volumenes

USO DE LA "B"

La ejercitación de esta letra podrá realizarse de diferente manera:

a) Anote en las palabras la letra o letras que hacen falta.
b) Lea las palabras en voz alta dos o tres veces.
c) Haga una oración con las palabras que estamos practicando en forma oral o escrita.
d) Dicte las palabras a su compañero de clase para que las escriba en su cuaderno de Español, y así podrá comprobar su progreso.
e) Ponga cuidado en las palabras que son excepciones; estarán escritas con letra *cursiva*.

Se usa "b":

1. En las palabras que empiezan con "ab".

Abdera Abdías ___dicación ___dicar
___domen ___ducción ___ductor ___jasia
___jurar ___negación ___yecto

2. En el tiempo copretérito, modo indicativo, de los verbos de la primera conjugación, que terminan en aba, abas, aba, etc.

yo	brill-	aba___
tú	cobr-	___
él	dej-	___
nosotros	demor-	___
ustedes	desalent-	___
ellos	descolg-	___

Brillaba cobrabas dejaba demorábamos
desalentaban descolgaban destac___ duplic___
elabor___ elimin___ enfri___ enlat___
entr___ entren___ entrevist___ estren___
explic___ expuls___ fastidi___ felicit___
fij___ foment___ form___ fracas___
frecuent___ golpe___ husme___ indic___
jug___ lament___

3. En las palabras que comienzan con "abs".

Absceso abscisión ___enta ___entismo

____olución ____olutamente ____oluto ____olver

____orber ____temio ____tención ____tenerse

____terger ____tracción ____tracto ____traer

____urdo

4. En palabras que empiezan con "alb".

Alba albacea ____ahaca ____anega

____anés ____añil ____ardilla ____arejo

____aricoquero ____atros ____edrío ____erca

____ergue ____erto ____ino ____o

____óndiga ____or ____orada ____orotar

____orozo ____ricias ____um ____úmina

____uquerque ____ura ____*arez* ____*aro*

____*eo* ____*eolado* ____*erja* ____*ino*

5. En las palabras que comienzan con "bene".

Benefactor beneficencia ____ficio ____fico

____mérito ____plácito ____vento ____volencia

____*cia* ____*no* ____*rable* ____*rar*

____*zuela*

6. En verbos que terminan en "ber".

Absolver absorber be____ ca____

*conmo*____ de____ *devol*____ *disol*____

embe____ *entre*____ *envol*____ ha____

*llo*____ *mo*____ *pre*____ *promo*____

reabsor____ *remo*____ *resol*____ sa____

sor____ *ver* *vol*____

7. En las palabras que empiezan con "bi" (significa dos veces).

Biáxico bicameralismo ____céfalo ____ceps

____cicleta ____color ____cloruro ____cóncavo

____convexo ____corne ____cornio ____cromía

____cúspide ____enal ____fase ____focal

____ateral ____lingüe ____logía ____mano

____mensual ____motor ____nario ____nomio

____óxido ____paro ____plano ____tonalidad

8. En las palabras que terminan en "bia" y "bía".

Aldabía algarabía *Boli*____ efe____

mance___ Nami___ Nu___ ra___
sober___ *Sua*___ ti___ Tre___
Zeno___ zu___

9. En las palabras que comienzan con "bibl" (proviene del griego biblion y significa: libro).

Biblia bíblica ____iofilia ____iófilo
____iografía ____iográfica ____iología ____iólogo
____iomanía ____iómano ____ioteca ____iotecario
____iotecología ____ioteconomía ____os

10. En las palabras que empiezan con las letras "bien".

Bienaventurado bienaventuranza ____estar ____hechor
____venido ____vivir.

11. En las palabras que terminan en "bilidad".

Apacibilidad *civilidad* coerci______ compati______
conducti______ conta______ corrupti______ de______
disponi______ divisi______ esta______ fia______
finca______ fusi______ genera______ impenetra______
incredi______ indisolu______ infali______ inviola______
irrita______ *mo*______ permea______ posi______
proba______ sensi______ suscepti______ visi______

12. En las palabras que comienzan con "bio" (significa: vida).

Biocatalizador biocenosis ___climatología ___dinámica
___electricidad ___energética ___ensayo ___estratigrafía
___física ___génesis ___geografía ___grafía
___logía ___luminiscencia ___ma ___masa
___metría ___nomía ___química ___síntesis
___sociología ___ta ___tipo

13. En las palabras que terminan en "bio".

Adverbio agobio astrola___ Danu___
distur___ *eflu*___ licno___ micro___
prover___ resa___ sa___ sober___
ti___ tur___ Vesu___

14. En verbos que terminan en "bir".

Cohibir concebir *convi*___ descri___
*deser*___ escri___ exhi___ *her*___

inhi____ *malvi____* perci____ preconce____

prescri____ prohi____ reci____ *revi____*

ser____ su____ suscri____ *supervi____*

vi____

15. En palabras que empiezan con "bis".

Bisabuelo bisagra ____ecar ____ectriz

____emanal ____ílaba ____oñé ____nieto

____turí ____ulfuro ____urco ____utería

____ar *____coso* *____era* *____ible*

____igodo *____illo* *____ión* *____ita*

____lumbrar *____pera* *____toso* *____ual*

16. En palabras que comienzan con "biz".

Bizancio bizarro ____birindo ____co

____corneto ____naga ____quear *____cacha*

____caíno *____conde*

17. En las palabras que terminan en "ble".

Afable amable asequi____ baila____

comi____ comunica____ conforta____ considera____

cuestiona____ culpa____ detesta____ entraña____

esta____ flexi____ honora____ ilegi____

impalpa____ impasi____ impenetra____ impermea____

inasequi____ labora____ lamenta____ legi____

memora____ misera____ no____ nota____

perdura____ vulnera____

18. En los verbos que terminan en "brir".

Abrir cubrir encu____ entrea____

rea____

19. En palabras que empiezan con "bu".

Bucal bucanero ____cólico ____eno

____fador ____falo ____fanda ____far

____fido ____fón ____jía ____lto

____lla ____llicio ____que ____taca

____tano *____dú* *____elco* *____elo*

____elta *____estro* *____lcano* *____lgar*

____lgata *____lgo* *____lnerable* *____ltuoso*

____lva

20. En los verbos que terminan en "buir".

Atribuir	contribuir	distri_____	em_____
retri_____			

21. En las palabras que terminan en "bundo" y "bunda".

Cogitabundo	cogitabunda	erra_____	erra_____
furi_____	furi_____	geme_____	geme_____
medita_____	medita_____	mori_____	mori_____
nausea_____	nausea_____	pudi_____	pudi_____
siti_____	siti_____	treme_____	treme_____
vaga_____	vaga_____		

22. En las palabras que empiezan con "bur".

Burbuja	burdo	___guesía	___lar
___ocracia	___sátil		

23. En las palabras que comienzan con "bus".

Busca	buscapié	___capiés	___capleitos
___to	___queda		

24. En las palabras que empiezan con "cu" y les sigue "b".

Cuba	cubeta	___bico	___bículo
___bierto	___bil	___bilete	___billo
___bismo	___bito	___bo	

25. En las palabras que terminan en "fobia" (significa horror, aversión: repugnancia).

Acrofobia	agorafobia	algo_____	amaxo_____
claustro_____	eco_____	estrape_____	foto_____
hemato_____	hidro_____	miso_____	nicto_____
noso_____	pato_____	tanato_____	toxo_____
xeno_____	zoo_____		

26. En las palabras que empiezan con "ha", "he", "hi", "ho", "hu" y les sigue "b".

Haber	había	___bilitar	___bitar
___blar	___bría	hebilla	hibernación
___bernáculo	___bernal	___bernia	___bridación
___brido	___buero	hobachón	hube
___biste	___bo	___bimos	___bieron
___biera	___bieses	___biéramos	___biésemos
___biere	___bieres	___biere	___biéremos
___bieren			

27. En las palabras cuyo sonido "b" tiene delante las consonantes "l" o "r".

Algebra   blanco   ___oque   ___usa
___azo   ___oma   co___e   cule___a
fie___e   li___e   li___o   lúgu___e
mue___e   ne___ina   o___icuo   o___igatorio
o___a   octu___e   pala___a   po___ación
Pue___a   que___anto   Repú___ica   reta___o
sa___e   ta___a   tinie___a   vi___ante
voca___o   zozo___a

28. En palabras que comienzan con "la" y les sigue "b".

Laberinto   labia   ___bio   ___bor
___borable   ___boratorio   ___brador   ___branza
___brar   ___briego   ___*va*   ___*vabo*
___*vadero*   ___*var*   ___*vativa*   ___*vazas*

29. En las palabras que tienen "b" después de "m".

Ambición   ambiente   a___os   asa___lea
ba___a   bime___re   bio___o   cala___re
ca___io   cara___ola   catacu___a   certidu___re
co___ate   co___ustión   cha___elán   e___arcación
fia___re   Ga___oa   he___ra   ho___re
i___erbe   legu___re   me___rana   no___re
o___ligo   prono___re   sí___olo   ti___re
unime___re   zu___ido

30. En las palabras que empiezan con "ob".

Obcecar   objeción   ___jetivo   ___jeto
___literación   ___nubilación   ___tener   ___testación
___turador   ___tuso   ___vención   ___viar
___vio

31. En las palabras que comienzan con "obs".

Obsceno   obscuro   ___equio   ___ervación
___ervar   ___esión   ___esivo   ___idiana
___oleto   ___táculo   ___tante   ___tetricia
___tinado   ___trucción   ___truir

32. En palabras que empiezan con "ra", "re", "ri", "ro" y "ru" y les sigue sonido "b".

Rábano   rabia   ___bino   ___bioso

___bo ___*venala* ___*violes* rebaja

___banada ___beca ___bozo ___buzno

ribaldo ___bera ___bereño ___bete

___boflavina ___bosa ___*val* ___*vera*

___*viera* robadera ___bar ___ble

___blizo ___bot ___bustecer ___busto

rubefacción ___béola ___bí ___bia

___bicundo ___bión ___blo ___bor

___bro

33. En las palabras que comienzan con "sub".

Subacuático subafluente ___alimentación ___arrendar

___asta ___campeón ___cutáneo ___delegación

___desarrollo ___director ___género ___jefe

___jetivo ___juntivo ___lingual ___lunar

___marino ___maxilar ___múltiplo ___ordinación

___prefecto ___rayar ___sanar ___secretaría

___sidio ___siguiente ___sistir ___teniente

___terráneo ___título ___urbio ___versivo

___yacente ___yugar

34. En las palabras que empiezan con "ta" y les sigue "b".

Tabaco Tabasco ___berna ___bernáculo

___bique ___bla ___blado ___blero

___bleta ___bú ___bulador ___burete

35. En palabras que comienzan con "tri" y les sigue "b".

Triblástico tribraquio ___bu ___bulación

___buna ___bunal ___butario ___buto

___*valente* ___*vial* ___*vialidad* ___*vio*

36. En las palabras que empiezan con "tur" y les sigue "b".

Turba turbante ___bar ___bina

___bio ___bulencia ___bulento

USO DE LA "C"

La ejercitación de esta letra podrá realizarse de diferente manera:

a) Anote en las palabras la letra o letras que hacen falta.
b) Lea las palabras en voz alta dos o tres veces.

c) Haga una oración con las palabras que estamos practicando en forma oral o escrita.

d) Dicte las palabras a su compañero de clase para que las escriba en su cuaderno de Español, y así podrá comprobar su progreso.

e) Ponga cuidado en las palabras que son excepciones; estarán escritas con letra *cursiva*.

Llevan "c":

1. La mayoría de los verbos terminados en "ar", forman sustantivos que acaban en "ación".

Afirmar	afirmación	alimentar	alimentación
bonificar	______	calificar	______
clasificar	______	declamar	______
durar	______	educar	______
expirar	______	lamentar	______
legislar	______	madurar	______
multiplicar	______	narrar	______
numerar	______	ocupar	______
participar	______	pronunciar	______
falsificar	______	fundar	______
gestar	______	grabar	______
habitar	______	identificar	______
investigar	______	jubilar	______
justificar	______	recrear	______
subordinar	______	titular	______
versificar	______		

2. Palabras que acaban en "ación".

Abrasión	amación	amin______	antel______
avi______	clor______	*comp*______	constel______
decortic______	decurt______	defl______	defluvi______
defoli______	eburn______	ecu______	elong______
estal______	fibril______	glaci______	ignifug______
*inv*______	loc______	marmor______	nervi______
or______	*p*______	*persu*______	sens______
trepan______	tumor______	voc______	zon______

3. Las palabras que terminan en "ancia" y "ancía".

Alcancía	alternancia	*ansia*	ason______
catom______	circunst______	comand______	concord______
conson______	const______	dison______	dist______
eleg______	est______	frag______	Fr______

gan_____ ignor_____ import_____ inf_____

lact_____ merc_____ necrom_____ migrom_____

persever_____ petul_____ prest_____ protuber_____

quirom_____ redund_____ reson_____ toler_____

vag_____ vigil_____

4. Palabras que acaban en "cio".

Bizancio cansancio Constan_____ glau_____

ran_____

5. Los verbos que terminan en "zar" cambian la "z" por la "c", y se le agrega la letra "e"; quedando así "ce".

Actualizar	actualice	adelgazar	adelgace
alcanzar	_____	bautizar	_____
civilizar	_____	comenzar	_____
caracterizar	_____	cotizar	_____
despedazar	_____	economizar	_____
formalizar	_____	generalizar	_____
idealizar	_____	jerarquizar	_____
lanzar	_____	musicalizar	_____
nacionalizar	_____	organizar	_____
sensibilizar	_____	suavizar	_____
paralizar	_____	pluralizar	_____
poetizar	_____	profundizar	_____
rechazar	_____	sublimizar	_____
teorizar	_____	urbanizar	_____
utilizar	_____	visualizar	_____

6. Algunas palabras que acaban en "cear".

Balacear balancear *bol*_____ bra_____

bron_____ bu_____ cabe_____ calaba_____

ce_____ *cor*_____ *curio*_____ *chismo*_____

*desa*_____ *de*_____ *esca*_____ *fal*_____

*fanta*_____ *fra*_____ *gua*_____ *hermo*_____

*metamorfo*_____ ne_____ *parafra*_____ *pa*_____

*paya*_____ *pro*_____. roman_____ se_____

vo_____ *vo*_____

7. Las palabras que terminan en "ceas".

Amarantáceas amarilidáceas artocarpá_____ betulá_____

burserá_____ calicantá_____ clorofí_____ cucurbitá_____

dipterocarpá_____ efedrá_____ fagá_____ geraniá_____
hidrocaritá_____ iridá_____ juncá_____ liliá_____
marantá_____ ninfeá_____ orquidá_____ piná_____
quenopodiá_____ rubiá_____ solaná_____ terebintá_____
ulmá_____ verbená_____ vitá_____ xantofí_____
zingiberá_____

8. Las palabras que acaban en "ceder".

Anteceder conceder ex_____ inter_____
pre_____ pro_____ su_____

9. Los verbos que terminan en "cender".

Ascender condescender des_____ en_____
tras_____

10. Las palabras que acaban en "ceno".

Antraceno benceno eo_____ holo_____
mendo_____ paleo_____ pleisto_____ plio_____

11. Los verbos que terminan en "cer".

Abastecer aborrecer adole_____ adorme_____
agrade_____ apare_____ co_____ cono_____
*co*_____ cre_____ ejer_____ embrute_____
empobre_____ endure_____ enfure_____ enloque_____
entriste_____ enveje_____ falle_____ ha_____
humede_____ me_____ obede_____ ofre_____
pa_____ palide_____ pare_____ pere_____
permane_____ pertene_____ reapare_____ recono_____
rena_____ *ser* *to*_____ ven_____

12. Los sustantivos que acaban en la letra "z", es cambiada por la "c" y se le agrega "es", quedando así: "ces".

actriz actrices andaluz andaluces
avestruz _____ cáliz _____
cicatriz _____ codorniz _____
cruz _____ faz _____
feliz _____ feroz _____
haz _____ hoz _____
juez _____ lombriz _____
luz _____ matiz _____
matriz _____ mendaz _____

nariz ________________ nuez ________________
perdiz ________________ pez ________________
precoz ________________ rapaz ________________
rectriz ________________ sagaz ________________
veloz ________________ veraz ________________
vez ________________ voraz ________________
voz ________________

13. Palabras que terminan en "cia" y "cía".

Alicia Andalucía *aneste*____ aristocra____
*A*____ astu____ auda____ *autop*____
avari____ burocra____ clere____ codi____
*controver*____ deli____ farma____ Feni____
Gali____ *Geru*____ *gimna*____ gra____
Gre____ ha____ heren____ *Horten*____
*idiosincra*____ *igle*____ *magne*____ *Mala*____
mali____ noti____ poli____ prima____
profe____ provin____ *Pru*____ renun____
*Ru*____ Sue____ suprema____ suspica____
*telequine*____ ter____ Vene____ *zoop*____

14. Las palabras que acaban en "cial".

Artificial circunstancial consustan_____ creden_____
equipoten_____ esen_____ espa_____ espe_____
impar_____ insustan_____ judi_____ mar_____
par_____ peniten_____ poten_____ providen_____
provin_____ pruden_____ ra_____ residen_____
secuen_____ servi_____ superfi_____ sustan_____
un_____

15. Los verbos que terminan en "ciar".

Acariciar agenciar ajusti_____ *an*_____
*aneste*_____ anun_____ apre_____ arre_____
aso_____ auspi_____ autofinan_____ benefi_____
codi_____ denun_____ desahu_____ desperdi_____

16. Los verbos que acaban en "cibir".

Percibir re_____

17. Las palabras que terminan en "cico" y "cica", excepto aquéllas que tengan una "s" en la última sílaba.

Alacrancico	aldaboncico	avion_____	arpon_____
balcon_____	*bol*_____	carreton_____	dolor_____
falcon_____	limon_____	lugar_____	melon_____
olor_____	*que*_____	raspon_____	raton_____
rigor_____	tambor_____	temblor_____	timon_____

18. Las palabras que acaban en "cie".

Altiplanicie	calvicie	cani_____	espe_____
moli_____	plani_____	pronun_____	superfi_____

19. Las palabras que terminan en "cil".

Alcacil	alcau_____	algua_____

20. Las palabras que acaban en "cillo" y "cilla", excepto aquéllas que tengan una "s" en la última sílaba.

Alacrancillo	aldaboncillo	avion_____	arpon_____
balcon_____	*bol*_____	carreton_____	dolor_____
falcon_____	flore_____	limon_____	lugar_____
melon_____	nueve_____	nube_____	olor_____
*que*_____	raspon_____	raton_____	rigor_____
suave_____	tambor_____	temblor_____	timon_____

21. Los verbos que terminan en "cinar".

Atocinar	enhacinar	fas_____	patro_____

22. Las palabras que acaban en "cio", "cío" y "ció".

Alimenticio	*Ambrosio*	*Anasta*_____	anun_____
apre_____	benefi_____	Bonifa_____	bulli_____
comer_____	denun_____	despa_____	desperdi_____
*Dioni*_____	divor_____	edifi_____	ejerci_____
espa_____	estropi_____	gentili_____	indi_____
inicio	inició	jui_____	la_____
malefi_____	na_____	natali_____	ne_____
nego_____	*Nica*_____	ofi_____	orifi_____
pala_____	perjui_____	pre_____	prefa_____
pronun_____	propi_____	qui_____	rea_____
re_____	renun_____	servi_____	silen_____
su_____	va_____	vi_____	ya_____

23. Las palabras que terminan en "ción".

Alocución Asunción audi____ conjun____
conven____ recep____ tradi____ guarni____
igni____ indiscre____ interjec____ lo____
locomo____ locu____

24. El derivado verbal —participio— que acaba en "to" y "do", forma sustantivos que terminan en "ción".

Absorbido	absorción	aparecido	aparición
comprimido	________	*concluido*	________
confesado	________	*confuso*	________
contribuido	________	definido	________
descrito	________	*difundido*	________
disminuido	________	*dividido*	________
excluido	________	*expresado*	________
expulsado	________	*extendido*	________
imprimido	________	inscrito	________
inventado	________	*invertido*	________
manifestado	________	mencionado	________
nutrido	________	objetado	________
oprimido	________	participado	________
poseído	________	*precisado*	________
pretendido	________	*procesado*	________
profesado	________	*recluido*	________
retenido	________	*revisado*	________
solucionado	________	suscrito	________
tensado	________	*visto*	________

25. Los verbos que terminan en "cir".

Abducir aducir antede____ *a*____
autoindu____ balbu____ bende____ condu____
contrade____ coprodu____ de____ dedu____
desde____ desfrun____ deslu____ desun____
entrede____ entrelu____ espar____ frun____
indu____ interde____ introdu____ lu____
malde____ prede____ prelu____ produ____
recondu____ rede____ redu____ relu____
reprodu____ resar____ retradu____ tradu____
traslu____ un____

26. Las palabras que acaban en "cisión".

Circuncisión   concisión   de______   impre______
in______   inde______   *proposición*

27. Palabras que terminan en "cito" y "cita", excepto aquellas que tengan una "s" en la última sílaba.

Alacrancito   aldaboncito   avion______   arpon______
*a*______   balcon______   *bal*______   *bra*______
carreton______   *ca*______   dolor______   duende______
falcon______   *fre*______   *holande*______   limon______
lugar______   melon______   nube______   *o*______
*pa*______   raspon______   rigor______   *ri*______
tambor______   temblor______   timon______   *va*______

Nota: Las palabras que tienen "z" en la última sílaba, forman el diminutivo cambiando esta letra por la "c" y agregándole la terminación "ito" o "ita", quedando así "cito" o "cita".

Brazo ______bracito______   cabeza ______cabecita______
calabaza ______________   choza ______________
lanza ______________   pedazo ______________
taza ______________   trazo ______________

28. Los verbos que acaban en "citar".

Capacitar   crascitar   *depo*______   ejer______
incapa______   in______   recapa______   re______
resu______   soli______   sus______   *tran*______

29. Los verbos que terminan en "decer".

Aridecer   atardecer   desobe______   encru______
engran______   enmu______   hume______   recru______
rever______

30. Las palabras que acaban en "ecico" y "ecica".

Airecico   avecica   bald______   bosqu______
buqu______   dient______   dulc______   flor______
frail______   frent______   fuent______   grand______
liebr______   lumbr______   llav______   nuev______
nuev______   nub______   part______   pliegu______
puent______   suav______   suav______   vall______
viej______   viej______

31. Las palabras que terminan en “ecillo” y “ecilla”.

Airecillo avecilla bald______ bosqu______
buqu______ dient______ dulc______ flor______
frail______ frent______ fuent______ grand______
grand______ liebr______ lumbr______ llav______
nub______ nuev______ nuev______ part______
pliegu______ puent______ suav______ suav______
vall______ viej______ viej______

32. Las palabras que acaban en “ecito” y “ecita”.

Airecito avecita bald______ bosqu______
buqu______ dient______ dulc______ flor______
frail______ frent______ fuent______ grand______
liebr______ lumbr______ llav______ nuev______
nuev______ nub______ part______ pliegu______
puent______ suav______ suav______ vall______
viej______ viej______

33. Las palabras que terminan en “encia”.

Asistencia ausencia benefic______ car______
circunfer______ clem______ confer______ confid______
consecu______ correspond______ decad______ delincu______
dem______ depend______ doc______ dol______
elocu______ emin______ equival______ es______
evid______ Flor______ frecu______ ger______
her______ imprud______ indifer______ intelig______
jurisprud______ lic______ menud______ ocurr______
opul______ perman______ pon______ prefer______
pres______ resid______ resist______ suger______
tend______ ten______ turbul______ urg______
viv______

34. Las palabras que acaban en “encio”.

Inocencio laur______

35. Las palabras que terminan en “iencia”.

Apariencia audiencia c______ conc______
desobed______ efic______ inconsc______ inconven______
inefic______ insufic______ malefic______ obed______
pac______ sap______ sufic______

36. **Las palabras que acaban en "uncia".**

Denuncia j______ ren______

37. **Las palabras que terminan en "uncio".**

Anuncio inter______ N______ ren______

USO DE LA "CC"

La ejercitación de esta letra podrá realizarse de diferente manera:

a) Anote en las palabras la letra o letras que hacen falta.
b) Lea las palabras en voz alta dos o tres veces.
c) Haga una oración con las palabras que estamos practicando en forma oral o escrita.
d) Dicte las palabras a su compañero de clase para que las escriba en su cuaderno de Español, y así podrá comprobar su progreso.
e) Ponga cuidado en las palabras que son excepciones; estarán escritas con letra *cursiva.*

En las palabras que se escriben con doble "cc", la primera tiene sonido de la letra "k" y la segunda tiene sonido de la grafía "s"; quedando así; "ks".

Abstracción	acceder	a___ión	*anexión*
atra___ión	calefa___ión	cole___ión	*comple___ión*
condu___ión	*cone___ión*	constru___ión	convi___ión
crucifi___ión	di___ión	dire___ión	distra___ión
drogadi___ión	*fle___ión*	*genufle___ión*	*infle___ión*
instru___ión	intera___ión	*intercone___ión*	interje___ión
interse___ión	introdu___ión	introspe___ión	Izta___íhuatl
jurisdi___ión	le___ión	obstru___ión	perfe___ión
predile___ión	prote___ión	proye___ión	rea___ión
recole___ión	reda___ión	*refle___ión*	reprodu___ión
restri___ión	resurre___ión	satisfa___ión	se___ión
sele___ión	subdire___ión	tradu___ión	*transfi___ión*
unidire___ional	vasoconstru___ión		

USO DE LA "D" AL FINAL DE PALABRA

La ejercitación de esta letra podrá realizarse de diferente manera:

a) Anote en las palabras la letra o letras que hacen falta.
b) Lea las palabras en voz alta dos o tres veces.
c) Haga una oración con las palabras que estamos practicando en forma oral o escrita.
d) Dicte las palabras a su compañero de clase para que las escriba en su cuaderno de Español y así podrá comprobar su progreso.

En esta letra es fundamental realizar ejercicios orales, para comprobar que los alumnos la pronuncien correctamente, pues con mucha frecuencia la omiten.

Amistad	arbitrariedad	aptitu__	autorida__
bonda__	breveda__	capacida__	céspe__
creativida__	dificulta__	eda__	especialida__
estabilida__	extremida__	felicida__	finalida__
fraternida__	frialda__	gratitu__	habilida__
hermanda__	hispanida__	humanida__	identida__
intensida__	irregularida__	irritabilida__	juventu__
legalida__	liberta__	localida__	Madri__
malda__	mensualida__	multitu__	Navida__
necesida__	noveda__	nulida__	obesida__
oportunida__	plenitu__	publicida__	puntualida__
quietu__	rectitu__	responsabilida__	salubrida__
se__	socieda__	solicitu__	tempesta__
unida__	uste__	utilida__	vanida__
vecinda__	velocida__	vulgarida__	

USO DE LA DOBLE "EE"

La ejercitación de esta letra podrá realizarse de diferente manera:

a) Anote en las palabras la letra o letras que hacen falta.
b) Lea las palabras en voz alta dos o tres veces.
c) Haga una oración con las palabras que estamos practicando en forma oral o escrita.
d) Dicte las palabras a su compañero de clase para que las escriba en su cuaderno de Español, y así podrá comprobar su progreso.

En esta letra es esencial realizar ejercicios orales, para verificar que los alumnos la pronuncien correctamente, pues con mucha frecuencia la omiten.

Llevan doble "e":

1. Las palabras que no tienen prefijo.

Correero	creencia	cr__r	fid__ro
l__r	pos__r	siet__rama	v__dor

2. Las palabras que llevan prefijo.

Acreedor	acreencia	pre__xistir	prov__dor
r__dificar	r__ditar	r__ducación	r__legir
r__mbarcar	r__mbolsar	r__mitir	r__mplazar

r___ncarnación r___ncuentro r___nganchar r___nganche

r___ngendrar r___nviar r___streno r___structuración

r___xpedir r___xportar sobr___bullición sobr___ntender

sobr___sdrújula sobr___xceder sobr___xposición

USO DE LA "G"

La ejercitación de esta letra podrá realizarse de diferente manera:

a) Anote en las palabras la letra o letras que hacen falta.
b) Lea las palabras en voz alta dos o tres veces.
c) Haga una oración con las palabras que estamos practicando en forma oral o escrita.
d) Dicte las palabras a su compañero de clase para que las escriba en su cuaderno de Español, y así podrá comprobar su progreso.
e) Ponga cuidado en las palabras que son excepciones; estarán escritas con letra cursiva.

Se usa "g":

1. Cuando la "g" tiene sonido suave agregándole una "a".

Gabardina gabinete ___briel ___cela

___ita ___lería ___licia ___lindo

___llardía ___lleta ___ma ___nancia

___nar ___nso ___raje ___rantía

___rcía ___rdenia ___r___nta ___r___ntilla

___rrote ___soducto ___solina ___sto

___stritis ___to ___veta ___vilán

___viota ___zpacho

2. En los tiempos de los verbos que terminan en "gar", "grar" y "guir".

Abrigar agregar aho___ ale___

apa___ arru___ casti___ catalo___

col___ comul___ conju___ consagrar

descar___ descol___ desli___ dialo___

diva___ divul___ embar___ entre___

fumi___ hosti___ interro___ juz___

lle___ madru___ ne___ pa___

proseguir ras___ ro___ ven___

3. Cuando la "g" tiene sonido fuerte agregándole una "e".

Gemelo gemido ___míparo ___ranio

___rencia ___rmania ___rminación ___rundio

4. En las palabras que acaban en “gedor”.

Acogedor   reco_____

5. En las palabras que terminan y empiezan en “gel”.

Ángel   arcángel   ____atina   ____ido

ver____

6. En las palabras que acaban en “gelical”.

An_______

7. En las palabras que terminan en “gélico”.

Evan_______

8. En las palabras que acaban en “gémino”.

Cuadri______   tri______

9. En las palabras que tienen al principio la sílaba “gen”.

Gendarme   genealogía   ____eático   ____erador

____eral   ____érico   ____ero   ____io

____itor   ____oma   ____otipo   ____ova

____te   ____til   ____tileza   ____tilicio

____tío   ____uino   ____*aro*   ____*gibre*

____*ofonte*

10. En las palabras que tienen en medio la sílaba “gen”.

Ajenjo   *ajeno*   Argentina   astrin____te

beren____a   con____iar   con____ito   contin____cia

contin____te   conver____cia   cotan____te   deter____te

diri____te   diver____te   emer____cia   *ena____ado*

exi____cia   homo____eizar   indi____te   indul____cia

in____uo   insur____te   inteli____cia   intransi____te

le____dario   ma____ta   negli____te   reful____cia

re____ta   vi____te   tan____te   ur____cia

11. En las palabras que tienen al final la sílaba “gen”, excepto los verbos que terminan en “jar”.

Alejen   *bajen*   *come*____   *de*____

*feste*____   ima____   *mane*____   mar____

*mo*____   *ojén*   ori____   *te*____

vir____

12. En las palabras que terminan en "genar".

Desoxigenar	*ena*_____	hidro_____	nitro_____
oxi_____			

13. En las palabras que acaban en "genario".

Cuadragenario	nona_____	octo_____	quincua_____
septua_____			

14. En las palabras que terminan en "géneo".

Homogéneo	hetero_____

15. En las palabras que acaban en "génesis".

Abiogénesis	antropogénesis	endo_____	ezquizo_____
foto_____	gameto_____	geomorfo_____	glipto_____
gluco_____	histo_____	mono_____	muta_____
oo_____	oro_____	orto_____	palin_____
parteno_____	piro_____	tecto_____	trombo_____

16. En las palabras que terminan en "genia".

Ifigenia	fotogenia	geo_____	liso_____
noso_____	onto_____	pato_____	zoo_____

17. En las palabras que acaban en "génico".

Fotogénico	oro_____

18. En las palabras que terminan en "genio".

Ingenio	primi_____

19. En las palabras que acaban en "génito".

Congénito	ingénito	primo_____	segundo_____
uni_____			

20. En las palabras que terminan en "geno".

Aglutinógeno	aler_____	aló_____	alucinó_____
alunó_____	andró_____	autó_____	carbó_____
cianó_____	colá_____	cromó_____	dermató_____
endó_____	estró_____	exó_____	feló_____
galí_____	glicó_____	glucó_____	lacrimó_____
nitró_____	piró_____	urobilinó_____	yatró_____

21. En las palabras que acaban en "gentésimo".

Cuadrigentésimo quin________ septin________

22. En las palabras que terminan en "geo".

Apogeo hipo____ menín____

23. En las palabras que empiezan con "geo" (significa: tierra).

Geoacústica ____bío ____botánica ____carpia
____centrismo ____desia ____física ____fito
____grafía ____logía ____mancia ____medicina
____metría ____morfía ____política ____química
____rgico ____tropismo

24. En los verbos que acaban en "ger".

Destejer escoger emer____ prote____
reco____ sobreprote____ *te*____

25. En los verbos que terminan en "gerar".

Aligerar *arrejerar* exa______ mori______
refri______

26. En las palabras que acaban en "gerir".

Digerir in______ su______

27. En las palabras que terminan en "gésico".

Anal______

28. En las palabras que acaban en "gesimal".

Sexagesimal vi________

29. En las palabras que terminan en "gésimo".

Cuadragésimo nonagésimo octa______ quincua______
sexa______ septua______ tri______ vi______

30. En las palabras que comienzan con "gest".

Gesta gestación _____ante _____atario
_____icular _____ión _____o _____or
_____oría _____udo

31. En las palabras que acaban en "gética".

Apologética cine______

32. En las palabras que terminan en "gético".

Ener______

33. Cuando la letra "g" tiene sonido fuerte agregándole una "i".

Gibar Gibraltar ___gante ___motear

___nebra ___neceo ___necocracia ___necólogo

___ra ___rasol ___tano

34. En las palabras que terminan en "gia" y "gía".

Alergia analogía *apoplejía* *bujía*

cardial____ causal____ cefalal____ ciru____

*cru*____ demago____ dermal____ disfa____

dramatur____ ele____ ener____ estrate____

*hemiple*____ hemorra____ *here*____ *le*____

ma____ metalur____ neural____ nostal____

odontolo____ onicofa____ pedago____ *paraple*____

polifa____ prosopal____ raquial____ regia

regía siderur____ taquifa____ taumatur____

*te*____ termofa____ vi____

35. En las palabras que acaban en "gial".

Cole____ uropi____

36. En las palabras que terminan en "giar".

Contagiar desprestigiar elo____ pla____

presa____

37. En las palabras que acaban en "gico".

Alérgico estratégico lisér____ má____

metalúr____ trá____

38. En las palabras que terminan en "giénico".

Hi______

39. En las palabras que acaban en "ginal".

Mar____ ori____ vir____

40. En palabras que terminan en "ginoso".

Ferruginoso uli_____ verti_____

41. En las palabras que terminan en "gio", "gió".

Adagio *bajío* cole____ contagio
contagió egre____ elo____ episcopolo____
florile____ naufra____ pla____ presa____
presti____ privile____ prodi____ refu____
re____ Remi____ sacrile____ Ser____
sortile____ sufra____ trisa____ uropi____
vesti____

42. En las palabras que acaban en "gión".

Legión re_____ reli_____

43. En las palabras que terminan en "gional".

Re_______

44. En las palabras que acaban en "gionario".

Correli_________ le_________

45. En las palabras que terminan en "gioso".

Conta______ reli______ prodi______

46. En los verbos que terminan en "gir".

Corregir *crujir* diri____ ele____
eri____ exi____ fin____ fun____
grujir infrin____ reele____ re____
restrin____ transi____

47. En las palabras que terminan en "gírico".

Pane_______

48. Cuando ante "l" se escribe la letra "g" y el sonigo es suave; quedando así "gla".

Cinglar desarreglar jin____r re____r
sin____r

49. Cuando la "g" tiene sonido suave agregándole una "o".

Gobernación gobernar ___bierno ___ce
___do ___l ___leador ___lgota
___londrina ___losina ___loso ___lpe
___ma ___mez ___ndola ___ngora
___nzález ___rdo ___rila ___rra

____rrión ____ta ____tico ____ya

____zar

50. Cuando ante "r" se escribe la grafía "g" y el sonido es suave; quedando así "gra".

Ale____r auto____fiar desan____r emi____r

inte____r lo____r malo____r peli____r

51. Cuando la "g" tiene sonido suave agregándole una "u".

Guadalajara Guadalupe ____ante ____ardería

____ardián ____atemala ____ateque ____la

gusano Gutenberg ____tural ____turización

____acamole ____arismo ____adalquivir ____ayaba

____adaña ____bernamental ____ajolote ____arura

____anajuato ____anabana ____arache ____adiana

____arida

52. Cuando a la sílaba "ge" se le agrega una "u" entre la "g" y la "e" queda así "gue". (La letra "u" no debe pronunciarse).

Albergue apague bullan____ro bur____s

ce____ra conju____mos cuél____lo desfo____

desplie____ domin____ro dro____ría embria____z

encar____n ence____cer espi____o Fi____roa

fo____o ____rra ____rrero ____vara

hambur____sa hi____ra ho____ra hormi____ar

interro____n jil____ro ju____te lati____ar

lle____n madri____ra ma____y mala____ño

man____ra meren____ Mi____l Mo____l

no____ra pachan____ro pá____lo plie____

portu____s so____ar tan____ar tri____ño

vi____ta

53. Cuando a la "u" de la sílaba "gue" le ponemos diéresis (ü) para que se pronuncie.

Agüero antigüedad ar____ Ar____lles

bilin____ Cama____y ci____ña cha____to

de____llo desa____ desver____nza exan____

Gi____la ____ldo Gui____ Ibar____ngoitia

ja____l ja____y jama____y ma____to

monolin____ nacari____ pedi____ño pin____

plurilin____ re____ldo san____ño sinver____nza

trilin____ un____nto zari____ya

54. Cuando a la sílaba "gi" se le agrega una "u" entre la "g" y la "i" queda así "gui". (La letra "u" no debe pronunciarse).

A____jonear albondi____lla al____en An____ano

an____la borce____ consan____neo conse____r

consi____ente desa____sado distin____r domin____llo

ense____da es____nce extin____r fandan____llo

fan____to gro____ ____a ____jarro

____llén ____llermo ____llotina ____nda

____nea ____ñar ____ñol ____ón

____rnalda ____sado ____tarra jerin____lla

lán____do lar____rucho lati____llo lechu____lla

li____lla man____llo man____to mona____llo

Mun____a pechu____lla perse____r prolo____sta

prose____r san____juela san____nario san____neo

se____dilla se____do se____r si____ente

so____lla tale____lla verdu____llo yo____

55. Cuando a la "u" de la sílaba "gui" le ponemos diéresis (ü) para que se pronuncie.

Agüista agüita a____tarse cha____

chan____ chi____l chiqui____te chiri____

____curú ____ra ____raldes ____ro

____to len____ta Lin____stica maca____ta

pin____no pira____smo rear____r redar____r

ti____lote

56. En las palabras que acaban en "ígena".

Ind______

57. En las palabras que terminan en "ígeno".

Alotígeno antígeno antitus______ cancer______

fum______ gal______ gregar______ ox______

terr______ tox______ tus______

58. En las palabras que acaban en "igera" e "ígera".

L______ flamígera

59. En las palabras que terminan en "igero" e "ígero".

Al______ flam______ l______ man______

pen______

60. En las palabras que comienzan con "legi".

_____ble   _____slación   _____tima   *lejitos*

61. En las palabras que comienzan con "legis".

Legislación   _____lar   _____lativo   _____latura

_____ta

62. En las palabras que acaban con "logía" (sufijo griego que quiere decir *ciencia, tratado* o *doctrina*).

Agrología	analogía	anfibo_____	angio_____
anti_____	anto_____	antropo_____	arqueo_____
artro_____	astro_____	audio_____	auxano_____
biblioteco_____	braqui_____	bromato_____	carcino_____
cardio_____	carpo_____	ceno_____	cito_____
conquilio_____	contacto_____	cosmo_____	crio_____
crono_____	dactilo_____	deonto_____	dermato_____
dialecto_____	dito_____	docimo_____	doxo_____
eclesio_____	eco_____	edafo_____	etimo_____
etno_____	eto_____	filo_____	fisio_____
fraseo_____	gastro_____	genea_____	geo_____
geronto_____	gineco_____	grafo_____	haplo_____
helminto_____	hidro_____	hipo_____	histero_____
lexico_____	metodo_____	mito_____	morfo_____
neuro_____	odonto_____	orto_____	paleonto_____
paremio_____	periso_____	pinaco_____	polemo_____
quiro_____	reumato_____	semasio_____	seudo_____
simbo_____	sismo_____	socio_____	tanato_____
tauto_____	tecno_____	teleo_____	teo_____
trilo_____	uro_____	vexilo_____	xilo_____
zoo_____	zoonoso_____		

USO DE LA "H"

La ejercitación de esta letra podrá realizarse de diferente manera:

a) Anote en las palabras la letra o letras que hacen falta.
b) Lea las palabras en voz alta dos o tres veces.
c) Haga una oración con las palabras que estamos practicando en forma oral o escrita.
d) Dicte las palabras a su compañero de clase para que las escriba en su cuaderno de Español, y así podrá comprobar su progreso.
d) Ponga cuidado en las palabras que son excepciones; estarán escritas con letra *cursiva*.

Llevan "h":

1. Los verbos que tienen "h" en el infinitivo.

Haber	habilitar	__abitar	__abituar
__ablar	__acer	__alagar	__allar
__echizar	__elar	__elenizar	__eredar
__erir	__errar	__ervir	__idratar
__idrogenar	__igienizar	__ilar	__ilvanar
__incar	__inchar	__ipnotizar	__ipotecar
__ispanizar	__ojear	__olgazanear	__omenajear
__onrar	__orcar	__ormiguear	__ornear
__orrorizar	__ospedar	__ospitalizar	__ostigar
__ostilizar	__uir	__umanizar	__umear
__umectar	__umedecer	__umillar	__undir
__urgar	__urtar	__usmear	

2. Las palabras que llevan "h" al principio.

Haba	Habana	__abano	__abichuela
__abiente	__ábil	__abitación	__abitante
__ábito	__acienda	__acha	__ada
__agiografía	__aití	__alcón	__álito
__alobiótico	__alófilo	__allazgo	__ambre
__amburgo	__amburguesa	__ampón	__aplografía
__aragán	__arina	__arón	__azaña
__ebilla	__ebra	__ebreo	__echizar
__egemonía	__elado	__élice	__elicóptero
__eliófilo	__elipuerto	__embra	__emeralopia
__emeroteca	__emípteros	__emistiquio	__enequén
__epatitis	__ereditario	__ereje	__erencia
__erida	__éroe	__errería	__ibernación
__íbrido	__ígado	__igiene	__igo
__ijo	__ilacha	__ilaza	__ilera
__ilo	__ipnosis	__ispano	__ocico
__ogar	__ogaza	__oja	__oloceno
__ombre	__omenaje	__omicidio	__omilía
__ondo	__onduras	__onesto	__onor
__onra	__oy	__oyo	__oz
__ule	__ulla	__uracán	__uraño
¡__uy!			

3. Las palabras que tienen "h" intermedia.

Adherir	ahijado	a__ínco	a__ogar
a__ondar	a__ora	a__orcar	a__orro
A__uízotl	a__umar	a__uyentar	alba__aca
alca__uete	alco__ol	al__aja	al__araca
al__elí	Al__óndiga	Alig__ieri	almo__ada
Aná__uac	an__elo	apre__ender	Ata__ualpa
aza__ar	Ba__amas	ba__ía	bien__echor
bo__emia	Bra__ma	bu__ardilla	bú__o
Caca__uamilpa	caca__uate	Ci__uacóatl	Coa__uila
Co__erencia	co__esión	co__ete	co__ibir
Copen__ague	Cuau__témoc	Cuitlá__uac	Cul__uacán
Chalchiu__tlicue	Chi__ua__ua	desenmo__ecer	des__ielo
des__ojar	enmo__ecer	ex__alar	ex__austo
ex__ibición	ex__ortar	ex__umar	fe__aciente
Goet__e	inco__erencia	Je__ová	Ma__ab__arata
Ma__atma	Ma__oma	mal__echor	Mamal__uaztli
mari__uana	Mate__uala	Menp__is	Mictlantecu__tli
moabita	*moaré*	mo__o	*Moisés*
Na__a__uatzin	na__ua	ná__uatl	Ori__uela
peri__elio	pre__ispánico	pro__ibir	re__abilitación
sabi__ondo	Sa__agún	Sa__ara	sa__umado
sa__umerio	S__akespeare	ta__úr	Tara__umara
Te__erán	Te__uacán	Teoti__uacán	Tepe__uán
tras__ojar	tru__án	va__ído	va__o
ve__emente	ve__ículo	vi__uela	Vis__nú
Was__ington	Xiu__cóatl	Xiu__tecu__tli	za__erir
za__ína	zana__oria	Zarat__ustra	

4. Las palabras que llevan "h" al final.

¡Ah!	¡bah!	¡e__!	menora__
¡o__!	Saba__	sabbat__	smas__
squas__	Tajris__	Tarbus__	Tecumse__
Tonatiu__	wakas__	Yarmout__	yiddis__

5. Las palabras que empiezan con "hecto" y "hecta" (prefijo griego que significa *cien*).

____área ____olitro

6. Las palabras que comienzan con "hem", "hemat", "hemato" y "hemo" (prefijos griegos que significan *sangre*).

Hematemesis   hematíe   ____atimetría   ____átofago

____logía   ____patía   ____zoario   ____globina

____grama   ____rragia   ____stasia

7. Las palabras que empiezan con "hept" y "hepta".

Heptacordo   heptaedro   ______gono   ______metro

______rquía   ______sílabo   ______eno   ______odo

8. Las palabras que comienzan con "herb".

Erbio   herbáceo   _____aje   _____ar

_____ario   _____azal   _____ecer   _____ero

_____icida   _____ívoro   _____olar   _____olario

_____orizar

9. Las palabras que empiezan con "herm".

Ermita   *ermitaño*   _____afrodita   _____ano

_____eneútica   _____es   _____ético   _____osillo

_____oso

10. Las palabras que comienzan con "hern".

Ernestina   *Ernesto*   Hernández   _____ani

_____ia

11. Las palabras que empiezan con "heter".

Éter   *etéreo*   *eternidad*   *eterno*

heterocliclico   ______ociclo   ______ocigoto   ______odino

______ogéneo   ______omancia   ______onimia   ______opolar

______ópsido   ______osexual

12. Las palabras que comienzan con "hex" y "hexa".

Hexacordo   hexaedro   _____gono   _____metro

_____podo   _____sílabo   _____stilo   hexeno

_____*odo*   _____osa

13. Las palabras que empiezan con "hia".

Hialino   hialografía   ____lógrafo   ____loides

____loplasma   ____to

14. Las palabras que comienzan con "hidr".

Hidrácido hidracina ____argilita ____atación
____áulico ____oavión ____ocarburo ____ófilo
____ófito ____ógeno ____ogiología ____ognosia
____ología ____omancia ____omanía ____opesía
____oscopia ____osoluble ____ostática ____ozoos

15. Las palabras que empiezan con "hie".

Hiedra hiel ____lo ____na
____rático ____rba ____rografía ____roscopia
____rro

16. Las palabras que comienzan con "higr".

Higrófilo higróforo ____oma ____ometría
____ométrico ____ómetro

17. Las palabras que empiezan con "hioi".

Hioideo ____des

18. Las palabras que comienzan con "hiper".

Hiperacidez hiperalgesia *iperita* ____bole
____cinesia ____dulía ____emia ____estesia
____fino ____génesis ____ión ____metría
____metropía ____mnesia ____pepsia ____plasia
____sensible ____somnia ____temia ____trofia
____baton

19. Las palabras que empiezan con "hip".

____ocentro ____oclorito ____ocondría ____ocorístico
____ocresía ____ocromía ____oderma ____ódromo
____ófisis ____ogrifo ____ología ____omanía
____omorfo ____oplasia ____opótamo ____oteca
____otecnia ____otenusa ____otermia ____otético
____otiposis ____oxia ____*ecanuana* ____*iales*
____*il* ____*oh* ____*omeico*

20. Las palabras que comienzan con "hist".

Histamina histeria ____erología ____ico
____ología ____oria ____orieta ____oriografía
____rión ____rionisa ____*tanbul* ____*mo*
____*ria*

21. Las palabras que empiezan con "holg".

Holgado ____anza ____ar ____azán
____ura ____*a*

22. Las palabras que comienzan con "homo".

Homocéntrico ____donto ____fono ____géneo
____grafo ____logo ____nimia ____pteros
____sfera ____*plato*

23. Palabras que empiezan con "hor".

Hora ____adado ____adar ____ario
____ca ____cajo ____co ____chata
____da ____izontal ____ma ____mazo
____miga ____mona ____nacina ____nero
____no ____óscopo ____queta ____quilla
____taliza ____telano ____tensia ____ticultura
____us *oración* ____*áculo* ____*al*
____*angután* ____*be* ____*bita* ____*cina*
____*den* ____*deñar* ____*dinal* ____*dinario*
____*égano* ____*egón* ____*eja* ____*fanato*
____*febrería* ____*felinato* ____*feo* ____*ganigrama*
____*ganillo* ____*ganismo* ____*ganización* ____*gano*
____*gullo* ____*ientación* ____*iental* ____*iente*
____*ificio* ____*igen* ____*illa* ____*iundo*
____*izaba* ____*lar* ____*namentar* ____*nar*
____*o* ____*ografía* ____*questa* ____*quídea*
____*tiga* ____*todoxo* ____*tofonía* ____*tografía*
____*tología* ____*uga* ____*zuela* ____*zuelo*

24. Las palabras que comienzan con "hosp".

Hospedaje hospedar ____edería ____icio
____ital ____italario ____italizar

25. Palabras que empiezan con "host".

Hostelería hostería ____ia ____iario
____igar ____igoso ____il ____ilidad
____ilizar ____*eoma* ____*ealgia* ____*ensible*
____*entar* ____*eología* ____*eopatía* ____*eoporosis*
____*eosclerosis* ____*ión* ____*ra* ____*rero*
____*ricultura* ____*rogodo*

26. Palabras que comienzan con "hua".

Huacalillo   huacatay   ____chafo   ____jito

____pango   ____steco   ____ve   *uácari*

____*di*   ____*labí*   ____*pití*   ____*raycú*

____*requena*   ____*ura*

27. Palabras que empiezan con "hue", excepto las palabras que se derivan de *hueco, huérfano, hueso* y *huevo.*

Hueco   Huehuecoyotl   Huehuetenango   Huehueteotl

______jotzingo   ______lfago   ______lga   ______lva

______lla   ______mac   ______rfano   ______rta

______sca   ______so   ______sped   ______ste

______tzin   ______vo   *oquedad*   *orfanato*

orfandad   *osamenta*   *osario*   *óseo*

osificar   *ovalado*   *óvalo*   *ovario*

ovoide   *óvolo*

28. Las palabras que comienzan con "hui".

Huichol   huidizo   ____dobro   ____pil

____stlacuache   ____tzili____tl   ____tzilopochtli   ____xtocíhuatl

29. Palabras que empiezan con "hum".

Humanidad   humanismo   ____anista   ____ano

____areda   ____ear   ____ectación   ____edad

____edo   ____ícola   ____ificación   ____ildad

____illar   ____o   ____or   ____orista

____oso   ____*a*   ____*bela*   ____*belíferas*

____*bilical*   ____*bráculo*   ____*bral*   ____*brátil*

____*brela*   ____*brío*

USO DE LA "I"

La ejercitación de esta letra podrá realizarse de diferente manera:

a) Anote en las palabras la letra o letras que hacen falta.
b) Lea las palabras en voz alta dos o tres veces.
c) Haga una oración con las palabras que estamos practicando en forma oral o escrita.
d) Dicte las palabras a su compañero de clase para que las escriba en su cuaderno de Español, y así podrá comprobar su progreso.

Uso de la "I":

1. Se anotará la letra "i", al inicio de una palabra, cuando le siga una consonante.

Iberia	icnografía	_cosaedro	_ctiófago
_deal	_dioma	_gnífero	_lación
_letrado	_luminación	_maginación	_mpersonal
_mprudencia	_nca	_ncendio	_ndeterminado
_ndependencia	_ndígena	_nfamia	_nfinitivo
_nfructuoso	_ngeniero	_ngreso	_nmediato
_nquisición	_nsecto	_nsomnio	_nstrucción
_nteresante	_ntervención	_nvariable	_nvierno
_rreversible	_sabel	_sófono	_sósceles
_turbide	_zquierdo	_ztaccíhuatl	

2. Se escribirá la grafía "i", al final de una palabra, cuando ésta tenga acento ortográfico.

Acudí	adherí	adquir__	asent__
asum__	atribu__	aturd__	bat__
coincid__	compart__	compet__	conceb__
conclu__	consegu__	consent__	contribu__
conviv__	cubr__	cumpl__	curt__
debat__	defin__	describ__	desist__
desment__	destitu__	diger__	dilu__
disminu__	distribu__	eleg__	elud__
encubr__	erig__	escrib__	her__
hu__	impart__	imped__	inclu__
infund__	inhib__	insist__	invert__
luc__	nutr__	oprim__	percib__
persegu__	persist__	pul__	restitu__
retribu__	sacud__	subsist__	suger__
suprim__	surt__	teñ__	transmit__
un__	viv__	zaher__	zurc__

USO DE LA "J"

La ejercitación de esta letra podrá realizarse de diferente manera:

a) Anote en las palabras la letra o letras que hacen falta.
b) Lea las palabras en voz alta dos o tres veces.
c) Haga una oración con las palabras que estamos practicando en forma oral o escrita.

d) Dicte las palabras a su compañero de clase para que las escriba en su cuaderno de Español, y así podrá comprobar su progreso.
e) Ponga cuidado en las palabras que son excepciones; estarán escritas con letra *cursiva.*

Llevan "j":

1. Las palabras que comienzan con "aje".

Agerasia	*ageusia*	____drez	____drezado

2. Las palabras que acaban en "aje".

Almacenaje	aprendizaje	arbitr____	aterriz____
breb____	carru____	caudill____	*companage*
cortometr____	chant____	dobl____	dren____
embal____	*enál*____	enc____	engran____
ensambl____	equip____	espion____	gar____
homen____	hosped____	largometr____	lengu____
libertin____	lin____	mas____	men____
mens____	mestiz____	pais____	paisan____
p____	pandill____	par____	pas____
person____	plum____	porcent____	ram____
report____	rod____	rop____	sabot____
salv____	tatu____	tir____	tonel____
tr____	ultr____	vend____	volt____

3. El pretérito de indicativo y el pretérito y futuro de subjuntivo de los verbos que terminan en "decir".

bendijere	bendije	bendijera	bendijese
contradi_____	contradi_____	contradi_____	contradi_____
maldi_____	maldi_____	maldi_____	maldi_____
predi_____	predi_____	predi_____	predi_____

4. El pretérito de indicativo y el pretérito y futuro de subjuntivo de los verbos que acaban en "ducir".

condujere	conduje	condujera	condujese
dedu_____	dedu_____	dedu_____	dedu_____
indu_____	indu_____	indu_____	indu_____
introdu_____	introdu_____	introdu_____	introdu_____
produ_____	produ_____	produ_____	produ_____
redu_____	redu_____	redu_____	redu_____
reprodu_____	reprodu_____	reprodu_____	reprodu_____
tradu_____	tradu_____	tradu_____	tradu_____

5. Las palabras que empiezan con "eje".

Egeo *Egeria* ejecución ____cutar

____cutivo ____cutor ____cutoría ____mplar

____mplificar ____rcer ____rcicio ____rcitar

____rcito

6. Las palabras que terminan en "eje".

Esqueje fleje her____ s____

tejeman____

7. Los verbos que acaban en "jar".

Acomplejar aconsejar agasa____ ale____

alo____ amorta____ añe____ arro____

aventa____ ba____ bara____ bosque____

corte____ cua____ de____ despe____

despo____ desvali____ desvenci____ dibu____

embru____ empu____ enca____ espon____

fa____ feste____ fi____ hata____

mane____ mo____ pu____ ra____

reba____ refle____ rela____ rele____

remo____ traba____ ultra____ via____

zan____

8. Los verbos que terminan en "jarse".

Que______

9. Los verbos que acaban en "jear".

Ajear canjear co_____ chanta_____

espe_____ flo_____ force_____ gor_____

gran_____ ho_____ homena_____ lison_____

nava_____ o_____ tra_____

10. Los verbos que terminan en "jearse".

Carca_______

11. Las palabras que acaban en "jera".

Ajonjera extranjera flo_____ gran_____

ti_____ vina_____

12. Las palabras que terminan en "jería".

Brujería mensa______ relo______ vali______

13. Las palabras que acaban en "jero".

Agujero callejero conse____ extran____
forra____ gran____ *ligero* mensa____
pasa____ relo____ sona____ venta____
via____

14. El pretérito de indicativo y el pretérito y futuro de subjuntivo de los verbos que terminan en "traer".

atrajere atraje atrajera atrajese
contra____ contra__ contra__ contra____

15. Las palabras que provienen de una que tiene "j".

pa__ita agu__ita naran__ota ca__ita
ra__ota ho__ita traba__adora lon__illa
naran__ita ra__ita
pa__illa traba__ito

16. Las palabras que tienen "j" al final.

Boj carca__ erra__ relo__
tro__

USO DE LA "LL"

La ejercitación de esta letra podrá realizarse de diferente manera:

a) Anote en las palabras la letra o letras que hacen falta.
b) Lea las palabras en voz alta dos o tres veces.
c) Haga una oración con las palabras que estamos practicando en forma oral o escrita.
d) Dicte las palabras a su compañero de clase para que las escriba en su cuaderno de Español, y así podrá comprobar su progreso.
e) Ponga cuidado en las palabras que son excepciones; estarán escritas con letra *cursiva.*

Llevan "ll":

1. Las palabras que terminan en "illa".

Arcilla ardilla bander____ barb____
bast____ b____ boqu____ canast____
cap____ carret____ cart____ cas____
Cast____ cintur____ cochin____ col____
comid____ coron____ cosqu____ cost____
criad____ cuart____ cuch____ ch____
escot____ espigu____ espin____ faj____

flot_____ gargant_____ gr_____ guerr_____
hormigu_____ horqu_____ letr_____ mantequ_____
manzan_____ marav_____ mascar_____ mej_____
mezcl_____ m_____ morc_____ mulet_____
octav_____ or_____ pacot_____ Pad_____
pand_____ pantorr_____ papad_____ pap_____
parr_____ past_____ pat_____ pesad_____
plan_____ plant_____ pol_____ portad_____
quesad_____ quint_____ rabad_____ redond_____
rod_____ sem_____ Sev_____ sext_____
s_____ sombr_____ taqu_____ tort_____
vain_____ vaj_____ vaqu_____ var_____
ventan_____ V_____ zancad_____ zapat_____
zarzaparr_____

2. Las palabras que acaban en "illo".

Ajillo algarrobillo amorc_____ arbol_____
armad_____ barqu_____ bocad_____ bol_____
bols_____ br_____ cald_____ caracol_____
Cast_____ caud_____ cigarr_____ cint_____
colm_____ coral_____ corr_____ crud_____
cuch_____ curs_____ chascarr_____ chiqu_____
ded_____ descans_____ diabl_____ diezm_____
doblad_____ dur_____ estanqu_____ estrib_____
fren_____ gat_____ gr_____ ladr_____
lazar_____ mart_____ menud_____ molin_____
monagu_____ morc_____ pas_____ nov_____
nud_____ pal_____ quint_____ picad_____
p_____ potr_____ sauc_____ raban_____
rastr_____ Salt_____ zorr_____ sonet_____
verdec_____ vis_____

3. Las palabras que principian con "ll".

Llaga llagar ___ama ___amar
___amarada ___amativo ___amear ___ana
___anero ___ano ___anta ___anto
___anura ___ave ___avero ___avín
___egar ___enar ___evar ___orar
___over ___uvia ___uvioso

4. Verbos que terminan en "llar".

Abollar *aboyar* aca____ acribi____
acuchi____ *aho*____ *amala*____ *amalha*____
amanci____ amarti____ ametra____ ampo____
amura____ apabu____ apanta____ *apla*____
*aplebe*____ apoli____ *apoli*____ *apo*____
*arran*____ arrrodi____ *arro*____ arru____
asti____ *atala*____ *atarra*____ atrope____
au____ avasa____ bo____ *bo*____
bri____ ca____ cepi____ *convo*____
chamu____ *chamu*____ dego____ desabo____
desarro____ *descanga*____ desembro____ desensi____
deshebi____ desladri____ desma____ desmaqui____
*desma*____ deso____ *despla*____ desposti____
embote____ *encabu*____ encasi____ encasqui____
encebo____ enfaji____ *enjo*____ enladri____
*enra*____ enro____ *ensa*____ ensi____
entabli____ enta____ entrecomi____ esta____
estampi____ *expla*____ fa____ ga____
*ga*____ *gua*____ ha____ hebi____
ho____ *ho*____ humi____ *la*____
*ma*____ manci____ maqui____ marti____
*ma*____ *pa*____ pi____ *pu*____
ra____ *ra*____ reho____ *reho*____
*sosla*____ *subra*____ ta____ *ta*____
va____ vari____

5. Los verbos que acaban en "llarse".

Ababillarse acriollarse agilipo______ ama______
aovi______ apimpo______ encucli______ *piyarse*
quere______

6. Los verbos que terminan en "llear".

Acuchillear campanillear cente_____ cosqui_____
farama_____ ga_____ marti_____ *mayear*
pi_____ pimpo_____ *pla*_____ po_____
zancadi_____

7. Los verbos que acaban en "llir".

Bullir   engu____   mu____   tu____
zambu____

8. Verbos que tienen la "ll" en medio de la palabra.

Abrillantar   amarillecer   ca__ejear   came__ear
caste__anizar   *cayapear*   con__evar   desfa__ecer
desgo__etar   desho__ejar   desho__inar   despe__ejar
enca__ecer   enca__ejonar   enorgu__ecer   *en__antar*
en__erbar   *en__esar*   *en__ugar*   *en__untar*
escabu__irse   fa__ecer   fa__uquear   ga__ear
pa__asear   pe__izcar   re__enar   sobre__evar
tu__ecer

9. Las palabras que tienen la "ll" en medio.

Allá   allegado   a__í   amari__o
Anti__as   ape__ido   argo__a   arme__a
arti__ería   au__ido   bachi__er   baru__o
bote__a   caba__ero   ca__e   came__o
came__ón   cana__a   Canci__er   capu__o
caste__anía   caste__ano   cente__a   co__ar
comi__as   cordi__era   crema__era   crio__o
cucli__as   cuchi__ada   cue__o   chanchu__o
donce__a   estre__a   fa__a   farama__a
fo__etín   fo__eto   fo__ón   fue__e
ga__ardo   ga__ego   ga__ero   ga__eta
ga__ina   go__ete   gri__o   grose__a
gru__a   guerri__ero   ho__ejo   ho__ín
hue__a   ma__a   *ma__a*   ma__o
ma__o   meda__a   mentiriji__as   metra__a
mi__ar   mi__ón   mo__era   mo__ete
morra__a   mue__e   mura__a   murmu__o
nati__as   novi__ero   o__a   orgu__o
pali__ero   pandi__aje   panta__a   parri__ada
patru__a   pe__ejo   Pe__icer   pi__ería
piti__era   po__a   *po__a*   po__ería
pu__a   *pu__a*   quere__a   quinti__izo
ra__ador   ra__o   rami__ete   *ra__o*
re__eno   ro__o   ronda__a   salpu__ido

Santi_án	servi_eta	servi_ano	si_ería
si_ón	su_a	su_a	ta_a
ta_ador	ta_arín	ta_e	ta_er
ta_o	taqui_a	toa_a	tobi_era
tobi_o	to_a	torbe_ino	torti_era
to_a	tri_izo	va_a	vasa_aje
vasa_o	*va_a*	Versa_es	vi_ano
Vi_egas	zaramu_o	zuru_o	

USO DE LA "M"

La ejercitación de esta letra podrá realizarse de diferente manera:

a) Anote en las palabras la letra o letras que hacen falta.
b) Lea las palabras en voz alta dos o tres veces.
c) Haga una oración con las palabras que estamos practicando en forma oral o escrita.
d) Dicte las palabras a su compañero de clase para que las escriba en su cuaderno de Español, y así podrá comprobar su progreso.

Uso de la "m":

1. Antes de "**b**" se escribe "**m**".

Alumbrar	ámbar	a_bigú	a_biguo
á_bito	a_bivalencia	a_bulancia	apesadu_brar
arru_bar	aso_bro	ba_balina	ba_bolear
ba_bú	bo_ba	bo_bardear	bo_bero
bo_billa	bo_bón	bo_bonera	ca_balache
ca_biar	Ca_boya	Ca_bray	Ca_bridge
cara_ba	ci_brar	clavicé_balo	cocha_bre
Colo_bia	co_batir	co_binación	costu_bre
cu_bia	cu_bre	cha_ba	cha_bra
churu_bel	derru_bar	dese_bocar	dicie_bre
ditira_bo	diya_bo	Edi_burgo	E_bajada
e_bargar	e_bellecer	e_blema	e_bolia
e_borrachar	e_botellar	e_brazar	e_brión
e_brujar	e_budo	e_buste	enja_bre
ensa_blar	esco_brar	esta_bre	Esta_bul
estra_bótico	fra_bruesa	gu_balete	ha_bre
Ha_burgo	hecato_be	ho_bro	i_buir
incertidu_bre	lo_briz	lu_bago	ma_bo
mansedu_bre	mari_ba	me_brete	me_brillo

mie__bro	mi__bre	muchedu__bre	noctá__bulo
no__brar	novie__bre	Nure__berg	Otu__ba
pela__bre	pesadu__bre	preá__bulo	raiga__bre
reme__branza	ro__bo	ru__ba	ru__bo
sa__ba	se__blanza	se__brar	septie__bre
servidu__bre	si__bolismo	so__bra	so__brero
soná__bulo	sucu__bir	ta__bién	ta__bor
te__blar	tó__bola	tro__bón	tro__bosis
tu__ba	u__bilical	u__bral	urdi__bre
vislu__brar	ya__bo	za__ba	za__bo

2. Antes de "**n**" se escribe "**m**" en las siguientes palabras.

Alumno	amnesia	a__ícola	a__nios
a__niotas	a__niótico	a__nistía	ana__nesis
calu__nia	circu__nutación	Clite__nestra	colu__na
da__nificado	gi__nasia	gí__nico	gi__nosofista
gi__nospermas	gi__noto	hi__no	hi__nodia
hiperso__nia	hipoli__nion	inde__ne	inde__nización
inso__nio	Itza__ná	le__náceas	le__nisco
Le__nos	li__nímetro	li__nívoro	li__nología
para__nesia	Poli__nia	sole__ne	so__nífero
so__nífero	so__nilocuo	so__nolencia	te__ne

3. Antes de "**p**" se escribe "**m**".

Acampar	Acate__pan	aco__pañar	aco__plejar
a__parar	a__perímetro	a__pliar	a__polla
a__polleta	atra__par	barbila__piño	Bona__pak
ca__pamento	ca__pana	Ca__peche	ca__peón
ca__peonato	ca__pesino	ca__po	canti__plora
cie__piés	colu__pio	co__paginar	co__paración
co__parecer	co__partir	co__pás	co__patriota
co__pendio	co__penetrarse	co__pensación	co__petencia
co__pilación	co__placiente	co__plejo	co__plemento
co__pleto	co__plicado	có__plice	co__portamiento
co__posición	co__postura	co__prar	co__prender
co__primido	co__probante	co__prometer	co__promiso
co__putadora	conte__plación	conte__poráneo	corro__per
cu__pleaños	chi__pancé	desa__parar	eje__plo
e__pacar	e__padronarse	e__papar	e__paredar

e__parejar	e__parentar	e__patar	e__pedrar
e__peñar	e__peorar	E__perador	e__pezar
e__pírico	e__pleado	e__plear	e__plumar
e__prender	e__presa	e__pujar	e__puñar
esta__pa	ha__pón	i__pacientar	i__pacto
i__partir	i__pedir	i__penetrable	i__perfecto
i__perioso	i__personal	i__pertinencia	i__pío
i__plantar	i__plícito	i__ponderable	i__poner
i__portancia	i__porte	i__posible	i__postor
i__prenta	i__primir	i__prudente	i__puesto
i__pulso	inco__patibilidad	lá__para	li__piar
olí__pico	po__pa	ra__pa	reco__pensa
relá__pago	ro__pecabezas	ro__per	sara__pión
sie__pre	si__patía	si__ple	Ta__pico
ta__poco	te__peramento	te__peratura	te__plo
te__poral	te__prano	tie__po	tí__pano
tra__pa	tro__peta	tro__po	va__piro

USO DE LA "N"

La ejercitación de esta letra podrá realizarse de diferente manera:

a) Anote en las palabras la letra o letras que hacen falta.
b) Lea las palabras en voz alta dos o tres veces.
c) Haga una oración con las palabras que estamos practicando en forma oral o escrita.
d) Dicte las palabras a su compañero de clase para que las escriba en su cuaderno de Español, así podrá comprobar su progreso.

Uso de la "n":

1. Antes de "**f**" se escribe "**n**".

Anfetamina	anfiteatro	a__fitrión	á__fora
co__fabular	co__fección	co__federación	co__federar
co__ferencia	co__fesar	co__feti	co__fianza
co__fidencia	co__figurar	co__finar	co__firmación
co__fiscar	co__fitería	co__flagrar	co__flicto
co__forme	Co__fucio	co__fundir	cha__fle
e__fadar	e__fajillar	é__fasis	e__fermizo
e__filar	e__flaquecer	e__focar	e__frenar
e__frentar	e__friamiento	e__fundar	e__furecer
fa__farrón	i__falible	i__fame	i__fancia

i__farto i__fatigable i__fección i__feliz
i__ferior i__ferir i__fiel i__fierno
i__fijo i__filtrar í__fimo i__finitivo
i__finito i__flación i__flamable i__flar
i__flexión i__fluir i__fluyente i__formación
i__formal i__fortunio i__fracción i__fructuoso
í__fula i__fundir li__fático ni__fea
ni__fomanía o__falitis pa__fleto si__fonía
za__fonía

2. Antes de "**m**" se escribe "**n**" en las siguientes palabras.

Conmemorar conmensurable co__migo co__militón
co__minar co__minuto co__miseración co__moción
co__mover co__mutación co__mutador co__mutativo
e__marcar e__mascarar e__mendadura e__mienda
e__mohecer e__mudecer i__maculado i__madurez
i__manente i__material i__mediato i__memorial
i__menso i__merso i__migración i__migrante
i__minente i__miscuir i__misericorde i__mobiliario
i__molar i__moral i__mortal i__móvil
i__mueble i__mundicia i__mundo i__mune
i__mutable

3. Antes de "**v**" se escribe "**n**".

Anverso convalecer co__validar co__vecino
co__vencer co__vención co__vencional co__veniencia
co__veniente co__venio co__venir co__vento
co__vergente co__versación co__versada co__versión
co__vertible co__vertir co__vexo co__vicción
co__vidar co__vivencia co__vocatoria co__vulsión
e__vainar e__valijar e__vase e__vejecer
e__venenar e__verdecer e__viar e__vidiar
e__vilecer e__vinar e__vío e__viudar
e__voltorio e__volver i__vadir i__validez
i__variable i__vasión i__vencible i__vención
i__vernal i__verosímil i__versión i__verso
i__vertebrado i__vertir i__vestidura i__vestigación
i__vestir i__victo i__vidente i__vierno

i__violable	i__visible	i__vitación	i__vocar
i__volucrar	i__voluntario	i__vulnerable	re__valso

USO DE LA "R"

La ejercitación de esta letra podrá realizarse de diferente manera:

a) Anote en las palabras la letra o letras que hacen falta.
b) Lea las palabras en voz alta dos o tres veces.
c) Haga una oración con las palabras que estamos practicando en forma oral o escrita.
d) Dicte las palabras a su compañero de clase para que las escriba en su cuaderno de Español, y Ud., podrá comprobar su progreso.

Uso de la "r":

1. Cuando la "r" tiene sonido suave en medio de una palabra.

Adularía	alquilaría	altane__o	altu__a
Amé__ica	anaco__eta	andade__as	a__isco
augu__io	auste__o	avia__io	banca__io
bande__a	basu__a	bota__ate	cade__a
cai__el	Cai__o	calva__io	cáma__a
cama__ín	came__ino	came__ín	camione__o
Cana__ias	candidatu__a	capi__ucho	capitula__io
ca__eo	ca__estía	ca__eta	catadu__a
cata__ata	centena__io	desca__o	du__ante
hile__a	l__án	l__ene	i__onía
lau__el	sale__o	tama__indo	tapice__ía
ta__ea	ta__ifa	ta__ot	tau__ino
tecto__ial	tele__a	telú__ico	teo__ema
teo__ía	te__apeuta	tete__a	tét__ico
tia__a	ti__ado	ti__anía	ti__ita
ti__o	tonte__ía	to__eo	to__o
To__onto	t__ámite	t__amo	t__apo
t__emendo	t__iásico	t__inomio	t__ío
t__iodo	t__iple	t__iste	t__iunfo
t__opical	t__uco	t__ueque	unita__io
u__al	u__anio	utile__ía	Valpa__aíso
vapo__ímetro	vi__us	volte__eta	zu__ano

2. Cuando la "r" se repite en una palabra con el mismo sonido (suave + suave).

Arenaria	atracadero	Au__o__a	aventu__e__o

ca__adu__a	ca__e__a	teme__a__io	tet__aed__o
ti__ade__a	ti__ade__o	t__ilate__al	t__iláte__o
t__imest__al	t__inche__a	t__inche__o	vapo__a__io

3. Cuando la "r" se repite en una palabra con diferente sonido (suave + fuerte).

Aminorar	anterior	a__oma__	du__a__
t__epado__	t__ia__	t__riplicado__	ulte__io__

4. Cuando la "r" al principio de una palabra tiene sonido fuerte y no se repite.

Rama	ranita	__ápido	__aspado
__eal	__eata	__edondo	__eliquia
__emate	__emedio	__emitente	__emolino
__enta	__epuesto	__evolución	__ico
__idículo	__ifa	__ifle	__igidez
__ima	__iña	__ío	__ioja
__iqueza	__isa	__itual	__ival
__oble	__oca	__odaje	__odeo
__odilla	__odillo	__ojo	__oma
__omance	__omanticismo	__ombo	__onda
__ondalla	__ondana	__opa	__osa
__osca	__otundo	__ubia	__ueda
__uido	__uina	__uleta	__umbo
__usia	__uta	__utina	

5. Cuando la "r" se repite en una palabra con el mismo sonido (fuerte + fuerte).

Alternador	armar	__edondea__	__emiti__
__epa__to	__epasa__	__epeti__	__epone__
__esisti__	__esumi__	__eta__do	__etene__
__eto__no	__euni__	__imado__	__ocheste__
__oedo__	__otulado__	te__mina__	u__dido__

6. Cuando la "r" tiene sonido fuerte en medio de una palabra.

Arma	arqueta	a__quetipo	a__te
Bi__mania	ca__naval	ca__ta	ca__tulina
incie__to	inopo__tuno	I__landa	sa__dina
sa__tén	ta__de	te__co	te__mal
te__minal	te__moclima	te__na	te__tulia
tie__no	to__menta	To__mes	to__nado
to__neo	to__ta	tó__tola	unico__nio
u__na	u__ticales		

7. Cuando la "r" tiene sonido fuerte al final de una palabra.

Adular alquiler__ calma__ cancela__
capitula__ capta__ insisti__ tuto__

8. Cuando la "r" se repite en una palabra con diferente sonido (fuerte + suave).

Armario carbonero ca__pinte__o ca__tele__a
__aspadu__a __ast__o __ec__eo __efe__ente
__eplica__io __émo__a __ente__ía __epa__ada
__ep__imenda __eque__imiento __esponso__io __esumide__o
__eti__ado __eti__o __etó__ico __et__aso
__et__ato __et__oceso __evi__ado __iele__a
__ome__o __onque__a __osa__io __ost__o
__ota__io __otato__io __otu__a __uptu__a
__u__al __ute__a __utina__io te__na__io
te__ne__o te__nu__a to__ne__o to__te__o
to__tu__a u__tica__ia ve__du__a

9. La "r" después de "n" no puede duplicarse —repetirse—.

Enramado enrasar en__edar en__ielar
en__iendar En__ique en__iquecer En__íquez
en__iscar en__istrar en__ocar en__odrigar
en__ojecer en__olar en__ollar en__onquecer
en__oque en__oscar hen__io hon__a
Man__íquez ron__onear son__isa son__osado

10. La "r" después de "l" no puede duplicarse —repetirse—.

Al__ededor al__ota

11. La "r" después de "s" no puede duplicarse —repetirse—.

Des__amar Is__ael

USO DE LA DOBLE "RR"

La ejercitación de esta letra podrá realizarse de diferente manera:

a) Anote en las palabras la letra o letras que hacen falta.
b) Lea las palabras en voz alta dos o tres veces.
c) Haga una oración con las palabras que estamos practicando en forma oral o escrita.
d) Dicte las palabras a su compañero de clase para que las escriba en su cuaderno de Español, y así podrá comprobar su progreso.
e) Ponga cuidado en las palabras que son excepciones; estarán escritas con letra *cursiva.*

Uso de la "rr":

1. La "r" deberá duplicarse, "rr", en las palabras compuestas. Si se separaran con un guión, no deberá duplicarse.

Antirrábico	antirreflector	anti___esonancia	anti___etorno
anti___obo	anti___adio	auto___adiografía	auto___egeneración
auto___etrato	auto___evisión	auto___otación	banca___ota
contra___aya	contra___ecibo	contra___eforma	contra___elieve
contra___estar	contra___onda	extra___adio	greco___omano
guarda___aya	guarda___iel	guarda___opa	guarda___opía
guarda___uedas	hazme___eír	hispano___omano	para___ayos
porta___etrato	semi___ecta	semi___emolque	Vice___ector

2. La "r" se duplica cuando es intervocálica —entre vocales— y tiene sonido fuerte. Compara con el sonido suave intervocálico.

Ara	arra	carera	carrera
ca___eta	ca___eta	ca___illa	ca___illa
ca___illo	ca___illo	ca___o	ca___o
ce___o	ce___o	co___ea___	co___ea___
cu___o	cu___o	ence___a___	ence___a___
mi___a	mi___a	mo___a	mo___a
mo___al	mo___al	mo___illo	mo___illo
mo___o	mo___o	pa___a	pa___a
pe___illa	pe___illa	pe___illo	pe___illo
pe___ita	pe___ita	pe___ito	pe___ito
pe___o	pe___o	po___o	po___o
to___e___o	to___e___o		

USO DE LA "S"

La ejercitación de esta letra podrá realizarse de diferente manera:

a) Anote en las palabras la letra o letras que hacen falta.
b) Lea las palabras en voz alta dos o tres veces.
c) Haga una oración con las palabras que estamos practicando en forma oral o escrita.
d) Dicte las palabras a su compañero de clase para que las escriba en su cuaderno de Español, y así podrá comprobar su progreso.
e) Ponga cuidado en las palabras que son excepciones; estarán escritas con letra *cursiva*.

Llevan "s":

1. Los verbos que terminan en "arse".

Acurrucarse	achicopalarse	adentr_____	agusan_____

alebrest_____ amarchant_____ amodorr_____ amorat_____

antoj_____ avalenton_____ carcaje_____ compenetr_____

contone_____ desbraz_____ descar_____ deschavet_____

desgañit_____ desgargant_____ desinteres_____ desmemori_____

despercat_____ despreocup_____ desvergonz_____ encorajin_____

endrog_____ engarruñ_____ engent_____ ensimism_____

entabac_____ enterc_____ fug_____ indigest_____

jamb_____ quej_____ rebel_____ suicid_____

ufan_____ vanaglori_____ volc_____

2. Algunas palabras y verbos que terminan en "ase".

Abandonase abanicase abord____ adulter____

alarm____ bañ____ borr____ cant____

celebr____ cl____ compar____ copi____

desenred____ detect____ esper____ factur____

f____ forj____ fr____ gan____

habl____ implor____ llen____ mand____

neg____ orient____ otorg____ particip____

p____ quebrant____ respet____ san____

trabaj____ ubic____ vend____ yant____

zaf____

3. Las palabras que empiezan con "des".

Desastroso desentenderse ____eo ____honroso

____idia ____interés ____medirse ____pacio

____pensa ____potismo ____viación ____vivirse

4. Las palabras que comienzan con "dis".

Disacucia disartria ____cantar ____cografía

____colo ____cordancia ____coteca ____crasia

____creción ____crepar ____creto ____criminación

____cromatopsia ____culpar ____curso ____cusión

____eñar ____ertar ____fagia ____fonía

____gustar ____imular ____ipar ____lexia

____minución ____oluble ____orexia ____pensa

____tancia ____tasia ____tico ____yuntivo

5. Las palabras que terminan en "ensa".

Defensa densa ext_____ disp_____

indef_____ inm_____ of_____ pr_____

prop_____ recomp_____ t_____

6. Las palabras que acaban en "ense".

Amanuense amazonense arv_____ ateni_____
canadi_____ cartagin_____ castr_____ circ_____
coahuil_____ complut_____ cot_____ flumin_____
for_____ hidalgu_____ hispal_____ hort_____
jalisci_____ ler_____ londin_____ matrit_____
nicaragü_____ ovet_____ pac_____ parisi_____
prat_____ *vascuence*

7. Las palabras que terminan en "enso".

Ascenso censo cons_____ d_____
desc_____ ext_____ inci_____ indef_____
inm_____ prop_____ t_____

8. Las palabras que acaban en "ersa".

Persa rev_____ t_____ v_____
vicev_____

9. Los verbos que terminan en "erse".

Abstenerse adormecerse aten_____ atrev_____
concom_____ condol_____ convel_____ deshac_____
desentend_____ desperec_____ encog_____ engrumec_____
escom_____ guarec_____ reconcom_____

10. Las palabras que acaban en "erso".

Adverso anverso conv_____ disp_____
div_____ inv_____ perv_____ rev_____
t_____ univ_____ v_____

11. Las palabras que terminan en "esca". Excepto las terminaciones verbales. Véase el uso de la "z".

Arabesca fresca gauch_____ gigant_____
gr_____ grot_____ Hu_____ libr_____
novel_____ picar_____ pintor_____ villan_____
y_____

12. Las palabras que acaban en "esco". Excepto las terminaciones verbales. Véase el uso de la "z".

Arabesco burlesco caballer_____ chin_____
churriguer_____ dant_____ diecioch_____ fr_____
gauch_____ gigant_____ goy_____ grot_____
libr_____ madrigal_____ mont_____ novel_____

parent____ picar____ pintor____ plater____
princip____ pusin____ refr____ romanc____
roman____ sard____ soldad____ versall____

13. Los verbos que terminan en "ese".

Abriese acudiese admiti____ añadi____
aplaudi____ aprendi____ asisti____ barri____
bebi____ comi____ comprendi____ conduj____
crey____ cumpli____ decidi____ distribuy____
encendi____ escondi____ escribi____ exhibi____
hici____ inscribi____ ley____ minti____
pudi____ pusi____ recibi____ obedeci____
recorri____ rompi____ sacudi____ subi____
vivi____

14. Las palabras que acaban en "ésima".

Décima enésima vig____

15. Las palabras que terminan en "esimal".

Cegesimal centesimal infinit____ vig____

16. Las palabras que acaban en "ésimo".

Centésimo *décimo* diezmil____ ducent____
en____ infinit____ mil____ nonang____
nonigent____ octingent____ octog____ p____
septingent____ sexcent____ tricent____ tric____
trig____ veint____ vic____ vig____

17. Las palabras que terminan en "eso".

Deceso hueso il____ mangan____
palmiti____ p____ proc____ rec____
sabu____ s____ suc____ ti____

18. Las palabras que acaban en "esta".

Ballesta cuesta encu____ fi____
flor____ g____ ing____ orqu____
propu____ pu____ recu____ respu____
si____ t____

19. Las palabras que terminan en "esto".

Compuesto denu____ dispu____ g____

impu_____ expu_____ fun_____ indispu_____
opu_____ presupu_____ pu_____ ti_____
supu_____ repu_____ supu_____ transpu_____

20. Los verbos que acaban en "irse".

Aburrirse adherirse acomed_____ arrepent_____
descomed_____ desmed_____ desviv_____ entum_____
escabull_____ resent_____ zambull_____

21. Las palabras que terminan en "isca".

Arenisca *pizca* tr_____ vent_____

22. Las palabras que acaban en "isco".

Asterisco basilisco *blanquizco* chirr_____
damal_____ derr_____ hib_____ lent_____
levant_____ malvav_____ mord_____ mor_____
obel_____ ol_____ tamar_____

23. Las palabras que terminan en "ísima".

Altísima excelentísima fidel_____ fort_____
ilustr_____ nov_____ reverend_____ sabros_____
sant_____ seren_____ valent_____

24. Las palabras que acaban en "ísimo".

Altísimo excelentísimo fidel_____ fort_____
general_____ ilustr_____ nov_____ reverend_____
sant_____ seren_____ sumar_____ valent_____

25. Las palabras que terminan en "isma".

Aneurisma carisma mor_____ pr_____
sof_____

26. Las palabras que acaban en "ismo".

Abismo abolicionismo afor_____ agrar_____
agustin_____ alcohol_____ alpin_____ altru_____
american_____ amoral_____ anacron_____ analfabet_____
anglican_____ antagon_____ aracn_____ aste_____
ate_____ atlet_____ ausent_____ bandoler_____
barbar_____ batis_____ baut_____ belic_____
bilateral_____ bipartid_____ bud_____ caciqu_____

calvin_____	capital_____	carl_____	catacl_____
cervant_____	cin_____	clas_____	clerical_____
colonian_____	comun_____	concept_____	conceptual_____
consonant_____	costumbr_____	creacion_____	cristian_____
cromat_____	cub_____	culteran_____	chabol_____
dada_____	dalton_____	dardan_____	despot_____
dinam_____	disfem_____	ecumen_____	egocentr_____
ego_____	encicloped_____	episcopal_____	esclav_____
espartaqu_____	esquemat_____	estetic_____	estructural_____
eufem_____	eufu_____	evangel_____	exot_____
expresion_____	fab_____	fanat_____	fasc_____
fatal_____	feudal_____	futur_____	galic_____
gongor_____	guar_____	hedon_____	hermet_____
hip_____	hispan_____	human_____	humor_____
iber_____	impresion_____	la_____	latin_____
lir_____	lo_____	lud_____	man_____
marx_____	masoqu_____	medieval_____	Modern_____
mod_____	Natural_____	Neoclasic_____	novecent_____
pante_____	Parnasian_____	period_____	platon_____
polite_____	rac_____	Real_____	reumat_____
Romantic_____	Simbol_____	social_____	surreal_____
traumat_____	ultra_____	vanguard_____	xant_____
ye_____			

27. Las palabras que terminan en "ista".

Alambrista	alarmista	alc_____	alpin_____
anal_____	antagon_____	ar_____	armament_____
arp_____	articul_____	art_____	ascension_____
ascensor_____	autop_____	baj_____	bal_____
bañ_____	baut_____	brom_____	caball_____
caj_____	capital_____	carter_____	cens_____
clas_____	column_____	comentar_____	comun_____
concepcion_____	congres_____	conqu_____	contorsion_____
contraband_____	contrat_____	cop_____	cor_____
criminal_____	cron_____	cuent_____	cultiparl_____
dent_____	deport_____	detall_____	econom_____
editorial_____	electric_____	especial_____	estad_____
estil_____	estructural_____	evangel_____	exhibicion_____
exorc_____	fabul_____	feudal_____	final_____

fisonom_____ flaut_____ guion_____ guitarr_____
human_____ humor_____ ideal_____ ilusion_____
inversion_____ jur_____ legal_____ mar_____
marx_____ masaj_____ masoqu_____ mayor_____
medieval_____ miniatur_____ mod_____ moral_____
nacional_____ natural_____ normal_____ novel_____
ocul_____ oficin_____ paracaid_____ penal_____
pros_____ protagon_____ pugil_____ recepcion_____
reconqu_____ reform_____ regional_____ rev_____
romanc_____ roman_____ salm_____ seminar_____
simbol_____ social_____ sol_____ tangu_____
tax_____ telefon_____ telegraf_____ terror_____
tradicional_____ trompet_____ tur_____ vatican_____
ventaj_____ vers_____ v_____ vocal_____

28. Las palabras que acaban en "iste".

Alpiste chaqu_____ qu_____

29. Las palabras que terminan en "ística".

Archivística artística enigm______ estad______
estil______ m______ roman______

30. Las palabras que acaban en "ístico".

Artístico cabalístico d______ estil______
gall______ helen______ heur______ human______
log______ m______ novel______ patr______
pros______

31. Las palabras que terminan en "osa".

Amorosa andrajosa anim____ ansi____
bondad____ calm____ cel____ clarid____
codici____ copi____ cost____ crem____
cuanti____ cuidad____ curi____ chist____
desastr____ deshonr____ despaci____ dich____
dificult____ dolor____ enred____ escandal____
escrupul____ espant____ espin____ esplendor____
esponj____ extrem____ fabul____ fach____
fam____ fantasi____ fastu____ fog____
frond____ furi____ gananci____ gang____
gener____ geni____ glori____ gluc____

gol____ graci____ grandi____ grav____

herm____ honr____ infecci____ infructu____

joc____ jug____ juici____ lact____

libidin____ maravill____ marm____ meticul____

minuci____ misteri____ noved____ ostent____

pic____ popul____ presuntu____ quej____

riesg____ rug____ sabr____ sacar____

silenci____ sustanci____ tempestu____ tendenci____

toj____ ventur____ vist____ voluptu____

32. Las palabras que acaban en "oso".

Aceitoso acuoso achac____ adip____

afectu____ aguan____ aguardent____ air____

alborozo alter____ amor____ andraj____

anim____ ansi____ apag____ aparat____

ardil____ ari____ arseni____ astr____

auspici____ balanogl____ balum____ barr____

belic____ bili____ bondad____ b*ozo*

buf____ caballer____ *calab*____ calamit____

calm____ calur____ call____ carg____

carrasp____ caudal____ cavil____ cegaj____

cel____ clarid____ codici____ copi____

coraj____ corre____ cosquill____ cost____

crem____ cuanti____ cuidad____ culp____

curi____ chinch____ chist____ dadiv____

decor____ desastr____ despaci____ *destr*____

dich____ dificult____ distic____ dolor____

dol____ don____ end____ *esb*____

escrupul____ espant____ esplendor____ estudi____

fabul____ fam____ fil____ forz____

furi____ gener____ geni____ glori____

glutin____ gol____ got____ *g*____

graci____ grav____ gust____ hacend____

herm____ honr____ horror____ imperi____

ingeni____ jabon____ jacarand____ joc____

jug____ juici____ labori____ lastim____

lat____ licenci____ lluvi____ maravill____

medr____ menester____ mentir____ mied____

*m*____ nervi____ noved____ obsequi____

ostent____ pen____ piad____ *p*____
preci____ quej____ quisquill____ reb____
*reb*____ religi____ respetu____ riesg____
rigur____ *r*____ sabr____ silenci____
*soll*____ s____ *sotr*____ sustanci____
temer____ tendenci____ trabaj____ tramp____
*tr*____ und____ vali____ vapor____
vell____ venen____ vergonz____ vici____
virtu____ vist____ volumin____ voluntari____
zarrapastr____

33. Los verbos que terminan en "sear".

Curiosear fanta____ gango____ pul____

34. Las palabras que comienzan con "seg".

Cegajo *cegajoso* *ceguera* *ceguerón*
segadera segmento ____regar ____ueta
____uidilla ____uidor ____ún ____uro

35. Los sustantivos que terminan en "sión", y tienen adjetivos que acaban en "sible".

Admisible admisión previsible ____________
compasible compasión remisible ____________
evasible ____________ reprensible ____________
imprevisible ____________ reversible ____________
infusible ____________ sucesible ____________
irrisible ____________ visible ____________

36. Los sustantivos que acaban en "sición", y tienen adjetivos que terminan en "sitivo".

Adquisitivo adquisición positivo ____________
compositivo composición prepositivo ____________
dispositivo ____________ transitivo ____________
impositivo ____________ transpositivo ____________
inquisitivo ____________

37. Algunas palabras que empiezan con "sig".

Cigala *cigarra* *cigarral* *cigarro*
cigarrón *cigoñal* *____uapa* *____uatera*
____üeña *____üeñuela* Sigfrido sigilar

____ilografía ____la ____lo ____ma

____matismo ____nar ____natario ____natura

____nificado ____nificante ____no ____uiente

____uiriya

38. Las palabras que acaban en "sis".

Alcalosis	amibiasis	análi____	anamorfo____
antífra____	apoteo____	bacilo____	berilio____
catásta____	cateque____	cirro____	cha____
dermato____	dióce____	do____	fotocine____
hipno____	hipófi____	hiposta____	ictio____
leuco____	metamorfo____	metáte____	mico____
neuro____	otosclero____	parasito____	parénte____
perífra____	procli____	sindére____	sínte____
te____	trico____	trombo____	tuberculo____
viro____	zigo____		

39. Las palabras que terminan en "siva".

Adhesiva	alusiva	apren____	compul____
deci____	efu____	emi____	eva____
expan____	explo____	expre____	implo____
impul____	inapren____	inci____	incompren____
le____	*nociva*	obse____	oclu____
pa____	permi____	persua____	pose____
regre____	repre____	repul____	revul____
subver____	suce____		

40. Los sustantivos que acaban en "sión", y tienen adjetivos que terminan en "sivo".

Adhesivo	adhesión	pasivo	____
alusivo	alusión	permisivo	____
aprensivo	____	persuasivo	____
compulsivo	____	posesivo	____
efusivo	____	regresivo	____
emisivo	____	represivo	____
evasivo	____	repulsivo	____
expansivo	____	revulsivo	____
explosivo	____	subversivo	____
expresivo	____	sucesivo	____
implosivo	____	incisivo	____

lesivo	________	obsesivo	________
oclusivo	________		

41. Los sustantivos que acaban en "sión", y tienen adjetivos que terminan en "so".

Concluso	conclusión	propenso	________
confeso	confesión	receso	________
confuso	________	recluso	________
converso	________	reverso	________
convulso	________	sumiso	________
difuso	________	suspenso	________
disperso	________	tenso	________
extenso	________	iluso	________
incluso	________	indeciso	________
indiviso	________	infuso	________
ingreso	________	inmerso	________
intruso	________	perverso	________
preciso	________	profeso	________
profuso	________		

42. Los sustantivos que terminan en "sión", y tienen adjetivos que acaban en "sor".

Difusor	difusión	posesor	________
divisor	división	previsor	________
emisor	________	reprensor	________
expulsor	________	represor	________
extensor	________	revisor	________
impresor	________	sucesor	________
inversor	________	tensor	________

43. Las palabras que comienzan con "tras".

Trasbocar	trascocina	____hojar	____humancia
____lación	____lúcido	____minar	____nochar
____oír	____ojado	____pasar	____paso
____patio	____punte	____quilar	____tabillar
____tada	____tero	____tienda	____tornar
____tumbar	____udar	____unto	____vasar
____verter	____vinar		

USO DE LA "V"

La ejercitación de esta letra podrá realizarse de diferente manera:

a) Anote en las palabras la letra o letras que hacen falta.
b) Lea las palabras en voz alta dos o tres veces.
c) Haga una oración con las palabras que estamos practicando en forma oral o escrita.
d) Dicte las palabras a su compañero de clase para que las escriba en su cuaderno de Español, y así podrá comprobar su progreso.
e) Ponga cuidado en las palabras que son excepciones; estarán escritas con letra *cursiva*.

Llevan "v":

1. El pretérito de indicativo, el pretérito y futuro del modo subjuntivo de los verbos *estar*, *andar* y *tener*, y sus compuestos.

PRETÉRITO DE INDICATIVO

Yo	estuve	anduve	tuve
Tú			
Él			
Nos.			
Uds.			
Ellos			

PRETÉRITO DE SUBJUNTIVO

Yo	estuviera	anduviera	tuviera
Tú			
Él			
Nos.			
Uds.			
Ellos			

PRETÉRITO DE SUBJUNTIVO

Yo	estuviese	anduviese	tuviese
Tú			
Él			
Nos.			
Uds.			
Ellos			

FUTURO DEL SUBJUNTIVO

Yo	estuviere	anduviere	tuviere
Tú			
Él			
Nos.			

Uds.			
Ellos			

2. El presente de los modos indicativo y subjuntivo y el imperativo del verbo *ir*.

	INDICATIVO	SUBJUNTIVO	IMPERATIVO
Yo	voy	vaya	—
Tú			*ve*
Él			*vaya*
Nos.			*vayamos*
Uds.			*vayan*
Ellos			*vayan*

3. Después de la letra "b".

Obvio sub__ersivo sub__ertir

4. Después de la grafía "d".

Advección advenedizo ad__enimiento ad__enticio
ad__erar ad__erbio ad__ersario ad__erso
ad__ertencia ad__iento ad__ocación

5. Después de la letra "n".

Anverso conveniencia con__encer con__ertible
con__ento con__ersación con__ersión en__ainar
con__icción con__ocatoria con__ulsión in__asión
en__idia en__oltorio in__adir in__estigación
in__ención in__ersión in__ertir in__ulnerable
in__icto in__ierno in__olución re__valso

6. Palabras que acaban en "ava".

Bratislava brava cach____ Calatr____
cárc____ c____ *ciguanaba* cl____
cu____ ch____ Dr____ Gavá
guan____ *j____* J____ l____
mast____ mor____ *naba* n____
oct____ och____ Op____ Orot____
Ostr____ p____ Polt____ *sílaba*
soc____ Suce____

7. Palabras que terminan en "ave".

Agave	*ajenabe*	*ál*____	ár____
arabesco	*arquitr*____	*arroc*____	*at*____
autocl____	cl____	desl____	encl____
estr____	gr____	guas____	hu____
*jar*____	*jen*____	ll____	moj____
n____	Pi____	su____	

8. Palabras que acaban en "avo".

Bravo	*caon*____	catorce____	cent____
cl____	*colin*____	cuarent____	ch____
*chichin*____	dieciseis____	doce____	doz____
*eneasíl*____	escl____	*guay*____	Gust____
*lav*____	*Mal*____	*n*____	*nagu*____
novent____	oct____	*octosíl*____	och____
ochent____	once____	p____	pr____
seis____	sesent____	setent____	trece____
treint____	veint____	zu____	

9. Las palabras que empiezan con "cla".

Clava	____vadura	____var	____varia
____vazón	____ve	____vecín	____vecinista
____vel	____velito	____velón	____vellina
____veque	____vera	____vete	____vicémbalo
____vicordio	____vicornios	____vícula	____vigéridos
____vija	____vijero	____viórgano	____vo

10. Palabras que comienzan con "di".

Dibatag	*diblástico*	*dibranquios*	____*dibujante*
____*bujar*	divagar	____ván	____vergencia
____versidad	____versión	____verso	____videndo
____vidir	____vinidad	____vino	____visa
____visible	____visión	____visor	____visorio
____vo	____vorciado	____vulgar	

11. Las palabras que empiezan con "eva".

Ebanista	*ebanistería*	____*no*	evacuar
____dir	____luación	____nescente	____ngelio
____poración	____porita	____sión	

12. Las palabras que terminan en "eva".

Ceba cu____ fall____ *jab*____
N____ ni____ nu____

13. Las palabras que comienzan con "eve".

Ebenáceas evección ____hente ____nto
____ntración ____ntual ____rest ____rsión

14. Las palabras que acaban con "eve".

Aleve br____ diecinu____ j____
l____ ni____ nu____ reli____
veintinu____

15. Las palabras que empiezan con "evi".

Ebionita evicción ____dencia ____dente
____sceración ____tar ____terno

16. Palabras que comienzan con "evo".

Ebonita ____*rario* evocación ____lución
____luta ____nimo

17. Las palabras que terminan en "evo".

*Ac*____ co____ *Ef*____ *Er*____
*F*____ grand____ hu____ mal____
medi____ *Nectan*____ nu____ Panch____
rel____ renu____ *Sas*____ su____

18. Las palabras que acaban en "iva".

Alternativa altiva *amiba* atract____
audit____ caut____ comparat____ comunicat____
conmemorat____ consecut____ constitut____ contemplat____
cooperat____ *cr*____ cult____ curat____
*Curit*____ curs____ ch____ decis____
decorat____ deduct____ definit____ delict____
der____ desaprens____ d____ ejecut____
emot____ especulat____ *est*____ estimat____
exclus____ expectat____ fricat____ fugit____
furt____ *gar*____ imaginat____ imperat____
impuls____ inact____ llamat____ mas____
mis____ narrat____ nat____ negat____

noc____ nutrit____ obses____ ol____
operat____ ostens____ pas____ percept____
perspect____ peyorat____ poses____ precept____
prohibit____ recreat____ reflex____ reiterat____
respons____ significat____ sorpres____ subjet____
sugest____ *taper*____ tentat____ vegatat____

19. Las palabras que terminan en "ive".

Adive *Car*____ decl____ inclus____
Nín____ procl____

20. Las palabras que acaban en "ivo".

Activo afect____ vot____ alt____
apelat____ aperit____ arch____ atract____
atribut____ audit____ aumentat____ calificat____
caut____ colect____ comparat____ comunicat____
conmutat____ consecut____ constitut____ consult____
contemplat____ copulat____ correct____ cualitat____
cuantitat____ cult____ curat____ ch____
decis____ decorat____ deduct____ definit____
demostrat____ denominat____ deport____ descript____
desiderat____ determinat____ digest____ diminut____
disposit____ d____ donat____ efect____
ejecut____ emot____ *esequ*____ especulat____
explet____ facultat____ fest____ fricat____
fugit____ furt____ *gál*____ ilat____
imaginat____ imperat____ impuls____ incent____
incomprens____ indicat____ induct____ infinit____
informat____ inofens____ inquisit____ instruct____
intelect____ intens____ interrogat____ intransit____
intuit____ iterat____ lect____ legislat____
limitat____ locat____ llamat____ mas____
mot____ narrat____ nat____ negat____
noc____ nutrit____ objet____ obses____
ofens____ ol____ operat____ optat____
paliat____ pas____ percept____ peyorat____
plaus____ poses____ posit____ predicat____
primit____ privat____ product____ provocat____
punit____ recept____ recitat____ recreat____

rediv____ reiterat____ relat____ remunerat____
representat____ reproduct____ rotat____ sanat____
sat____ select____ sensit____ significat____
subjet____ subjunt____ subvers____ sugest____
superlat____ sustant____ televis____ tentat____
transit____ vocat____ volit____

21. Las palabras que terminan en "ívora".

Carnívora detritívora frug_____ fum_____
gran_____ herb_____ lign_____ limn_____
omn_____ pisc_____ semin_____ verm_____
víbora

22. Las palabras que acaban en "ívoro".

Carnívoro detritívoro frug______ fum______
gran______ herb______ insect______ lign______
limn______ omn______ pisc______ semin______
verm______

23. Palabras que empiezan con "na".

Naba *nabateo* *nabería* *nabla*
Nabopolasar *Nabucodonosor* nava ___vaja
___val ___varra ___ve ___vegación
___vidad ___viero ___vío ___vojoa

24. Palabras que comienzan con "no".

Nóbel *nobelio* *nobiliario* *nobilísimo*
noble nova ___val ___var
___vato ___vecentismo ___vecientos ___vedoso
___vel ___vela ___velista ___veno
___venta ___viazgo ___vicia ___viembre
___vilunio ___villada ___villo ___vísimo

25. Después de las letras "ol".

Absolver desenvolver dev___ver dis___vente
env___ente env___ver in___vidable p___vera
nome___vides ___vido p___vareda p___vora
p___vificar p___villo p___vo rev___ver
p___vorón rev___ver res___ver v___lver

s___vente t___va t___vanera v___verina

26. Las palabras que terminan en "ova".

Anchova ch____ n____

27. Las palabras que acaban en "ovo".

Andronovo Grabovo *galófobo* Ivan____
Kemer____ pr____ tr____

28. Las palabras que empiezan con "pa".

Pabellón *pabilo* ____*bulo* pava
____vada ____vana ____vero ____vés
____vesa ____vezno ____vido ____vimento
____vipollo ____vo ____vón ____vonar
____vonazo ____vonear ____vor ____voroso

29. Las palabras que comienzan con "pra".

Pravedad ____vo

30. Las palabras que empiezan con "pre".

Prebenda *preboste* ____valecer ____varicar
____vención ____ver ____vio ____visible
____visión ____visor

31. Las palabras que comienzan con "pri".

Privación ____vado ____vanza ____var
____vativo ____vilegio

32. Algunas palabras que empiezan con "pro".

Probabilidad ____*bable* ____*bador* ____*banza*
probar ____*batorio* ____*batura* ____*beta*
____*bidad* ____*blema* ____*bóscide* ____*boscídeos*
provecto ____vecho ____veedor ____veer
____vena ____venir ____venza ____verbio
____verbo ____vicero ____videncial ____videnciar
____vidente ____vido ____vincia ____visión
____visor ____vocar ____vo ____vocativo

33. Las palabras que comienzan con "sal".

Salbanda ____va ____vación ____vador

____vaje ____vajina ____vamanteles ____vamento

____var ____vatierra ____vavidas ____ve

____vedad ____via ____villa ____vo

____voconducto

34. Palabras que empiezan con "vice".

Bicéfalo *bíceps* Vicealmirante ____canciller

____nal ____nza ____presidente ____provincia

____simo ____tiple ____versa

35. Palabras que comienzan con "villa".

Billar *billarda* *billarista* Villaespesa

____hermosa ____naje ____ncico ____nella

____nesca ____nía ____no ____zgo

36. Las palabras que terminan con "vira".

Elvira re____

37. Las palabras que acaban en "viro".

Centunviro cuator____ decen____ duun____

triun____

USO DE LA "X"

La ejercitación de esta letra podrá realizarse de diferente manera:

a) Anote en las palabras la letra o letras que hacen falta.
b) Lea las palabras en voz alta dos o tres veces.
c) Haga una oración con las palabras que estamos practicando en forma oral o escrita.
d) Dicte las palabras a su compañero de clase para que las escriba en su cuaderno de Español, y así podrá comprobar su progreso.
e) Ponga cuidado en las palabras que son excepciones; estarán escritas con letra *cursiva*.

Se escriben con "x":

1. Palabras que llevan "x" al principio.

Xantopsia xenofobia __enón __erófilo

__erófito __erografía __erotérmico __ífidos

__ilófago __ilófilo __ilófito __ilófono

__ilografía __ilología Xilonen Xinantécatl

Xipe Totec Xiuhcóatl Xiuhtecuhtli __ochicalco

__ochimilco __ochipilli __ochiquetzal Xólotl

2. Las palabras que tienen "x" intermedia.

Abraxas	afluxionarse	ale__ia	Ana__ágoras
ana__ial	Ana__imandro	Ana__ímenes	ane__ar
anore__ia	apire__ia	apro__imación	arrefle__ia
asfi__ia	Atli__co	A__ayácatl	a__ial
a__ila	a__iología	a__ioma	a__is
bo__eador	Cali__to	cla__ón	coa__ial
comple__ión	cone__ión	conte__to	conte__tura
conve__o	co__is	Coyol__auhqui	crona__ia
crucifi__ión	desinto__icar	deso__idar	deutó__ido
dió__ido	disle__ia	disore__ia	eli__ir
fle__xión	gala__ia	genufle__ión	heterodo__ia
hidró__ido	hipota__is	hipo__ia	ine__tinguible
infle__ión	ino__idable	into__icación	irrefle__ivo
I__chel	I__tapa	I__tlicuecháhuac	I__tlil__óchitl
la__ante	le__ema	lé__ico	le__icología
lu__ación	Lu__emburgo	mar__ismo	ma__ilar
má__ime	Ma__imiliano	má__imo	me__ica
Me__icali	Mé__ico	mi__teco	mi__to
ne__o	Oa__aca	ortodo__o	O__ford
ó__ido	o__ígeno	sa__átil	sá__eo
sa__ofón	se__enio	se__ta	se__teto
se__tilla	se__tina	se__to	se__tuplicar
sinta__is	taquifila__ia	ta__ativo	Ta__co
ta__ema	ta__i	ta__idermia	ta__ímetro
ta__onomía	Te__as	Te__coco	te__til
te__to	te__tual	te__tura	Tla__cala
to__icidad	to__icomanía	trió__ido	trofala__ia

3. Las palabras que tienen "x" al final.

Addax	ántrax	bo__	clíma__
díple__	dúple__	durale__	Féli__
féni__	glicocáli__	Guadi__	Halifa__
hápa__	héli__	hidrotóra__	laste__
láte__	lu__	mesotóra__	micale__
nárte__	óni__	refle__	rela__
símple__	téle__	tóra__	tríple__
túrmi__			

4. Las palabras que comienzan con "ex".

Excandecer   excarcelar   ___cavar   ___cedente
___celente   ___celso   ___céntrico   ___cepto
___ceso   ___cipiente   ___citatriz   ___clamación
___clamación   ___cluir   ___clusivo   ___comulgar
___coriar   ___culpar   ___cursión   ___cusar
___halar   ___hausto   ___hibición   ___hortar
___humar   ___pansionismo   ___patriar   ___pectativa
___pectorar   ___pediente   ___pedir   ___peditar
___peler   ___pender   ___pensar   ___periencia
___perimentación   ___perto   ___piar   ___pirar
___poliar   ___polición   ___ponente   ___portar
___posición   ___pósito   ___puesto   ___pugnar
___pulsar   ___purgar   ___quisito   ___temporáneo
___tender   ___tenso   ___tenuar   ___terior
___terminar   ___terno   ___tinción   ___tinto
___tintor   ___tirpar   ___torsión   ___voto

5. Las palabras que empiezan con "exa".

Esa   exabrupto   ___cción   ___cerbar
___ctitud   ___cto   ___gerar   ___ltación
___men   ___ngüe   ___nimación   ___nime
___sperar

6. Palabras que comienzan con "exe".

Ese   *esencia*   ___*ncial*   ___*nciero*
___*nio*   execración   ___gesis   ___geta
___nto   ___quias   ___quible   ___rgo

7. Las palabras que empiezan con "exi".

Exigencia   exiguo   ___lio   ___mio
___mir   ___stencia   ___stir   ___to

8. Las palabras que comienzan con "exo".

Eso   *esófago*   ___*térico*   exobiología
___*crino*   ___do   ___gamia   ___geno
___nerar   ___rable   ___rar   ___rbitante
___rcismo   ___rdio   ___rreico   ___sfera
___squeleto   ___stosis   ___térico   ___térmico
___tico

9. **Delante de la sílaba "pla".**

Explanada explanar e__playar

10. **Delante de la sílaba "ple".**

Espléndido *esplendor* *e__plendoroso* *e__plenectomía*
e__plénico *e__plenio* *e__plenopatía* e__pletivo

11. **Delante de la sílaba "pli".**

Espliego e__plique e__plicación e__plícito

12. **Delante de la sílaba "plo".**

Exploración e__plosión e__plosivo e__plotar

13. **Delante de la sílaba "pre".**

Exprés e__presar e__presión e__presionismo
e__presivo e__preso

14. **Delante de la sílaba "pri".**

Exprimidor e__primir

15. **Delante de la sílaba "pro".**

E__propiación e__propiar

16. **Algunas palabras que empiezan con "extra".**

Estrabismo *estracilla* *______do* *______falario*
______gón *______mbote* ______mbótico ______ngul
______ngular *______perlista* *______tagema* *______tega*
______tegia *______to* *______tovolcán* *______za*
extracorpóreo extracto ______ctor ______dicción
______er ______judicial ______legal ______limitarse
______njero ______ñar ______ordinario ______rradio
______témpora ______terrestre ______territorial ______vagante
______vasarse ______venar ______versión ______vertido
______viado

17. **Las palabras que comienzan con "exu".**

Exuberante exudar ____lceración ____lcerar
____ltar ____torio ____via

USO DE LA "Y"

La ejercitación de esta letra podrá realizarse de diferente manera:

a) Anote en las palabras la letra o letras que hacen falta.
b) Lea las palabras en voz alta dos o tres veces.
c) Haga una oración con las palabras, que estamos practicando, en forma oral o escrita.
d) Dicte las palabras a su compañero de clase para que las anote en su cuaderno de Español, así podrá comprobar su progreso.

Uso de la "y":

1. La "y" se emplea como conjunción.

   a) Los hermanitos de Manuel son nobles y trabajadores.
   b) José estudia ___ trabaja con ahínco.
   c) Mariana ___ Blanca quisieran visitar Cd. Juárez.
   d) Estaba contento porque era un hombre puntual ___ responsable.
   e) México ___ Estados Unidos desean colaborar para el bienestar de la humanidad.

   EXCEPCIÓN: Deberá cambiarse por "e", cuando la palabra que le siga, empiece por "i" o "hi".

   a) Madre e hijo están a salvo del incendio.
   b) Roberto ___ Hipólito laboran (trabajaban) en pésimas condiciones.
   c) Judith ___ Hilario no se han visto desde hace tres años.
   d) Gustavo e Inés desean conocer Torreón.
   e) Luisa ___ Isabel no participarán en el Concurso de Ortografía
   f) Alejandro ___ Ignacio no fueron a bailar el fin de semana.

2. Se utiliza la "y", cuando la palabra que le siga, empiece por "hie".

   a) Le hace falta un poco de agua y hielo a su bebida.
   b) El enfermo necesita calcio ___ hierro.

3. La "y" se emplea en enunciados interrogativos.

   a) ¿Y Sergio? ¿Va a ir a Canadá?
   b) ¿___ Elvira? ¿Nos visitará el próximo sábado?
   c) ¿___ Judith? ¿Visitará a su hijo en las vacaciones de verano?

4. Al final de una palabra se escribirá "y" cuando no lleve acento ortográfico.

Ababangay	abey	aguaracha___	aguariba___
agua___	¡a___!	bala___	be___
boco___	bue___	candra___	caragua___
¡cara___!	care___	coletu___	colligua___
curiba___	curupay	choro___	Gariba___

gre__	guana__	quiriga__	ho__
huacata__	¡hu__!	Iturrigara__	le__
mame__	Murra__	mu__	Ollanta__
paca__	Paragua__	Re__	sex__
Sibone__	tiju__	tota__	Urugua__
urunde__	Virre__	yare__	yata__

5. En las palabras que tienen en medio de dos vocales la "y".

Acoyundar	acoyuntar	alelu__a	amaca__o
ame__al	Ana__a	apo__o	arga__o
arra__án	arro__o	atala__a	A__ala
a__apaná	a__er	a__o	a__ocote
a__otete	a__úa	a__uda	a__unar
a__untamiento	A__utla	azaga__a	ba__a
ba__ajá	ba__oneta	bo__a	bo__ada
bo__al	bo__azo	bo__ero	bo__uno
capisa__o	ca__ado	cocu__o	conclu__ente
constitu__ente	contra__ente	copa__ero	co__a
co__ol	co__ote	co__untura	crisope__a
cha__ote	chirica__a	chirimo__a	chivico__o
desa__uno	desen__ugar	desma__o	di__ambo
epope__a	fa__a	gala__o	ga__al
ga__o	ga__ola	ga__uba	Go__a
gua__abera	gua__aco	ha__a	ha__o
Himala__a	ho__a	ho__o	idolope__a
influ__ente	ja__abacaná	ja__án	jo__a
laca__o	legule__o	le__enda	ma__a
ma__estático	ma__éutica	ma__o	ma__onesa
ma__or	ma__oral	ma__ordomo	ma__oría
ma__orista	ma__úscula	melope__a	Monto__a
Na__arit	onomatope__a	o__ente	papaga__o
papa__a	paragua__o	pa__a	pa__ada
pa__aso	pa__ador	zuncu__a	pa__o
pe__orativo	pla__a	plebe__o	plé__ade
prosopope__a	pu__a	Rama__ana	ra__ador
ra__ar	ra__uela	repo__o	re__erta
ro__a	siguiri__a	sosla__o	so__a
su__a	Tacuba__a	Tama__o	ta__a

toca__o to__a tramo__a Tro__a

tu__a zoca__o

6. Después del prefijo "ad".

Ad__acente

7. Después del prefijo "des".

Des__emai des__erbar des__ugar

8. Después del prefijo "dis".

Dis__unción dis__untiva dis__untor

9. Después del prefijo "en".

En__antar en__erbar en__esar en__etar

en__ugar en__untar

10. Después del prefijo "sub".

Sub__acente sub__acer sub__ugar

11. En algunas formas de los verbos que terminan en "uir".

Atribuir	atribuyo	atribuyes	atribuye
constituir	constituyen	constituyen	constituyó
construir	construyeron	construya	construyera
contribuir			
destituir			
destruir			
diluir			
disminuir			
distribuir			
huir			
incluir			
influir			
inmiscuir			
instituir			
instruir			
intuir			
obstruir			
substituir			

12. En las palabras que tienen la sílaba "yec".

Biyectiva deyección de____tar in____ción

pro___ción	pro___tar	pro___til	pro___tista
pro___tividad	pro___to	pro___tor	pro___tura
tra___to	tra___toria		

13. En las palabras que terminan en "yuela".

Arro_____

14. En las palabras que acaban en "yuelo".

Ho_____ mo_____

USO DE LA "Z"

La ejercitación de esta letra podrá realizarse de diferente manera:

a) Anote en las palabras la letra o letras que hacen falta.
b) Lea las palabras en voz alta dos o tres veces.
c) Haga una oración con las palabras que estamos practicando en forma oral o escrita.
d) Dicte las palabras a su compañero de clase para que las escriba en su cuaderno de Español, y así podrá comprobar su progreso.
e) Ponga cuidado en las palabras que son excepciones; estarán escritas con letra *cursiva*.

Se escriben con "z":

1. Las palabras que tienen "z" intermedia.

Abra__adera	ala__or	albara__ado	alba__ano
alfa__aque	alfor__a	alga__ara	alma__ara
almi__clero	almo__árabe	ama__acotado	Ama__onas
anali__zador	antropo__oico	Apat__ingán	arcai__ante
Ar__obispo	ar__olla	ba__ofia	ba__uca
bra__alete	bri__na	bu__onero	cabi__bajo
cal__ado	carri__ada	catali__ador	ca__ador
ca__corvo	ceno__oico	concien__udo	confian__udo
cru__ada	cuar__o	cho__a	dan__ante
decati__ado	desnaturali__ado	die__mo	dul__or
economi__ador	ecuali__ador	en__alamar	E__equiel
for__udo	fra__ada	ga__nate	ga__pacho
go__ne	grani__ada	gra__nido	Gu__mán
hori__ontal	influen__a	i__quierdo	ja__mín
judai__ante	ju__gar	lan__amiento	lapislá__uli
le__na	Loren__o	lor__a	lo__a
lo__anía	lu__bel	llovi__na	man__ana

mar__o ma__acote ma__apán Ma__atlán
ma__deísmo ma__morra ma__onería ma__orca
ma__urca me__cal me__cla me__clilla
me__quino me__quita me__quite Mocte__uma
mo__albete mo__árabe Na__areno na__ismo
Ne__ahualcóyotl Ne__ahualpilli Nopalt__in on__a
Ori__aba pacien__udo paleo__oico pali__ada
pati__ambo Pát__cuaro pa__guato pla__oleta
poli__oico pon__oña po__ole pulveri__ador
pun__ada quet__al Quet__alcóatl qui__á
ra__onamiento refor__ado re__ago re__andero
re__umadero ri__adura ri__oide ro__adura
ro__agante ro__amiento sa__onar sensibili__ador
sincroni__ador sinteti__ador sintoni__ador soju__gar
suavi__ante tama__ul tara__ar Tecuci__técatl
tempori__ador Teopan__olco Te__catlipoca Te__iutlán
Te__o__ómoc ti__ne ti__ón tla__ol
Tla__oltéotl torre__no totali__ador tranquili__ante
transistori__ado trape__oide tra__ado tren__a
vapori__ado vergon__oso vi__cacha Vi__caya
Vi__conde ye__go

2. Las palabras que terminan en "anza".

Adivinanza alabanza ali____ and____
Arl____ asech____ asegur____ bal____
bienaventur____ bon____ Carr____ cobr____
confi____ covari____ cri____ ch____
d____ destempl____ enseñ____ esper____
fi____ holg____ labr ____ l____
libr____ lontan____ mat____ mescol____
mud____ orden____ p____ remembr____
rom____ sembl____ semej____ tard____
templ____ tr____ ultr____ us____
veng____

3. Algunas palabras y verbos que acaban con "anzo".

Abalanzo afi____ agarb____ agav____
alc____ av____ *canso* d____
desgr____ desgu____ garb____ l____

4. Las palabras que terminan en "az".

Agraz	alcatraz	alfar___	antif___
arri___	capat___	cap___	disfr___
efic___	fal___	f___	fug___
h___	incap___	locu___	matr___
mend___	mord___	p___	perspic___
pertin___	proc___	rap___	sag___
secu___	sol___	suspic___	ten___
torc___	viv___		

5. Algunas palabras que acaban en "aza".

Aldolasa	*celulasa*	*diacl*___	*eucl*___
*fosfat*___	*g*___	*gr*___	*idocr*___
*Kalid*___	*lact*___	*n*___	*oxigen*___
*p*___	*transfer*___	*uric*___	aguaza
alcarr___	almoh___	amen___	barc___
cach___	calab___	carn___	cor___
cr___	chal___	estr___	gale___
h___	hil___	hog___	horn___
man___	mel___	mord___	most___
pag___	pin___	pl___	rap___
ten___	trap___	tr___	vin___

6. Los verbos que terminan en "azca".

Aplacer	aplazca	complacer	complazca
desplacer	___	displacer	___
nacer	___	renacer	___

7. Los verbos que acaban en "azco".

Aplacer	aplazco	complacer	complazco
desplacer	___	displacer	___
nacer	___	renacer	___

8. Las palabras que terminan en "azgo".

Almirantazgo	almojarifazgo	colodr___	compadr___
hall___	hart___	lider___	maestr___
mayor___	mont___	novi___	padrin___
patron___	pont___	port___	prim___
sobrin___	terr___	vill___	

9. Las palabras que acaban en "azo".

Abanicazo aldabonazo alet____ alfiler____
ang____ arañ____ bag____ bal____
batac____ batat____ bocin____ bol____
broch____ buen____ caball____ cabez____
cacharr____ cach____ cachimb____ calab____
cañ____ cañon____ capirot____ capot____
carpet____ cart____ castañet____ catorr____
cerroj____ cintar____ coc____ cod____
colet____ coll____ cuadrill____ cuartel____
chaspon____ chicot____ chipot____ chirip____
chisp____ derech____ encontron____ escob____
escopet____ espaldar____ espin____ estac____
fogon____ fucil____ fuet____ gat____
gust____ hach____ hum____ latig____
lind____ manot____ maz____ mech____
morter____ ped____ pelm____ pelot____
picot____ pinch____ pl____ porr____
port____ puñet____ ramal____ raspon____
rech____ reg____ rib____ rodill____
sabl____ sarten____ tabl____ telefon____
terr____ timbr____ tizon____ tranc____
tr____ vist____

10. Las palabras que terminan en "azno".

Dur____

11. Las palabras que acaban en "erzo".

Almuerzo ci____ disfu____ escu____
esfu____ mastu____ refu____ tu____

12. Palabras que terminan en "ez".

Acidez *albanés* alfér____ *aragonés*
Aranju___ *arden*___ arid___ arim___
arrá___ brillant___ calid___ cerap___
*dan*___ dejad___ desfachat___ di___
dobl___ escas___ Fernánd___ *finland*___
fluid___ *franc*___ Gonzál___ gravid___
ham___ *holand*___ *ingl*___ *irland*___

*japon*___	jer___	Juár___	ju___
*leon*___	madur___	*Marqu*___	niñ___
nu___	palid___	*pekin*___	pequeñ___
pesad___	p___	poll___	*polon*___
rapid___	ridicul___	rigid___	robust___
Sánch___	sand___	so___	Suár___
tartamud___	t___	timid___	Vásqu___
vej___	Velázqu___	v___	

13. Palabras que acaban en "eza".

Abadesa	*albanesa*	*alcald*___	*aragon*___
*archiduqu*___	*arden*___	*baron*___	*canon*___
*cond*___	*dan*___	*duqu*___	*finland*___
*franc*___	*fr*___	*holand*___	*ingl*___
*irland*___	*japon*___	*leon*___	*Marqu*___
*m*___	*milan*___	*pekin*___	*p*___
*polon*___	*pr*___	*princ*___	*prom*___
*sorpr*___	*Ter*___	*tigr*___	*turqu*___
agudeza	alm___	alt___	asper___
baj___	bell___	cab___	cer___
cert___	cerv___	cort___	delicad___
destr___	dur___	enter___	extrañ___
fier___	fin___	firm___	flaqu___
fortal___	franqu___	gentil___	grand___
impur___	liger___	limpi___	llan___
mal___	natural___	nobl___	per___
pi___	pobr___	pret___	pro___
pur___	rar___	real___	riqu___
simpl___	sondal___	sutil___	torp___
trist___			

14. Forma verbal que termina en "ezca".

Aborrecer	aborrezca	adolecer	adolezca
adormecer		agradecer	
aparecer		apetecer	
carecer		compadecer	
comparecer		convalecer	
crecer		desaparecer	
desfallecer		desobedecer	

embarnecer		embellecer	
empobrecer		enaltecer	
enardecer		encanecer	
endurecer		engrandecer	
enmudecer		ennoblecer	
enriquecer		enrojecer	
enronquecer		enternecer	
entorpecer		entristecer	
envejecer		esclarecer	
establecer		estremecer	
favorecer		florecer	
fortalecer		humedecer	
obedecer		ofrecer	
padecer		palidecer	
parecer		permanecer	
pertenecer		reaparecer	
rejuvenecer		robustecer	

15. La forma verbal que acaba en "ezco".

Aborrecer	aborrezco	adolecer	adolezco
adormecer		agradecer	
aparecer		apetecer	
carecer		compadecer	
comparecer		convalecer	
crecer		desaparecer	
desfallecer		desobedecer	
embarnecer		embellecer	
empobrecer		enaltecer	
enardecer		encanecer	
endurecer		engrandecer	
enmudecer		ennoblecer	
enriquecer		enrojecer	
enronquecer		enternecer	
entorpecer		entristecer	
envejecer		esclarecer	
establecer		estremecer	
favorecer		florecer	
fortalecer		humedecer	
obedecer		ofrecer	

padecer ______________________ palidecer ______________________
parecer ______________________ permanecer ______________________
pertenecer ______________________ reaparecer ______________________
rejuvenecer ______________________ robustecer ______________________

16. Las palabras que terminan en "ezno".

Lobezno osezno pav___ r___
rod___ ru___ torr___ vibor___

17. Las palabras que acaban en "iz".

Actriz adoratriz alf___ aprend___
barn___ Beatr___ bisectr___ cantatr___
cerv___ cicatr___ codorn___ conmutatr___
desl___ Emperatr___ fel___ generatr___
infel___ láp___ locomotr___ lombr___
ma___ mat___ matr___ mediatr___
nar___ perd___ tap___ trisectr___

18. Las palabras que terminan en "iza".

Cortapisa *diacon*___ *div*___ *ecl*___
*eurodiv*___ *l*___ *mant*___ *m*___
*pap*___ *pesqu*___ *profet*___ *rep*___
*requ*___ *r*___ *sacerdot*___ *s*___
*v*___ caballeriza cañamiza cen___
con___ cor___ cham___ dr___
fuet___ golp___ h___ hortal___
l___ longan___ mell___ nab___
nodr___ ojer___ pal___ pez___
post___ raban___ ram___ r___
robal___ Su___ t___ tr___

19. Los verbos que acaban en "izar".

Actualizar agonizar contabil___ descentral___
desmoral___ econom___ encoler___ esclav___
esdrujul___ español___ especial___ esquemat___
estabil___ estandar___ esteril___ estil___
etimolog___ europe___ evangel___ evapor___
exterior___ familiar___ fertil___ final___
fiscal___ formal___ garant___ general___

global____ hospital____ hostil____ ideal____
indemn____ independ____ legal____ martir____
memor____ moral____ movil____ nacional____
normal____ obstacul____ organ____ paral____
patent____ plural____ polem____ profund____
protagon____ puntual____ regular____ responsabil____
ridicul____ sensibil____ simbol____ sintet____
sinton____ sistemat____ suav____ tap____
total____ tranquil____ urban____ util____
valor____ vapor____ visual____ vocal____

20. **Los verbos en 1ª persona singular del presente de Indicativo que terminan en "izo".**

Actualizo agonizo contabil____ descentral____
desmoral____ econom____ encoler____ esclav____
esdrujul____ español____ especial____ esquemat____
estabil____ estandar____ esteril____ estil____
etimolog____ europe____ evangel____ evapor____
exterior____ familiar____ fertil____ final____
fiscal____ formal____ garant____ general____
global____ hospital____ hostil____ ideal____
indemn____ independ____ legal____ martir____
memor____ moral____ movil____ nacional____
normal____ obstacul____ organ____ paral____
patent____ plural____ polem____ profund____
protagon____ puntual____ regular____ responsabil____
ridicul____ sensibil____ simbol____ sintet____
sinton____ sistemat____ suav____ tap____
total____ tranquil____ urban____ util____
valor____ vapor____ visual____ vocal____

21. **Las palabras que acaban en "izo".**

Aliso *inciso* *insum____* *l____*
perm____ *p____* *prem____* *rep____*
advenedizo albar____ antojad____ apartad____
arrastrad____ arrimad____ baut____ bebed____
cacar____ cal____ carr____ cast____
cen____ cobert____ contentad____ corred____
cuatrill____ chor____ enferm____ escurrid____
fronter____ gran____ hech____ huid____

mac____ mest____ moved____ olvidad____
pasad____ perded____ plegad____ plom____
polirr____ post____ primer____ quebrad____
raed____ resbalad____ r____ robad____
roj____ roll____ saltad____ terr____
tornad____ trill____ vaquer____ yegüer____

22. Las palabras que terminan en "oz".

Albornoz alf___ arr___ atr___
fer___ h___ prec___ Tapaj___
tejar___ vel___ v___

23. Los verbos que acaban en "ozco".

Conocer	conozco	desconocer	desconozco
preconocer	______________	reconocer	______________

24. Las palabras que terminan en "uz".

Alicuz andaluz avestr___ contral___
cr___ gorg___ l___ m___
test___ tragal___ trasl___ Veracr___

25. Las palabras que acaban en "uza".

Pelusa *Ragusa* capuza chap____
ch____ gallar____ gam____ gent____
lech____ merl____ m____ talt____
t____

26. Los verbos que terminan en "uzca".

Aducir	aduzca	autoinducir	autoinduzca
conducir	______________	coproducir	______________
deducir	______________	deslucir	______________
educir	______________	enlucir	______________
inducir	______________	introducir	______________
lucir	______________	prelucir	______________
producir	______________	reconducir	______________
reducir	______________	relucir	______________
reproducir	______________	seducir	______________
traducir	______________		

27. Las palabras que acaban en "uzca".

Brusca | *labrusca* | negr____

28. Los verbos que terminan en "uzco".

Aducir	aduzco	autoinducir	autoinduzco
conducir		coproducir	
deducir		deslucir	
educir		enlucir	
inducir		introducir	
lucir		prelucir	
producir		reconducir	
reducir		relucir	
reproducir		seducir	
traducir			

29. Las palabras que acaban en "uzco".

Apatusco | *brusco* | *churr____* | *etr____*
pard____ | *pedr____* | *verd____* | blancuzco
c____ | negr____

30. Las palabras que terminan en "uzno".

Espel____ | reb____ | repel____

31. Las palabras que acaban en "uzo".

Buzo | ch____ | merl____

32. Las palabras que empiezan con "za".

Zabra	Zabulón	__carías	__cate
__catecas	__catenco	__catón	__fado
__far	__farrancho	__fio	__fra
__frero	__ga	__gua	__gual
__guán	__hareño	__herir	__hína
__honado	__hondar	__ino	__lamero
__lea	__mora	__mpar	__mpoña
__nahoria	__nca	__ncada	__ncadilla
__ncón	__ncudo	__nfonía	__nga
__nganear	__ngano	__ngolotear	__nja
__njar	__nquear	__pata	__pateado
__pato	__potazo	__pote	__poteca
__r	__rabanda	__ragatana	__ragoza

___randear ___rape ___rapito ___rate
___rathustra ___razas ___razo ___rcillo
___rco ___ria ___rigüeya ___rpar
___rpazo ___rracina ___rrapastroso ___rzamora
___rzaparrilla ___rzarrosa ___rzo ___rzuela
___vala ___valeta

33. Las palabras que terminan en "zación".

Adverbialización amortización catali______ cauteri______
centrali______ cicatri______ civili______ coloni______
consonanti______ coti______ desamorti______ desorgani______
escolari______ estabili______ esterili______ factori______
formali______ fosili______ generali______ gramaticali______
guturi______ indemni______ industriali______ inmovili______
insonori______ interiori______ ioni______ legali______
logaritmi______ magneti______ materiali______ nacionali______
nasali______ naturali______ neutrali______ organi______
ozoni______ parametri______ pasteuri______ patenti______
polari______ polini______ proletari______ racionali______
reali______ romani______ sanfori______ sensibili______
sincroni______ sociali______ somati______ universali______
urbani______ vapori______ velari______ vocali______
vulcani______

34. Las palabras que acaban en "zal".

Barrizal cabezal campi___ canti___
cardi___ herba___ loda___ pasti___
po___ proven___ quet___ ron___
tor___

35. Las palabras que terminan en "zán".

Alazán Almazán holga___ Mora___
Ria___ tar___ tepo___

36. Algunos verbos que acaban en "zar".

Abolsar *abrasar* *abu___* *acompa___*
aco___ *acu___* *anquilo___* *apren___*
ase___ *atra___* *atrave___* *avi___*
ba___ *can___* *ca___* *cau___*
compa___ *compen___* *concur___* *conden___*

confe____	*cur____*	*decomi____*	*desca____*
desembal____	*desengra____*	*desengro____*	*desglo____*
desgra____	*despo____*	*desu____*	*dispen____*
eclip____	*egre____*	*embele____*	*emból____*
encau____	*endo____*	*engatu____*	*engra____*
engro____	*enli____*	*enva____*	*enye____*
espe____	*espo____*	*excu____*	*expul____*
fraca____	*gui____*	*impul____*	*intere____*
iri____	*o____*	*pa____*	*regre____*
repo____	*retra____*	*revi____*	*supervi____*
ta____	*televi____*	*ten____*	*tran____*
traspa____	*tri____*	*u____*	*val____*
ver____	*vi____*	acora____	adelga____
abra____	ace____	alcan____	almor____
afian____	agu____	amorda____	apelma____
al____	amena____	boste____	ca____
apla____	avan____	dan____	desenla____
comen____	cru____	desgua____	desla____
desgran____	desguan____	despelu____	despe____
desmenu____	despeda____	destren____	destro____
despla____	desta____	endul____	engar____
disfra____	endere____	enzar____	esbo____
enla____	ensal____	lan____	rebo____
esfor____	go____	remo____	reta____
recha____	refor____	ri____	ron____
reto____	reve____	tren____	tro____
socal____	sollo____		

37. Las palabras que comienzan con "ze".

Zeiformes	zéjel	___ndavesta	___ndo
___nódoto	___nón	___olita	___pelín
___ta	___us	___uxis	

38. Las palabras que empiezan con "zi".

Zigofiláceas	zigomicetales	___gomorfo	___dosis
___góspora	___gurat	___gzag	___ngiberáceas
___pizape	___rí	___tácuaro	___tarrosa

39. Las palabras que comienzan con "zo".

Zoantarios	zoantropía	___calo	___cato

___cayo ___clo ___cor ___cotroco
___díaco ___fra ___isita ___na
___ncear ___nuro ___nzo ___penco
___pilote ___pilotera ___que ___queta
___quete ___rápteros ___roastrismo ___roastro
___rollo ___rongo ___rra ___rrilla
___rillo ___rro ___rtzico ___rzal
___rzalear ___zobra ___zobrar

40. Las palabras que terminan en "zón".

Abazón Arlanzón arma____ arriba____
ar____ balan____ bu____ cabe____
cal____ capara____ ca____ clava____
come____ cora____ cuate____ chu____
dan____ desa____ dul____ echa____
hincha____ nari____ pica____ poli____
pun____ quema____ ra____ reto____
riba____ sa____ ta____ ti____
toro____ torto____ tor____ traba____
trope____ zu____

41. Las palabras que empiezan con "zu".

Zuavo zubia ___curco ___eco
___loaga ___mague ___márraga ___millo
___mo ___ncuya ___ñiga ___rano
___rcir ___rdo ___rear ___rupeto
___tano ___zón

42. Las palabras que acaban en "zuela".

Cabezuela cazuela cor______ choque______
ladron______ mane______ mo______ or______
pla______ porte______ terre______ Valen______
Vene______

43. Las palabras que terminan en "zuelo".

Anzuelo brazuelo corne______ herre______
ladron______ len______ mo______ or______
pe______ po______ rebo______ reye______
ter______ tor______ to______

USO DE LA "CN", "CS", "CT", "DJ", "DM", "DS", "DV", "FT", "GM", "GN", "MM", "NN", "NS", "OO", "PC", "PN", "PS", "PT", "SC", "ST", "TM" Y "TZ".

La ejercitación de estas combinaciones de letras podrá realizarlas de diferente manera:

a) Anote en las palabras la letra o letras que hacen falta.
b) Lea las palabras en voz alta dos o tres veces.
c) Haga una oración con las palabras que estamos practicando, en forma oral o escrita.
d) Dicte las palabras a su compañero de clase para que las escriba en su cuaderno de Español, así podrá comprobar su progreso.

---

1. Palabras que se escriben con "cn".

Aerotecnia	antracnosis	ará___idos	didra___ia
elayote___ia	electrote___ia	eleote___ia	enote___ia
eriote___ia	espla___ico	estri___ina	galvanote___ia
geote___ia	halote___ia	heliote___ia	hidrote___ia
hipote___ia	le___obio	luminote___ia	mercadote___ia
pi___ometría	pirote___ia	Polité___ico	psicote___ia
té___ica	té___ico	te___ígrafo	te___ocracia
te___ología	termote___ia		

2. Palabras que se escriben con "cs".

Fa___ímil	hi___o

3. Palabras que se escriben con "ct".

Abstracto	acto	acuedu___o	adi___o
apendice___omía	arquite___ura	artefa___o	aspe___o
autó___ono	autodidá___ico	ba___eria	benefa___or
ca___o	calefa___or	cará___er	cara___erístico
cole___a	compa___o	condu___a	cone___ar
confli___o	conta___o	convi___o	corre___o
da___ilar	defe___o	despe___ivo	desperfe___o
destru___or	dete___ar	dete___ive	diale___o
di___ado	di___ador	di___amen	didá___ico
dire___o	dire___orio	do___orar	drogadi___o
dú___il	efe___o	ele___or	eru___ar
espe___áculo	espe___ro	estri___o	estru___ura
estupefa___o	fa___ura	fi___icio	histere___omía
indire___o	indo___o	infru___ífero	inse___o
inta___o	intele___ual	invi___o	le___or

lobe___omía manufa___ura né___ar no___urno

o___acordio oleodu___o pe___oral perfe___o

perno___ar pi___ografía pi___órico prá___ica

produ___o prospe___o putrefa___o rea___or

recole___ar redu___or refra___ar respe___o

satisfa___orio se___a sele___o sintá___ico

tá___il tridá___ilo usufru___o ve___or

veredi___o viadu___o Vi___oria

4. Palabras que se escriben con "dj".

Adjetivar adjetivo a___udicar a___udicación

a___unción a___untar a___unto a___urar

5. Palabras que se escriben con "dm".

Adminicular a___inistrar a___irar a___itir

ca___ia ca___io Ca___o

6. Palabras que se escriben con "ds".

A___cribir a___cripción a___orber a___trato

7. Las palabras que se escriben con "dv".

A___ección a___enedizo a___enimiento a___enir

a___enticio a___entismo a___entista a___erar

a___erbialización a___erbio a___ersario a___ersativo

a___ersidad a___erso a___ertencia a___ertidor

a___ertir a___iento a___ocación anima___ersión

8. Palabras que se escriben con "ft".

Bleno___almia clorona___alina di___eria li___ar

na___a na___aleno na___alina na___ilamina

tere___alato

9. Palabras que se escriben con "gm".

Anala___ático anasti___ático asfi___ia defle___ar

diafra___a do___a eni___a espi___ografía

esti___a paradi___a pe___atita Pi___alión

pi___ento pi___eo pra___ático se___ento

sinta___a

10. Palabras que se escriben con "gn".

A___ación a___atos a___ocasto a___osia

asi___atura beni___o Carloma___o co___ación
co___ado co___ición consi___a desi___ar
desi___io desi___io dia___óstico di___o
expu___ar geo___osia hidro___osia impre___ación
indi___o insi___e li___ario li___ícola
li___ito ma___ánimo ma___ate ma___esia
ma___esio ma___ético ma___icidio mali___o
opu___ar persi___ar Poli___oto preco___ición
pro___ato quetoco___atos re___ícola si___ar
si___atario si___atura si___ificante si___ificativo
si___o Wa___er

11. Palabras que se escriben con "mm".

Gamma ga___ablobulina ga___agrafía nu___ulites

12. Palabras que se escriben con "nn".

Cannabáceas cannabinol ca___abosis ca___áceas
Ca___es co___atural co___otación co___otar
e___egrecer e___oblecer e___udecer esta___ífero
esta___ina gu___eráceas i___ato i___avegable
i___oble i___ominado i___ovación i___ovar
i___umerable Mi___eápolis Mine___ota paripi___ado
pere___e pere___ifolio pi___ado Re___es
Sha___on si___úmero Ski___er

13. Palabras que se escriben con "ns".

Consabido consagrar co___anguíneo co___ciencia
co___cripción co___cripto co___ecuencia co___ejo
co___enso co___erje co___ervar co___ervatorio
co___olar co___olidar co___orcio co___orte
co___picuo Co___tantinopla co___tar co___tatar
co___telación co___ternado co___tipado Co___titución
co___tituyente co___truir co___ultar co___umar
co___umir co___ustancial i___cribir i___cripción
i___pección i___piración i___tantáneo i___talar
i___tinto i___titución i___tituto i___truir
i___trumento mo___truo tra___acción tra___alpino
tra___ar tra___atlántico tra___bordador tra___cendental
tra___cender tra___cribir tra___cripción tra___currir

tra___ferasa tra___ferencia tra___figuración tra___finito

tra___flor tra___formación tra___fregar tra___fundir

tra___itivo tra___lación tra___limitar tra___literación

tra___marino tra___migrar tra___misión tra___mitir

tra___modulación tra___mutar tra___oceánico tra___pacífico

tra___parencia tra___pirar tra___plante tra___poner

tra___portador tra___porte tra___posición tra___versal

tra___verso

14. Palabras que se escriben con "oo".

Antozoos boom brioz___s c___peración

c___ptación c___queita c___rdinación dipn___s

electr___smosis enz___tia epiz___tia escifoz___a

esporoz___s helioz___s hemorr___ hidroz___s

Huntichm___l Laoc___nte l___r magnet___ptica

mastoz___logía mesoz___s metaz___s micr___nda

micr___rdenador micr___rganismo n___logía ___gamia

___gonia ___lito ___logía ___micetales

___sfera ___teca pelmatoz___s z___coria

z___fago z___genia z___geografía z___grafía

z___ide z___latría z___logía z___lógico

z___morfo z___nosis z___nosología z___parásito

z___psia z___sporangio z___tecnia z___tomía

15. Palabras que se escriben con "pc".

Acepción ado___ión ca___ioso circunscri___ión

conscri___ión dece___ión descri___ión egi___io

eru___ión incorru___ión nu___ias obre___ión

perce___ prescri___ión rece___ión subre___ión

transcri___ión

16. Palabras que se escriben con "pn".

Dipneo eupnea hi___al hi___ótico

orto___ea taqui___ea traumato___ea

17. Palabras que se escriben con "ps" al principio.

Psaligrafía Psamético ___amófito ___eudónimo

___icastenia ___icoanálisis ___icobiología ___icocirugía

___icodélico ___icodrama ___icofísico ___icofisiología

___icogénico ___icolingüístico ___icología ___icólogo

___icometría ___icópata ___icopatía ___icopatología
___icosis ___icosomático ___icotecnia ___icoterapia
___icrófilo ___icrómetro ___iquiatría ___itaciformes
___itacismo ___oriasis

18. Palabras que se escriben con "ps" en medio.

Able___ia adi___ia ape___ia apocali___is
ase___ia auto___ia bio___ia Cali___o
cá___ula carió___ide catale___ia cerató___idos
cola___o coreo___is diá___idos dispe___ia
ecli___ar eli___is epanale___is epile___ia
estre___ípteros eupe___ia filicó___idos hemiano___ia
ictió___idos ila___o í___ilon i___ófono
la___o la___us metale___is mono___onio
narcole___ia necro___ia palim___esto pé___ico
pe___ina polidi___ia rela___o rodo___ina
se___is sino___is soli___ismo Ter___ícore
tri___ina

19. Palabras que se escriben con "pt".

Abrupto aceptar ada___ación ade___o
ado___ar afaní___teros anagli___orgrafía analé___ico
ana___ixis anisó___teros ba___ismo ca___ar
catadió___rico cato___romancia cle___omanía coleó___eros
conce___o corru___ela cri___a cri___estesia
crí___ico cri___ógamas cri___ografía cri___tograma
cri___olalia cri___ón croso___erigios Chandragu___a
dermá___eros dictió___eros dio___asa dí___ero
dí___ico di___ongo disru___or eclí___ica
efemeró___eros Egi___o eucali___o helicó___ero
hemí___eros hemo___isis ine___o le___orrino
mono___erigio ne___único ne___unio Ne___uno
o___ación ó___ico ó___imo ortó___eros
paró___ico perí___ero plecó___eros polí___ico
poli___oton prece___o ra___o rece___áculo
rece___or re___il se___enario se___eno
se___entrión se___eto sé___ico se___illo
sé___imo se___isílabo se___oplastia se___oriosis
se___uagenario sé___uplo sinó___ico sino___óforo

transe___o tricó___eros trí___ico tri___ófano

tri___ón tri___ongo zorá___teros

20. Palabras que se escriben con "sc".

Ace___encia adole___ente alcale___encia anfi___io

anti___io a___endente a___enso a___ensor

a___esis a___etismo a___itis caule___ente

coale___encia concre___ente conde___ender con___iencia

cra___itar dati___ia decale___encia dehi___encia

delicue___encia delite___encia de___ebar de___endencia

de___enso de___entralizar de___entrar de___eñir

de___epar de___erar de___ercar de___erebración

de___erezar de___ifrar de___imbrar de___inchar

di___ernir di___inesia di___iplina di___ípulo

dití___idos do___ientos eferve___encia eflore___encia

erube___encia e___ena e___enografía e___epticismo

e___ialítico e___iénidos e___ila e___iliorrínidos

e___incidos e___indir e___irro e___ita

e___itaminales E___itia e___iúridos e___iuromorfos

espine___ente evane___ente evi___eración fa___es

fa___iación fa___ículo fa___inante fa___ismo

flore___encia fosfore___encia frute___ente impre___indible

imputre___ible incande___ente incogno___ible incon___iente

indehi___ente inflore___encia insene___encia intume___ente

ira___ible iridi___ente isó___eles lacte___ente

lumini___encia marce___ente mi___elánea mi___ible

mú___idos obsole___ente omni___iente opale___ente

o___ense o___ilar o___ilometría para___eve

pi___icultura pi___iforme pi___ina plebi___ito

pre___iencia pre___indir Pri___iano probó___ide

probo___ídeos pro___enio pube___ente pube___er

putre___ible quie___ente recale___encia remini___encia

re___indir rupe___ente sei___ientos sene___ente

su___eptibilidad su___itar tono___ilógrafo tra___endencia

tra___endental tra___ender tre___ientos vire___encia

ví___era

21. Palabras que se escriben con "st".

I___mo

22. Palabras que se escriben con "tm".

Algori__ista	algori__o	Ari__ética	disri__ia
e__oides	euri__ia	eurí__ico	logarí__ico
polirri__ia	rí__ico	ri__o	

23. Palabras que se escriben con "tz".

Cacama__in	I__á	I__amná	I__cóatl
I__papálotl	I__quahtli	Jani__io	

EVALUACIÓN GLOBAL DEL USO DE LAS LETRAS ANALIZADAS

La ejercitación de estas palabras podrá realizarla de diferente manera:

a) Anote en las palabras la letra o letras que hacen falta.
b) Lea las palabras en voz alta dos o tres veces.
c) Haga una oración con las palabras, que estamos practicando, en forma oral o escrita.
d) Dicte las palabras a su compañero de clase para que las anote en su cuaderno de Español, así usted podrá comprobar su progreso.

Abie__tas	abra__aban	abre__iatura	a__soluto
absol__er	absor__ente	a__ulia	accesi__le
ac__identar	ac__ión	accioni__ta	a__ebo
a__ercar	a__iagos	acide__	aco__aban
acre__dor	acribil__ar	acriollar__e	acti__o
actri__es	actri__	acu__ioso	achaco__o
ad__erencia	ad__esión	aditi__o	adjeti__o
admisi__le	admi__ión	adole__encia	adquisi__ión
ad__ersario	ad__erbial	adver__io	ad__erso
adverten__ia	a__ente	á__il	agota__a
agrade__ca	agrade__co	a__uja	a__ujero
a__ijado	a__ora	aire__ico	airecil__o
ajedre__	a__eno	al__orotar	alcan__ar
alcatra__	alco__ol	alga__ara	al__ibe
aló__eno	alpi__te	alqui__aba	al__ededor
alternati__a	altí__ima	al__á	al__í
a__bi__ión	a__biente	a__biguo	ameni__ar
a__iba	an__iano	Andalu__ía	andalu__
andra__o	André__	andu__e	andu__iere
ané__dota	aneste__iar	a__fiteatro	an__elo
ane__o	antifa__	an__uelo	apare__er

apel__ido	apo__eo	apolo__ético	apo__ar
aprendi__	aprendi__a__e	apro__echar	ára__e
araña__o	argama__ar	aristocra__ia	ar__ebate
arrepentir__e	arro__	asa__lea	asenta__
asep__ia	ase__ino	ase__inó	asien__o
a__ilo	astu__ia	aten__ión	atía__e
atíe__e	atis__ar	atol__adero	at__asado
a travé__	atre__erse	ausen__ia	au__iliar
a__anzar	avergon__ado	avergon__ar	averig__e
a__es	a__esado	avestr__z	avide__
á__ido	avi__ar	a__er	a__uda
a__arosas	azo__aba	ba__ía	balan__a
bala__o	bande__a	baraja__	bara__nda
ba__e	basili__co	basquet__ol	baz__
__eduinos	belle__a	benefi__iar	be__o
__estias	__icéfalo	__íceps	__icicleta
bie__	biling__e	bil__ar	bime__bre
bisectri__	bistur__	Bizan__io	blancu__co
blanquir__ojo	blanqui__co	__oceto	bonda__
borra__ca	bo__	bra__a	bre__es
bril__ar	bromi__ta	bron__e	bru__ca
bru__co	buena__o	bu__ete	bú__o
burle__co	burocra__ia	bu__caba	bu__o
bu__ón	ca__al	cabal__ero	cabe__a
caca__uate	ca__a	ca__ita	calaba__a
cal__io	calefac__ión	cal__e	cal__óse
ca__bio	camel__o	cam__naba	ca__pesino
canalle__ca	can__ear	cansan__io	can__ase
capacida__	capa__itar	car__ono	ca__e__a
Cari__e	carní__oro	car__etil__a	carte__ianas
casti__ar	cau__a	cavida__	__ebo
cebol__a	__eda	__édele	__édelo
cenado__	cen__	centa__o	__entro
cepil__o	Ce__es	cer__ar	ce__ionario
ceste__o	cicatri__	cie__to	cier__o
cig__eña	__ine	__incuenta	__ircuito
circun__tancia	circunstan__ial	ci__a	__iudad
__ivil	civili__ación	clarida__	cl__se
cla__el	cla__ícula	cl__vo	coche__ito

codi__ia	coerciti__o	co__eren__ia	co__ete
co__i__ir	cole__iado	cole__ial	cole__iar
colu__na	co__binar	co__bustible	comil__as
comi__ión	compadra__go	compla__er	compla__co
composi__ión	comunicati__a	conce__to	concesi__le
conci__o	conclu__ión	condi__ión	condu__ca
condu__co	cone__ión	confe__ión	confian__a
confu__ión	con__énito	co__migo	cono__ido
cono__imiento	cono__ca	cono__co	con__iencia
con__iente	con__ervar	conta__ili__ar	conta__ioso
con__titu__das	con__titu__o	con__titu__ó	co__tigo
contra__e	conven__ional	con__eniente	co__vento
con__ersación	con__ersaciones	co__vexo	con__ierta
co__pera__ión	co__rdina__ión	copulati__o	cora__ón
cor__e__ir	cor__il__o	cre__er	creden__ial
cre__óse	cru__ía	cru__ir	cru__
cru__ar	cuadra__enario	cua__zo	Cuau__témoc
cu__ismo	cu__llo	cue__a	Cuitlá__uac
curio__ear	cu__queña	cu__queño	cuy__
chanta__e	Chi__ua__ua	C__ina	c__oza
c__ubasco	C__urubusco	dádi__a	dan__ón
deba__e	de__imal	de__i__ión	de__i__iva
declarati__o	decli__e	défici__	deli__erar
democra__ia	denun__ia	depó__ito	depo__itario
derecha__o	deri__ar	desapa__ible	desar__ol__ar
desbara__uste	de__ender	descol__ar	descono__ido
de__eo	de__gaste	de__gra__iado	des__echos
desi__ntos	despla__ar	despué__	des__entura
de__uel__o	diacr__tico	di__ranquial	di__ujo
di__cionario	dicie__bre	diecis__is	di__ronse
die__	diferen__ia	dif__cil	difu__or
di__erir	di__esti__o	d__je	Dioni__io
disculp__se	distin__ión	distin__uir	distri__uir
diversida__	di__ersos	di__isaba	divi__ión
divor__io	don__ella	dramatur__ia	du__ar
e__anista	e__enáceas	e__onita	economi__ar
efica__	eficien__ia	e__eo	eje__plo
ejer__i__io	ejér__ito	ela__orar	ele__ir
ele__ada	e__barazo	e__plazar	e__plear

e__pujar ena__enar en__ender en__ier__o
enco__ida endo__ante eneasíla__o ener__ético
ener__ía enfajil__ar e__fático e__fermi__o
En__ique ensa__ar enseñan__a enton__es
entre__ista en__idia enun__iados equili__rio
equivalen__ia equivocar__e e__mita e__rante
er__or escase__ escenifica__ión escenifica__iones
escri__ió esen__ial esequi__o esfuer__o
esme__o es__fago esot__rico especialida__
espe__ie espe__ear espe__a espl__ndido
espo__o e__taba esterili__ar e__tiba
estil__stica estimati__a estraté__ico e__trato
estribil__o estu__e estu__iera estu__iese
estu__o ete__nida__ e__alua__ión e__asión
e__ento e__idencia e__itar e__olución
e__olucionismo e__amen ex__menes e__aminar
e__cesivo e__citar exclamati__o e__clusi__o
e__ento ex__alación ex__ibición ex__ortar
ex__gen e__istencia é__odo e__pectación
experien__ia e__planada e__pletivo e__plicación
e__plotar e__ponente e__posición exposi__iones
e__presión e__presi__a e__primir e__propiar
e__puesta e__tender e__tran__ero e__trañe__a
e__travagan__ia e__tremo e__uberante fá__il
fac__ímil fala__ fal__ear falsifica__ión
fal__ar fal__eba falle__er fal__ido
famo__a famo__o fanta__ear favore__er
favore__ía fa__ Fe__o fe__aciente
fene__er ferocí__ima ferrovia__io fer__or
fervoro__o fie__re flamea__a flo__era
fol__eto formali__ar fortí__imo foto__énico
frá__il fra__e frugí__oro fuer__a
fugacida__ fugiti__o fun__ión fun__iones
fun__ir Ga__riel ga__ela ga__etilla
gal__eta gan__o Garcila__o gari__a
ga__eta __endarme __eneral __énero
__ente __entu__a __eograf__a __erente
__erminar __erundio __esto __igantesco
__ilipollas __irasol gla__ial glorio__as

glo__a __obierno __olpe __olpi__a
gracio__o graní__oro gra__e gra__oso
Gre__ia gril__a guer__a G__errero
g__errillero g__ía g__ijarro G__illermo
g__ión g__irnalda g__itarrista guturi__a__ión
__a __aba __abía __abiente
__abilitado __abilitar __abita __abitantes
__ábito __ábito __ablante __ablar
__acer __acinar __alagar __allar
__allazgo __a__bre __a__brientos __an
__aragán __artar __as __asta
__ay __aya __az __azañas
__e __ebilla __ebreo __ectárea
__elado __emeroteca __emor__agia __eptasíla__o
__erbolario __ere__e __eren__ia __ermano
__ermético __ermo__a Hermo__il__o __ernia
__éroe __erradas __errería __ervir
__etero__éneo __exápodo __iato __icieron
__idrosfera __ierro __igrometría __i__a
__ipér__aton __ipér__ole __ipocre__ía __ipódromo
__ipoteca __ipótesis __irococha __istoria
__izo __ojarasca __olandé__ __olgazán
__ol__ar __o__bre __omena__ear __om__fono
__omo__éneo __omólogo __omónimo __on__ar
__ora __orizontal __orario __or__scopo
__orripilante __ortaliza __ospedaje __ospicio
__ospital __ostil __oy __uasteco
__ubiera __ubiere __ubiésemos __ubo
__uelga __uella __u__rfano __ueso
__uestes __uevo __uida __uipil
__umanidad __umedad __umedecer __umilde
__umillar __umorista ib__ idiosincra__ia
__do igle__ia ile__i__le ilí__ito
ima__en imá__enes i__perati__o i__percepti__le
i__portan__ia i__posi__ilitar i__posición i__positi__o
i__pre__ión i__puesto inamovi__le inaprensi__le
inasequi__le in__as in__idental in__ipiente
incisi__o incorpor__ndo__e indem__iza__ión Independen__ia
inde__ifrable __ndia __nd__gena indi__estar__e

indi__idual	inesta__ilida__	infinite__imal	infiniti__o
in__enio	in__reso	in__ibir	inmen__a
inmen__o	in__ue__le	in__ato	in__tructi__o
intensida__	inten__ión	interrogati__o	inter__enir
intromi__ión	intui__ión	in__adir	in__a__ión
inver__o	in__estiga__ión	in__estigar	in__estig__e
in__ita__ión	in__itar	i__ás	irland__s
i__egula__	irre__oca__le	Is__ael	i__quierda
I__taccí__uatl	jam__s	jara__e	__efe
__erarquía	__erarqui__ada	__ere__	__erga
__erónima	__esús	__ícama	__itomate
__oven	__oven__uela	__uáre__	__ubila__ión
__ug__ete	__urisdi__ción	__u__gar	__abor
__a__oratorio	__adron__uela	__adron__uelo	__a__abo
__an__amiento	__an__ar	__a__ativa	le__tura
le__i__ilida__	__egionario	__e__islatura	le__ano
__engua	__engua__e	__e__endas	__i__ertad
__ienzo	__igere__a	__i__ero	__iliáceas
__i__pieza	__ing__stica	__obe__no	__obos
__ocalice	__ocali__ar	__oda__al	__o__briz
lla__a	l__anura	l__aves	l__egó
l__enar	l__e__aba	l__u__ia	Madri__
madure__	__ágico	__agna	maí__
Ma__esta__	mal__echor	mal__ersación	__ane__ar
__ane__en	manota__o	man__ana	mar__en
mar__inal	masa__e	ma__ilar	m__yo
ma__oría	ma__úscula	medal__a	medita__undo
me__illa	__esopotamia	__esura	me__cla
__ig__el	__ístico	moco__uelo	__odernismo
__og__er	mon__truo	monté__	mont__se
mosta__a	moti__o	movili__ar	mo__uela
n__ba	__abucodonosor	__a__ió	nari__
narr__r	na__ativo	nati__o	naturale__a
naturaliza__ión	__aval	n__ves	Navida__
na__ca	nece__aria	necesida__	ne__ligencia
ne__ociar	ne__ocio	negru__co	nervio__o
nicarag__en__e	nitro__enar	no__le	no__ión
no__iones	no__iva	__orteamericano	__osogenia
noti__ias	no__ato	__oveda__	no__ela

no__ele__co	novia__go	novie__bre	nue__o
ob__eto	__bra	__bservan__ia	__bser__ar
__b__io	__éano	__cta__o	__ctosíla__o
__cupa__ión	__lor__ico	__móplato	__p__ión
__ptati__o	__ración	__ral	__rden
__rgani__ar	__ri__inal	__rtograf__a	__rtogr__fico
__stión	ó__olo	o__ígeno	o__ente
__zono	pa__ellón	__ábulo	__aciencia
__adil__a	__aisa__e	__ali__a	__ane__illo
__anegírico	__antalla	__ara__e	__arar__ayos
__arcela	__arcial	__areja	__arte__illa
pasa__e	pasa__ero	__asiva	__atro__inar
__atrul__a	__avimento	__ayasear	__edazo
peno__o	peri__ial	peren__e	pere__a
pe__o	pe__o	persona__es	persuasi__o
pertene__er	pescue__o	__eso	__icare__ca
__ieza	__ing__ino	__irogénesis	plat__came
pleisto__eno	pleona__mo	pobre__a	podero__o
pol__o	Popocat__petl	porte__uela	posi__ilida__
pota__ili__ar	pota__io	poten__ia	__ravo
__rebenda	__reboste	pre__iada	__recisar
__redije	__ren__a	Pres__ítero	prevale__er
__revia	__revisión	primo__énito	pri__ma
privati__o	privile__io	proban__a	pro__lema
__robo	__robóscide	__ro__eder	__rodi__io
__rodú__ole	__rofundi__ar	__ro__ibir	prolong__e
__ropen__o	__reposi__ión	__roposi__ión	__roposi__iones
__rosear	__ros__dico	__rote__er	__rover__io
__rovi__ión	__rovo	__rovocar	__roveer
__uñeta__o	quejar__e	quema__ón	que__ito
q__iso	q__órum	ra__ional	ral__ar
__ándose	__ango	rapa__	__apide__
__ap__ado	__are__a	__ascarse	__asgo
__ayos	__eali__e	__eali__ar	__eba__ar
__e__ibí	__e__ibieron	__e__ibir	__ecinto
__ecipiente	__ecogedor	__eco__er	__echa__o
refac__ionaria	__eferen__ia	__efle__ión	__efle__ionar
__efri__erar	__efu__iar	__efugiáronse	__egia
__egía	r__ión	r__gional	__e__istrar

re__abilitar	re__naba	reinciden__ia	__elie__e
__elo__	__elo__ería	Remi__ia	rena__entista
Rena__imiento	__enova__le	__enun__io	__epeti__
__epoblar	__equisitos	__esidual	__esistir
__especti__o	__esplande__er	__espue__ta	__estric__ión
__etro__eder	__eventa	__e__entar	__everberante
__evira	__e__isar	__ezago	__iesgo
__ique__a	__ival	__obusto	__oda__e
Ro__as	__oma	__omane__co	__opa
__osaba	__ucio	Ru__ia	s__bes
sa__erdote	Sa__agún	Sa__ara	__albanda
__alva__ión	__alvaguardar	__alvavidas	__ara
__asebo	__azón	__ebo	sed__
__eg__ento	seg__ir	__eis	__elva
__emejan__a	Se__ado	__enador	sen__il__as
sen__a	__enil	sen__	s__res
servi__ial	servil__eta	ses__ón	s__stero
se__enio	se__ual	S__akespeare	s__en
sier__o	__igas	__igilo	si__nificati__o
si__no	síla__a	__ilva	si__boli__aba
__ímil	si__plicidad	sin__úmero	sino__sis
sinteti__ar	so__erbia	so__erbio	so__iales
soli__itar	solide__	sollo__ar	sorpre__a
sorpresi__a	sua__e	__ua__emente	__uba
su__limar	sub__ayar	sub__enir	sub__ersivo
__u__esor	__ucesos	__u__erir	__umario
__uperávit	__uperfi__ie	__ustanti__o	__ustitu__e
tal__arín	tangen__ial	tan__i__le	__aperiba
Tara__umara	__arasco	__arifa	tas__
__asa__	__atua__e	te__er	te__plo
tena__	Teoti__uacan	__esto	__exto
__extura	__i__era	__itúlase	__iznar
__ómase	to__er	tra__ajo	trab__r
tradi__ión	tradu__e	tra__edia	__rajo
tranca__o	transi__ión	tran__misión	__ransitorio
trascenden__ia	tras__ender	__rasmisión	__rátase
tra__esía	tra__ectoria	__razo	tri__uto
tri__émino	tri__ésimo	triste__a	triun__iro

tuto_ tu_e tu_iera tu_i_ramos
tu_ieren tu_iese ufa_aba _lmáceas
u_bral ung_ento unime_bre Uni_ersida_
uni_erso u_gen_ia u_na _rticaria
uten_ilio utilida_ utili_ar vaga_undo
va_ído val_ _aleriano _alide_
_aliente _amos v_n _anida_
_apor _arias _arieda_ _asco
v_se _asija v_so _asto
_aya _e_ino _e_dor Veg_
vegetati_a _egete ve_ículos _ejete
vel_o venc_ _encido ven_ió
venda_al ve_se _entana _entisca
_erás _eraz _erbo _ergel
verg_enza _ersifica_ión _er_ión _er_iones
_erso _érti_e _ertigino_o _es
_esti_io _eta _ez _ia_ar
_ia_eros _í_ora _i_rar Vicer_ector
_ice_ersa _íctima _ictoria _ida
_ie_ecito _ie_o _iento _i_ente
_i_ésima vi_ilan_ia _il_ancico vil_a_go
_iña _ióle Vir_e_ _isi_le
vi_ión _isto_a _i_iera _i_iere
_i_iese _oca_ulario _ocali_a_ión _olando
_olar _olibol _ol_er _oy
_oz ya _acimiento _esca
yo za_bullir _ana_oria _ancadil_a
_apatil_a _apato _arandear _ar_uela
ze_da _enil _igosis _ócalo
_ona _openco _opilote _or_a
_ozobra _u_bar _urcir _urdo

QUINTA PARTE

PALABRAS JUNTAS O SEPARADAS

El empleo correcto de las palabras que se escriben juntas o separadas es esencial para su aplicación en escritos de diversa índole.

1. Abajo: adverbio
   A bajo: preposición y adjetivo
   ¡Abajo!: interjección

a) _______ los que han traicionado al pueblo.

b) La mayoría de los productos no están _______ precio en Ciudad Juárez.

c) Los documentos que necesitas, están _______ en el segundo cajón.

2. A Dios: preposición y sustantivo
¡Adiós!: interjección

a) Toñito se encomendó _______, para que todo saliera bien en su trabajo.

b) _______ Hasta las próximas vacaciones.

3. ¿A dónde?: preposición y pronombre
Adonde: adverbio

a) El lugar, _______ se realizó la exposición de pintura de Cuevas, era confortable.

b) _______ dejaste la foto, que te pedí, de mi tía Lucha.

4. Dondequiera: adverbio
Donde quiera: adverbio y verbo

a) _______ que te encuentres, te deseo lo mejor.

b) Puede instalarse _______ y se sienta cómodo.

5. Afilalápices: sustantivo
Afila lápices: verbo y sustantivo

a) El niño _______ a sus compañeros porque es noble.

b) ¿De qué otra manera se dice sacapuntas? _______.

6. Afín: adjetivo (que se posee afinidad o similitud con algo o alguien). Cercano, próximo
A fin: locución conjuntiva

a) Es básico practicar, la ortografía, _____ de corregir nuestros errores más frecuentes.

b) Judith es _____ con su hermana Dolores, en lo que se refiere, al carácter.

7. A sí mismo: preposición, pronombre y adjetivo
Asimismo: adverbio (también, igualmente)

a) El individuo, que se critica _______, tiene resultados óptimos, (buenos) en sus actividades cotidianas (de todos los días).

b) Escribiré, _______, un libro de Español para extranjeros.

8. Besalamano: sustantivo
Besa la mano: verbo, artículo y sustantivo

a) El niño le _______ al sacerdote.

b) La esquela (carta de poca extensión) en desuso, que comenzaba con la abreviatura B.L.M., se llama _______.

9. Comoquiera: adverbio (de cualquiera manera)
Como quiera: adverbio y verbo

a) Puede hacer la limpieza de la casa _______, pero hágalo bien.

b) _______, tendré que conseguir dinero, para la renta de este mes.

10. ¿Con qué?: preposición y pronombre
Conque: conjunción (así que)

a) __________ te marchas y no le avisaste a tu prima.

b) __________ ánimo te presentaste a la representación teatral?

11. Correveidile: sustantivo
Corre ve y dile: verbo, conjunción, y verbo con enclítico (le)

a) La persona que trae y lleva rumores, chismes, etc., se denomina __________.

b) Mario, __________ a tu abuelita que la esperamos a las 5:00 P.M.

12. Cumpleaños: sustantivo
Cumple años: verbo y sustantivo

a) Mi novia se acordó de llamarme el día de mi __________.

b) Teresa __________ pasado mañana.

13. Dondequiera: adverbio
Donde quiera: adverbio y verbo

a) Las maletas puede ponerlas __________ ¡Gracias!

b) __________ deja las cosas. ¡Por favor! Debe tener un poco de orden.

14. Entredós: sustantivo
Entre dos: preposición y adjetivo

a) Ochenta y cuatro __________ son cuarenta y dos.

b) El tipo de letra de imprenta intermedio entre el breviario y la lectura se llama __________

15. Escinco: sustantivo (eslizón)
Es cinco: verbo y adjetivo

a) Siete menos dos __________.

b) Al grupo de reptiles escamosos de la familia Escíncidos, de unos 35 cms. de longitud, recibe el nombre de __________.

16. Hazmerreír: sustantivo (persona grotesca —ridícula— y risible)
Hazme reír: imperativo con enclítico (me) e infinitivo

a) Rosanna __________ un poco con tus chistes.

b) Roberto fue el __________ de la fiesta.

17. Mediodía: sustantivo (doce del día)
Medio día: adjetivo y sustantivo

a) Al __________ tendré una junta con el Director de la Universidad Iberoamericana.

b) Ensayamos en el ballet __________ tres veces por semana.

18. Nomeolvides: sustantivo
No me olvides: adverbio, pronombre y verbo

a) La planta herbácea de la familia Borragináceas se llama __________.

b) Espero __________ cuando tengas que irte.

19. Pormenor: sustantivo
Por menor: preposición y adjetivo

a) No lo pude obtener ________ precio.
b) Al aspecto parcial, detalle o circunstancia peculiar de una cuestión o suceso recibe el nombre de ________.

20. ¿Por qué?: preposición y pronombre
Porque: conjunción causal

a) ________ no fuiste a Torreón?
b) ________ tenía exceso de trabajo en la oficina.

21. Porvenir: sustantivo
Por venir: preposición e infinitivo

a) ¡Gracias! ________ al concierto de Mahler.
b) El ________ de los estudiantes depende de los maestros.

22. Quehacer: sustantivo
Que hacer: pronombre e infinitivo

a) El cantante no supo ________ cuando se descompuso el sonido.
b) El ________ doméstico nunca le ha gustado a mi hermana Eloísa.

23. Quienquiera: pronombre
Quien quiera: pronombre y verbo

a) ________ cantar dé un paso al frente.
b) ________ que sea dile que no estoy.

24. Secansa: sustantivo
Se cansa: pronombre y verbo

a) Al juego de naipes similar al de la treinta y una se llama ________.
b) El investigador no ________, aunque trabaja más de ocho horas diarias.

25. Sifué: sustantivo
Sí fue: adverbio y verbo

a) Saúl ________ el culpable del contrabando de armas.
b) La sobrecincha (cincha o faja con que se sujeta la manta al aparejo —conjunto de las correas que se colocan a las caballerías— del caballo) de las caballerías se denomina ________

26. Siguapa: sustantivo
Sí guapa: adverbio y adjetivo

a) ________ era Matilde; aunque ha envejecido bastante.
b) Al ave rapaz —caza presas vivas— de color blanco y rojo se llama ________.

27. Sinfín: sustantivo (multitud, infinidad; continuo, sin final)
Sin fin: preposición y sustantivo

a) Un ________ de contratiempos he tenido en estos meses.
b) A Dora no le gusta leer y la novela le pareció ________.

28. Sinnúmero: sustantivo
Sin número: preposición y sustantivo

a) La Lic. Beatriz tiene un __________ de libros en su biblioteca.

b) La casa de mi amigo está __________ y me costó trabajo localizarla.

29. Sino: conjunción (salvo, excepto)
Si no: conjunción y adverbio

a) Pon cuidado antes de hablar __________ siempre tendrás problemas.

b) No había reflexionado en eso, __________ en la mejor manera para que resuelvas tu problema.

30. Sinrazón: sustantivo (acción injusta o contra lo razonable)
Sin razón: preposición y sustantivo

a) Despidieron al mejor empleado de la fábrica __________.

b) La actitud del Empresario era una __________.

31. Siquiera: conjunción
Sí quiera: adverbio y verbo

a) Tal vez __________ acompañarnos al baile.

b) __________ ten compasión del mendigo y dale de comer.

32. También: adverbio
Tan bien: apócope de tanto y adverbio

a) Luisa y María __________ irán a España.

b) El declamador dijo el poema __________, que obtuvo el primer lugar.

33. Tampoco: adverbio
Tan poco: apócope de tanto y adverbio

a) La joya vale __________, que podría adquirirla de contado.

b) __________ hiciste la tarea y tu padre te castigará.

34. Tocadiscos: sustantivo
Toca discos: verbo y sustantivo

a) Rocío __________ todo el día, y sus padres están molestos.

b) Mi padrino me obsequió un __________ el año pasado.

PALABRAS USUALES QUE SE ESCRIBEN SIEMPRE JUNTAS

Abrecartas	abrelatas	abrepuño	acerca
adelante	además	adentro	adrede
alinear	alrededor	altavoz	alzaprima
alzapuertas	anteanoche	anteayer	antebrazo
antefirma	antepenúltima	anteojo	antesala
antítesis	apagallamas	aprisa	audiovisual
aunque	autoservicio	bajorrelieve	balonmano
bienhechor	bienvenida	bienvivir	bocabajo
bocacalle	bocamanga	buenaventura	causahabiente
cazaclavos	cerapez	cincoenrama	cineasta

claraboya
cloroscuro
colilarga
compraventa
concelebrar
concercano
condecoración
conllevar
conmigo
conminuto
consigo
contigo
contradecir
contraportada
contrarreforma
contratiempo
cortaplumas
cortocircuito
cubrecama
cubreobjetos
chicozapote
debajo
defuera
deprisa
derechohabiente
desacuerdo
encima
enfrente
enhorabuena
entreacto
entredicho
entremezclar
entretanto
entretener
entrevista
escurreplatos
espantamoscas
estratovolcán
esviaje
extraoficial
exvoto
fijapelo
fotonovela
fotosíntesis
francotirador
gentilhombre
geopolítica
gordolobo
guardabanderas
guardabarrera
guardabarros
guardaespaldas
guardameta
guardarropa
hierbabuena
hincapié
homocentro
inconsiderado
infrahumano
interdependencia
interludio
intervocálica
juzgamundos
kilojulio
kilolitro
kilómetro
lavamanos
lavaplatos
librepensador
limpiaparabrisas
lloraduelos
madreperla
malbaratar
malcomer
maleducado
malestar
malhablado
maltratar
manirroto
marcapasos
matasanos
mediopensionista
menosprecio
metalingüística
milhojas
milpiés
mirasol
monodrama
monosilábico
nochebuena
ojialegre
ojimoreno
palahierro
parabién
parabrisas
paracaídas
paraninfo
pararrayos
parasíntesis
pasamano
pasamontañas
pasaporte
pasatiempo
pelirrojo
picaflor
picaporte
pisapapeles
portabandera
portafolios
prematrimonial
protohistoria
puntapié
puntiagudo
quitasol
rabicorto
radiodifusión
radioyente
rompecabezas
sabelotodo
sacapuntas
salvamanteles
semibreve
sieteenrama
sobrecama
sobrenombre
sobresdrújula
sujetapapeles
tiovivo
tirabuzón
todavía
tornasol
trabalenguas
tragicomedia
ultratumba
vaivén
vendehumos
verdinegro
vicetiple
viceversa
zigzag.

PALABRAS USUALES QUE SE DICEN DE DOS MANERAS

INSTRUCCIONES: La ejercitación de estas palabras podrá realizarse de diferente manera:

a) Lea las palabras en voz alta dos o tres veces.
b) Haga una oración con las palabras, que estamos practicando, en forma oral o escrita.
c) Dicte las palabras a su compañero de clase para que las anote en su cuaderno de Español, y así podrá comprobar su progreso.

1. **Abajadera-abajadero:** paraje —lugar alejado- en pendiente —inclinado—.
2. **Abiético-abietínico:** ácido $C_{19}H_{29}$ —COOH. Se usa en la industria jabonera y como secante de barnices.
3. **Abotagarse-abotargarse:** hincharse normalmente el cuerpo o parte de él. Atontarse.
4. **Abuñolar-abuñuelar:** freír algo para darle la consistencia de buñuelo.
5. **Acensar-acensuar:** gravar con un censo un inmueble —bienes que no pueden transportarse. Ejemplo: edificio, vivienda—.
6. **Acerería-acería:** fábrica de acero.
7. **Acrotera o acroteria:** ornamento —adorno— que remata los vértices de un frontón.
8. **Achahuisclarse o achahuistlarse:** Méx. Enfermarse las plantas de chahuistle o pulgón —insectos homópteros—. Sufrir un tropiezo.

9. Achelense-acheulense: cultura del Paleolítico fechada en el último periodo interglaciar.
10. Achurar-achurear: Amér. Merid. Eviscerar —sacar las vísceras— a un animal. Acuchillar.
11. Adiposidad-adiposis: obesidad. Acumulación excesiva de grasa, ya sea general o localizada.
12. Afídidos-áfidos: familia de pequeños insectos del orden Homópteros.
13. Afilo, la-áfilo, la: planta, tallo o ramificación carente de hojas.
14. Aguarachay-aguarachaí: mamífero carnívoro de la familia Cánidos.
15. Agujerar-agujerear: hacer agujeros —abertura, generalmente redondeada, que perfora una cosa—.
16. Ahuehué-ahuehuete: conífera —plantas cuyo fruto es un cono o piña— de la familia Taxodiáceas.
17. Aldehído-aldehido: R-CHO. Cada uno de los compuestos orgánicos que provienen de la oxidación de un alcohol primario.
18. Alebrastarse-alebrestarse: ponerse de malhumor.
19. Alegamar-aleganar: depositar cieno —lodo blando, de zonas con aguas estancadas— en las tierras para hacerlas más fértiles.
20. Alergeno, na-alérgeno, na: sustancia capaz de producir una reacción alérgica.
21. Aleuta-aleutiano, na: de las islas Aleutianas.
22. Algebraico, ca-algébrico, ca: relativo al álgebra.
23. Alhajera-alhajero: joyero (cofre).
24. Alismáceas-alismatáceas: familia de plantas del orden Helobiales.
25. Almaizal-almaizar: toca —tela con que se cubrían la cabeza las mujeres— árabe de gasa.
26. Almarraja-almarraza: regadera árabe de vidrio.
27. Alveolo-alvéolo: cavidad de los huesos maxilares donde están implantados los dientes. Cada una de las formaciones anatómicas donde terminan las últimas ramificaciones bronquiales. Celdilla —cavidad, agujero— de un panal.
28. Amachimbrarse-amachinarse: amancebarse, —hacer vida marital sin casarse—.
29. Amedrantar-amedrentar: provocar miedo, atemorizar, acobardar.
30. Amojosarse-amojosearse: Arg., Bol., Ec. Enmohecerse.
31. Anacrusa-anacrusis: nota o notas débiles que preceden al primer tiempo fuerte de un fragmento musical. Sílabas átonas que preceden al primer acento rítmico de un verso.
32. Anagoge-anagogía: interpretación no literaria, sino simbólica de un texto sacro —sagrado— como la Biblia. En ascética, elevación del alma hacia las cosas celestiales.
33. Anchova-anchoveta: pez de la familia Engráulidos.
34. Andariego, ga-andarín, na: aficionado a caminar o viajar.
35. Anémona-anémone: diversas plantas de la familia Ranunculáceas.
36. Angioblastema-angioblasto: cada una de las células del mesénquima —tejido conjuntivo embrionario— del embrión originando los vasos sanguíneos.
37. Antifonal-antifonario: libro que recopila antífonas —composición de origen gregoriano propia de la liturgia católica romana.
38. Antilogía-antilogio: contradicción entre dos palabras, juicios, textos, etc.
39. Antirreflector, ra-antirreflejo, ja: que elimina los reflejos luminosos.
40. Apartamento-apartamiento: habitación o vivienda, gralte. Pequeña.
41. Apterigógenos-apterigotos: insectos que incluyen las especies ápteras —que no tiene alas—.
42. Arestil-arestín: planta de la familia Umbelíferas. Enfermedad del ganado caballar y vacuno.
43. Armonio-armónium: instrumento musical de teclado y viento.
44. Ascariasis-ascaridiasis-ascaridiosis: proceso patológico debido a la presencia de ascáridos —gralte. Son parásitos de vertebrados— en el organismo.
45. Asonantar-asonar: hacer asonancia —repetición de los sonicos vocálicos de dos o más versos desde la última vocal acentuada.
46. Áspid-áspide: diversas especies de serpientes venenosas.
47. Atérmano, na-atérmico, ca: mal conductor del calor.
48. Aullido-aúllo: sonido quejumbroso y continuo que emite el perro, lobo, etc.
49. Aureola-auréola: círculo que envuelve algunas cosas, especialmente las cabezas de las imágenes religiosas. Corona luminosa que en ocasiones circunda el Sol y la Luna. Ejemplo: la de la luna en un eclipse solar.
50. Autolisis-autólisis: proceso de destrucción de células, tejidos u órganos por la acción de sus propios enzimas.
51. Azud-azuda: dispositivo para sacar agua de los ríos. Presa para canalizar —construir canales— el agua.
52. Badián-badiana: árbol perenne —continuo, inacabable— de la familia Magnoliáceas.
53. Badil-badila: plata metálica para remover el fuego y recoger las cenizas.

54. Baldaquín-baldaquino: estructura en forma de dosel —cubierta decorativa de una imagen, altar, tumba, cama, etc.—
55. Baldonar-baldonear: insultar a uno en su presencia.
56. Balería-belerío: provisión de balas de un ejército.
57. Bantú-bantu: familia de pueblos negros.
58. Barrunte-barrunto: indicio, noticia.
59. Beni-bini: prefijo de origen árabe que significa del linaje de y aparece en numerosos topónimos —nombre de un lugar—.
60. Beréber-berebere: pueblo étnico al norte de África.
61. Bimano, na-bímano, na: que tiene dos manos.
62. Bisbisar-bisbisear: hablar en voz baja y entre dientes —susurrar—.
63. Bisilábico, ca-bisílabo, ba: de dos sílabas.
64. Bisté-bistec: filete de carne de bóvido —familia de mamíferos artiodáctilos. Presenta cuernos huecos y no ramificados. Ejemplo: toro, búfalo, gamuza, gacela, antílope, cebú, oveja, etc.—
65. Blanquimento-blanquimiento: disolución, generalmente de sales de cloro, empleada para blanquear.
66. Blanquizal-blanquizar: gredal —terreno que abunda en greda, es decir, arcilla arenosa con que se quitan manchas—.
67. Bordado-bordadura: arte de bordar —adorno que se hace en las telas con trabajos de aguja—.
68. Boyera-boyeriza: establo para bueyes.
69. Bronquíolo-bronquiolo: denominación de las más finas ramificaciones de los bronquios.
70. Bufé-bufet: en las fiestas, mesa donde se dispone la comida y la bebida.
71. Bumerán-bumerang: arma arrojadiza que consiste en una lámina de madera de forma parabólica. Debido a su peculiar característica de regresar al lugar desde donde ha sido arrojada, el concepto se aplica a los actos que se vuelven en contra de quien los realiza.
72. Cacicato-cacicazgo: dignidad de cacique —persona que en un pueblo o comarca, abusa de su autoridad en cuestiones políticas y administrativas— o territorio bajo su mando.
73. Cacto-cactus: diversas plantas de la familia Cactáceas, etc.
74. Campiñense-campiñiense: de Campigny (Normandía).
75. Canillón, na-canilludo, da: zanquilargo —que tiene las patas o piernas largas y delgadas—.
76. Canturrear-canturriar: cantar a media voz y sin prestar atención.
77. Cañafistola-cañafístula: árbol de la familia Cesalpiniáceas.
78. Cañizal-cañizar: cañaveral —lugar sembrado de cañas—.
79. Caparidáceas-caparídeas: familia de plantas herbáceas y arbustivas, del orden Readales.
80. Capnomancia-capnomancía: tipo de adivinación basado en el color, dirección y forma del humo.
81. Caporos-caporios: durante la dominación romana, tribu que habitaba la provincia de Lugo (Galicia).
82. Capulí-capulín: árbol de la familia Rosáceas, de hojas alternas y lanceoladas.
83. Caracteriología-caracterología: parte de la psicología que clasifica y describe los principales tipos de carácter.
84. Caracteriológico, ca-caracterológico, ca: relativo a la caracteriología o al carácter.
85. Cardíaco, ca-cardiaco, ca: relativo al corazón.
86. Cardumen-cardume: grupo de peces con una misma orientación en el movimiento.
87. Cartomancia-cartomancía: método adivinatorio por medio de naipes.
88. Cascajal-cascajar: lugar lleno de cascajos —grava; cosa vieja y muy maltrecha—.
89. Catorceavo, va-catorzavo, va: nombre partitivo que corresponde al 14.
90. Cefalalgia-cefalea: dolor de cabeza. Jaqueca, migraña.
91. Centellar-centellear: irradiar destellos —relumbre, refulgencia instantánea o intermitente—. Despedir fulgor —brillo con luz propia— los ojos de alguien.
92. Ceromancia-ceromancía: método de adivinación por las gotas de cera derretida en un recipiente lleno de agua.
93. Cientifismo-cientificismo: actitud de subordinación a los datos y métodos de las ciencias exactas.
94. Cintilar-cintillar: brillar, centellear.
95. Circunlocución-circunloquio: perífrasis —expresión de un concepto único mediante un rodeo, circunloquio—.
96. Compartimento-compartimiento: acción y efecto de compartir. Departamento de un vagón de viajeros.
97. Cónclave-conclave: asamblea plenaria de todos los cardenales de la iglesia católica para elegir Papa.
98. Conjura-conjuración: conspiración contra algo o alguien, especialmente contra el Estado.
99. Cornisamento-cornisamiento: conjunto de molduras que rematan una estructura arquitectónica.
100. Corpus-Corpus Christi: fiesta de la iglesia católica que se celebra el jueves siguiente a la octava de Pentecostés.

101. Corticoide-corticosteroide: cada una de las hormonas sexuales secretadas por la corteza suprarrenal.
102. Cotiledon-cotiledón: cada una de las primeras hojas desarrolladas por el embrión de las fanerógamas.
103. Creonte-Creón: Rey mitológico de Tebas.
104. Cretáceo, a-cretácico, ca: tercer y último periodo de la era secundaria, con una antigüedad entre 125 y 60 millones de años.
105. Cuartelada-cuartelazo: pronunciamiento militar, gralte. Localizado.
106. Cutara-cutarra: Amér. C., Méx. Zapato basto y sin tacón usado por los campesinos.
107. Chabacanada-chabacanería: vulgaridad. Falta de gusto.
108. Chahuiste-chahuistle: Méx. Cierta enfermedad de los cereales.
109. Cheroque-cherokee: tribu amerindia —pueblos xantodermos (pigmentación amarilla de la piel) propios de América, excluidos los esquimales.
110. Chinacate-chinaco: Méx. Gallo de rabadilla pelada.
111. Chinchibira-chinchibirra: Amér. Bebida sin alcohol parecida a la cerveza de jenjibre. Arg. Limonada con gas.
112. Chipotazo-chipote: Amér. C. Golpe dado con el dorso o la palma de la mano.
113. Chocha-chochaperdiz: ave caradriforme de la familia Escolopácidos.
114. Darvinismo-darwinismo: teoría biológica elaborada por Darwin.
115. Decimonono, na-decimonoveno, na: que ocupa el último lugar en una serie de 19.
116. Decimotercero, ra-decimotercio, cia: que ocupa el último lugar en una serie de 13.
117. Decuplar-decuplicar: multiplicar por 10. Acrecentar mucho.
118. Demonomancia-demonomancía: arte de prever el futuro por inspiración demoníaca.
119. Deslechugar-deslechuguillar: quitar las lechuguillas —lechuga silvestre (propio del campo)— y malas hierbas de los viñedos.
120. Detractar-detraer: sacar, apartar, restar. Calumniar.
121. Diagnóstico-diagnosis: conocimiento de una enfermedad por sus signos y síntomas.
122. Dinamo-dínamo: generador de corriente continua a partir de energía mecánica de rotación.
123. Dislocación-dislocadura: luxación —dislocación del extremo articular de un hueso—.
124. Dodecafonía-dodecafonismo: sistema de composición musical ideado por Schönberg (1923); usa los 12 grados de la escala cromática.
125. Doquier-doquiera: adv. Dondequiera (en cualquier lugar).
126. Dríade-dríada: ninfa —cada una de las divinidades menores grecorromanas que, bajo forma de doncellas, simbolizaban la fecundidad y la gracia de la naturaleza— y divinidad terrestre.
127. Dulzor-dulzura: calidad de dulce. Delicadeza, suavidad.
128. Ecumene-ecúmene: zona de la Tierra con vida animal y vegetal.
129. Electrolito-electrólito: sustancia que disuelta o fundida conduce la corriente eléctrica.
130. Embasamiento-embasamento: basamento —parte inferior de una edificación—.
131. Endocarpio-endocarpo: parte interna del pericarpo de un fruto, de naturaleza leñosa o blanda según los casos.
132. Ergástula-ergástulo: en la antigua Roma, cárcel destinada a los esclavos.
133. Escalopa-escalope: filete delgado de vacuno —bovino (relativo al buey o la vaca).
134. Escardar-escardillar: extirpar —arrancar— de un sembrado los cardos —diversas plantas de la familia Compuestas— y las malas hierbas.
135. Espatulomancia-espatulomancía: adivinación a través de los huesos de los animales.
136. Espibia-espibio-espibión: movimiento lateral del cuello de una caballería.
137. Espurrear-espurriar: expeler —despedir; expulsar, sacar con fuerza lo contenido en el interior de algo— un líquido contenido en la boca.
138. Estenordeste-estenoreste: viento que viene en este sentido.
139. Eutiquismo-eutiquianismo: monofisismo (doctrina teológica que no admite en Cristo más que una naturaleza: la humana había sido absorbida por la divina después de la encarnación).
140. Exégesis-exegesis: interpretación filológica, histórica y doctrinal de un texto, especialmente, de las Sagradas Escrituras.
141. Exégeta-exegeta: intérprete, especialmente bíblico.
142. Exósmosis-exosmosis: corriente que en la ósmosis —fenómeno de difusión de dos disoluciones de distinta concentración a través de una membrana semipermeable— va de la disolución más concentrada a la más diluida.
143. Filariasis-filariosis: conjunto de enfermedades producidas por filarias —género de helmintos nematodos, parásitos del hombre y de diversos animales— que se alojan y obstruyen los vasos linfáticos.
144. Formica-fórmica: conglomerado de papel impregnado de resina fenol-formol y recubierto por una capa de resina artificial que se adhiere a algunas maderas para protegerlas.

145. Fraude-fraudulencia: engaño, abuso de confianza.
146. Fustal-fustán: tejido recio de algodón, peludo por una de sus caras.
147. Gañón-gañote: garguero —primera sección de la tráquea; garganta; caña del pulmón—.
148. Garrar-garrear: recular —retroceder, dar marcha atrás— un buque por no haberse afianzado bien el ancla.
149. Genetliaca-genetlíaca: adivinación del destino de una persona por la fecha de nacimiento.
150. Gentilidad-gentilismo: conjunto de los gentiles, paganos. Creencia o religión de éstos.
151. Geofagia-geofagismo: tipo de alimentación de animales detritívoros —los que se alimentan de restos orgánicos—.
152. Gilipollas-gilipuertas: necio; engreído.
153. Gonadotrofina-gonadotropina: cada una de las hormonas secretadas por el lóbulo anterior de la hipófisis —glándula endocrina, situada en la base del cráneo, que es órgano rector de todo el sistema endocrino—.
154. Grafila-gráfila: orlita de puntos o líneas que se graba en las monedas.
155. Griterío-gritería: mezcla de voces altas.
156. Guadamecí-guadamecil: pieza de cuero ornado con relieves y pinturas.
157. Guardabosque-guardabosques: guarda —el que vigila— un bosque.
158. Harén-harem: designa la zona de la casa en la que viven las mujeres y a las mujeres que en ella viven.
159. Hemostasia-hemostasis: detención de una hemorragia —salida de la sangre por los vasos sanguíneos—.
160. Herpes-herpe: afección cutánea que suele presentarse en el curso de un proceso febril.
161. Hesíodo-Hesiodo: poeta griego.
162. Heteromancia-heteromancía: augurio —predicción del futuro— mediante el vuelo de las aves.
163. Hidromancia-hidromancía: predicción del futuro mediante el agua.
164. Hidrostatímetro-hidrotaquímetro: aparato que marca la velocidad de las aguas por medio del movimiento de una aguja.
165. Hiperplasia-hiperplastia: aumento del volumen de una víscera por proliferación —aumento del número de células— celular.
166. Ibídem-ibidem: voz latina que significa allí mismo o en el mismo lugar.
167. Imanación-imantación: creación de un campo magnético en un cuerpo mediante la acción de otro campo magnético o eléctrico.
168. Inconformista-inconforme: que no acepta los principios morales, políticos, etc., de la sociedad en la que se encuentra.
169. In sécula-in sécula seculórum: frase latina que quiere decir por los siglos de los siglos (duración temporal indefinida).
170. Laureola-lauréola: corona de laurel como premio de proezas, o para enaltecimiento de los sacerdotes paganos.
171. Legacía-legación: cargo diplomático otorgado por el gobierno a un individuo, para que actúe como representante del mismo, ante el gobierno de otro país.
172. Lenguaraz-lenguaz: insolente, procaz (deslenguado).
173. Leptosomático-leptosómico: se dice de uno de los tres tipos constitucionales que la tipología de Kreschmer distingue. Individuos delgados que se caracterizan por la introversión y el ensimismamiento.
174. Linimento-linimiento: preparación farmacéutica a base de aceites o bálsamos —sustancia generalmente formada por una mezcla de resinas, aceites esenciales y ácidos aromáticos, alcoholes o éteres que suelen exudar determinadas plantas— usada para friccionar la piel.
175. Machihembrar-machimbrar: encajar dos piezas de madera. Pulir los cantos de las maderas que hay que encajar.
176. Magnetófono-magnetofón: aparato electromecánico que registra los sonidos en un medio magnético y los reproduce por un altavoz.
177. Malvinero, ra-malvinense: de las islas Malvinas.
178. Mandingo-mandinga: grupo nigero-senegalés extendido por Malí, Senegal, Guinea y Costa de Marfil.
179. Maniaco, ca-maníaco, ca: que padecía de alguna manía —tendencia imperiosa y obsesiva de realizar una conducta—.
180. Maremagno-mare mágnum-maremágnum: confusión, desorden, abundancia descontrolada. Gentío, aglomeración.
181. Mareógrafo-mareómetro: instrumento que registra la variación de los niveles de las aguas del mar a cada hora del día.
182. Martillar-martillear: golpear con el martillo.
183. Maullido-maúllo: voz del gato.
184. Médula-medula: sustancia blanca que llena las cavidades de los huesos largos y los espacios entre las trabéculas —cada una de las laminillas de tejido óseo, que se entrecruzan delimitando, en la zona esponjosa de los huesos, las cavidades ocupadas por la médula ósea— del tejido óseo esponjoso.
185. Memorándum-memorando: resumen escrito, en el que se exponen brevemente cuestiones que deben tenerse en cuenta para la resolución de un asunto.

186. Metamorfosis-metamórfosis: conjunto de transformaciones experimentadas por un organismo a lo largo de su desarrollo.
187. Metempsicosis-metempsícosis: doctrina según la cual un alma puede residir sucesivamente en más de un cuerpo, humano o animal.
188. Meteoro-metéoro: estrella fugaz —pasa rápidamente—.
189. Metrópoli-metrópolis: en Grecia se llamó así a la ciudad que había fundado colonias; en Roma a la capital administrativa de una provincia.
190. Microcosmo-microcosmos: en el Renacimiento, designación del hombre como imagen-síntesis del universo.
191. Minutera-minutero: manecilla del reloj que indica los minutos.
192. Mísquito-misquito: pueblo amerindio de la familia lingüística misumalpa.
193. Mnemotecnia-mnemetécnica: método para aumentar la capacidad de la memoria. Sistema para crear una memoria artificial.
194. Monoceronte-monocerote: unicornio —animal fabuloso, a modo de caballo con un cuerno recto en la frente; símbolo medieval de la virginidad y el vigor—.
195. Mostacera-mostacero: tarro para la mostaza.
196. Motocultivador-motocultor: arado con motor mecánico, conducido a pie mediante un manillar —tubo transversal que sirve para llevar la dirección de bicicletas o motocicletas—.
197. Mozalbete-mozalbillo: mozo joven.
198. Mudable-mudadizo, za: variable, inconsecuente, voluble.
199. Nefrón-nefrona: unidad funcional del riñón.
200. Odorífero, ra-odorífico, ca: fragante, oloroso.
201. Oessuroeste-oessurueste: punto del horizonte entre el 0 y el SO. Viento que sopla de tal dirección.
202. Ofuscación-ofuscamiento: alteración de la vista, causada especialmente por la incidencia de una mayor cantidad de luz.
203. Olambre-olambrilla: azulejo, generalmente formado por una figura geométrica sobre fondo oscuro.
204. Olimpiada-olimpiada: periodo de 4 años, usado por los griegos como unidad de tiempo en el cómputo histórico.
205. Omoplato-omóplato: hueso plano y triangular, situado en la parte trasera del tórax; en él se articulan el húmero y la clavícula.
206. Ontogenia-ontogénesis: conjunto de fenómenos que integran el desarrollo de un individuo.
207. Oval-ovalado, da: de forma de huevo; de figura de óvalo.
208. Ovoide, ovoideo, a: oval; conglomerado mineral, especialmente de carbón, con esta forma.
209. Pabilo-pábilo: mecha de una vela. La parte de ella que se hace arder.
210. Papirotada-papirotazo: papirote —capirote (muceta con capucha, usada por los catedráticos en actos académicos; cucurucho de nazareno —penitente, vestido con túnica y capirote, en las procesiones de Semana Santa—)—.
211. Paradisiaco, ca-paradisíaco, ca: relativo al paraíso; delicioso, muy agradable.
212. Parqué-parquet: revestimiento de madera del suelo.
213. Parvedad-parvidad: pequeñez; escasez.
214. Peciolo-pecíolo: rabillo de unión entre el limbo —lámina de la hoja de las plantas— foliar y el tallo, por el que circulan los vasos conductores.
215. Pelícano-pelicano: nombre común a 6 especies de aves pelecaniformes.
216. Peregrinación-peregrinaje: acción de peregrinar; romería —peregrinación a una ermita o santuario aislado—. Vida terrenal, como tránsito hacia otra vida.
217. Pericarpio-pericarpo: cubierta externa del fruto.
218. Periodo-período: tiempo que transcurre entre los dos momentos culminantes de una fase. Tiempo completo en que se desarrolla un fenómeno, suceso, etc.
219. Persuasivo, va-persuasorio, ria: que persuade —que convence—.
220. Pescozón-pescozada: golpe que se da con la mano sobre el cuello o en la cabeza.
221. Picotazo-picotada: herida que causan las aves con el pico o algunos insectos con su aguijón o aparato bucal.
222. Piromancia-piromancía: forma de predicción que se basa en la observación de la llama.
223. Pitagorismo-pitagoreísmo: conjunto de doctrinas filosófico-religiosas, matemáticas y morales de Pitágoras.
224. Pleuritis-pleuresía: proceso inflamatorio que afecta a la pleura —membrana serosa formada por dos hojas: visceral, que reviste el pulmón, y parietal, que tapiza internamente la pared torácica—.
225. Podíatra-podiatra: podólogo —médico especialista en enfermedades de los pies—.
226. Policiaco, ca-policíaco, ca: relativo a la policía.
227. Policromo, ma-polícromo, ma: de varios colores.
228. Polígloto-poligloto: escrito en varias lenguas; que domina varias lenguas.

229. Popelín-popelina: tela de algodón o de seda fina.
230. Prácrito-pracrito: denominación que se da a las diversas lenguas vulgares que se daban en la India antigua.
231. Priorato-priorazgo: oficio, cargo de prior o priora —Superior del convento, en algunas órdenes religiosas. En otras, segundo prelado, después del cargo de abad—. Territorio de su jurisdicción.
232. Prohibitivo, va-prohibitorio, ria: se dice de lo que prohíbe. Muy costoso, de difícil alcance para la economía de la mayoría de los individuos.
233. Prolífico, ca-prolífero, ra: que tiene capacidad de engendrar, multiplicarse o producir.
234. Prosecución-proseguimiento: acción y efecto de proseguir (continuar en algo).
235. Quiromancia-quiromancía: método de adivinación basado en el estudio de las rayas de la palma de la mano.
236. Quizá-quizás: duda o posibilidad para que se efectúe algo.
237. Redilar-redilear: amajadar —guardar o estar el ganado menor en un terreno que se desea abonar—.
238. Remembrar-rememorar: recordar.
239. Reprender-reprehender: amonestar, regañar a uno por lo que ha hecho o dicho.
240. Resoplido-resoplo: resuello —respiración fuerte y entrecortada— fuerte.
241. Resquebrajadura-resquebradura: fisura —grieta—.
242. Retoñar-retoñecer: volver a echar vástagos o nuevos brotes la planta. Fig. Reproducirse determinado fenómeno, reiniciarse un proceso.
243. Reuma-reúma: reumatismo (síntomas dolorosos en articulaciones, huesos, músculos, tendones, etc.)
244. Ricacho, cha-ricachón, na: muy rico.
245. Rosaleda-rosalera: sitio en el que abundan los rosales.
246. Rumania-Rumanía: Estado del SE de Europa.
247. Salguera-salguero: sauce —árbol—.
248. Saxo-saxofón-saxófono: instrumento musical de viento.
249. Sedicente-sediciente: pretendido, supuesto.
250. Serodiagnosis-serodiagnóstico: estudio de las reacciones provocadas en el suero sanguíneo o por el mismo suero sanguíneo de los enfermos con la finalidad de realizar un diagnóstico.
251. Sicofanta-sicofante: en la antigua Grecia, el que denunciaba por propia iniciativa las violaciones de la ley. Calumniador, delator.
252. Simoniaco-simoníaco: de la simonía —negocio anticanónico de cargos eclesiásticos y gracias espirituales, considerado pecaminoso por las iglesias cristianas.
253. Simposio-simposium: reunión de expertos en que se exponen y tratan cuestiones referentes a un determinado tema.
254. Sinvergonzonería-sinvergüencería: falta de vergüenza, de comedimiento o de modales.
255. Siríaco, ca-siriaco, ca: relativo a Siria.
256. Sobrentender-sobreentender: saber una cosa que no se dice de manera explícita, sino a través de alusiones —figura retórica que se refiere a personas o cosas sin mención explícita. Ejemplo: sujeto morfológico (cantamos ¿quiénes? Nosotros)— o del contexto mismo de lo que se dice.
257. Sobresdrújula-sobreesdrújula: palabra cuya sílaba tónica es la anterior a la antepenúltima. Ejemplo: cántasela.
258. Sobrexceder-sobreexceder: exceder —aventajar o sobrepasar una persona o cosa a otra—, adelantar o superar a alguien.
259. Solario-solarium: en las piscinas y gimnasios, lugar destinado a tomar el Sol. Dependencia donde se tratan afecciones mediante radiaciones solares.
260. Taino, na-taíno, na: pueblo extinguido —que desapareció— de las Antillas.
261. Talasemia-talasanemia: enfermedad hematológica hereditaria que cursa con crisis anémicas por alteraciones genéticas en la síntesis de la hemoglobina.
262. Tejamaní-tejamanil: Amér. C., Col., Méx. Trozo de madera usado como teja.
263. Telefilm-telefilme: película filmada para su transmisión televisiva.
264. Telurio-teluro: elemento químico del grupo VIa de la tabla periódica.
265. Teponascle-teponaztle: Méx. Tambor cilíndrico precolombino hecho con el tronco hueco de un árbol.
266. Teratogénesis-teratogenia: estudio de las causas de aparición de malformaciones congénitas —trastorno, lesión o malformación que existe desde el nacimiento o antes—.
267. Terrario-terrarium: instalación acondicionada para mantener vivos y exhibir reptiles y anfibios.
268. Tetracordo-tetracordio: sucesión melódica de 4 notas por los grados inmediatos.
269. Tijeretada-tijeretazo: corte con tijeras de una sola vez.
270. Tínamo-tinamú: diversas aves tinamiformes de la familia Tinámidos.
271. Tlatelolco-Tlaltelolco: antigua ciudad de México.
272. Trasalpino-transalpino: regiones situadas al otro lado de los Alpes, respecto a Italia.

273. Trasandino-transandino: regiones situadas al otro lado de los Andes. Tráfico y medios de locomoción que cruzan los Andes.
274. Trasatlántico-transatlántico: regiones situadas al otro lado del Atlántico.
275. Trasbordar-transbordar: trasladar mercancías o pasajeros de una embarcación a otra o de un tren a otro.
276. Trascendental-transcendental: que es muy importante.
277. Trascender-transcender: despedir a distancia un olor muy intenso. Empezar a conocerse algo que estaba oculto. Propagarse los efectos de unas cosas a otras.
278. Trascontinental-transcontinental: tráfico y medio de locomoción que atraviesan un continente.
279. Trascribir-transcribir: copiar. Realizar una transcripción musical.
280. Trascurrir-transcurrir: correr o pasar el tiempo.
281. Trascurso-transcurso: curso del tiempo. Espacio de tiempo que se indica.
282. Trasferir-transferir: pasar, llevar o transportar una cosa de un lugar a otro. Ceder el derecho o dominio que se tiene sobre una cosa, a otra persona.
283. Trasfigurar-transfigurar: cambiar completamente el aspecto o la figura de una persona a cosa.
284. Trasfijo-transfijo: ensartado con algo puntiagudo.
285. Trasfixión-transfixión: acción de perforar de parte a parte con un instrumento puntiagudo. Se dice especialmente de los dolores de la Virgen.
286. Trasflor-transflor: pintura especial para colorear metales.
287. Trasflorar-transflorar: transparentarse o dejarse ver una cosa a través de otra. Copiar al trasluz —por transparencia—. Transflorear.
288. Trasflorear-transflorear: pintar con transflor.
289. Trasformar-transformar: dar forma o aspecto diferente a una persona o cosa.
290. Trasfregar-transfregar: frotar una cosa con otra.
291. Trasfretano-transfretano: que está situado al otro lado de un estrecho o brazo del mar.
292. Trasfretar-transfretar: atravesar el mar. Extenderse sobre la superficie terrestre.
293. Trásfuga-tránsfuga: persona que escapa de un lugar a otro. Persona que cambia de partido o ideología.
294. Trasfundir-transfundir: trasegar —trasladar cosas de un lugar a otro— lentamente un líquido de un recipiente a otro. Comunicar una cosa sucesivamente a diversas personas.
295. Trasfusión-transfusión: método terapéutico de tratar ciertas enfermedades, especialmente las hemorragias graves, sustituyendo la sangre por la de un donante —que proporciona—.
296. Trasgredir-transgredir: infringir, vulnerar, violar un mandato. Ley, disposición, etc.
297. Trasladar-transladar: llevar de un lugar a otro.
298. Traslinear-translinear: transmitir un vínculo de una línea a otra.
299. Trasliteración-transliteración: adecuación del sistema de escritura de una lengua al de otra.
300. Traslúcido-translúcido: cuerpo que deja pasar la luz, permitiendo ver sólo confusamente lo que hay detrás de él.
301. Traslucir-translucir: deducirse o interferirse una cosa de otra a través de ciertos hechos o indicios. Ser perceptible una cosa a través de un cuerpo traslúcido.
302. Traslumbrar-translumbrar: deslumbrar u ofuscar repentinamente una luz muy intensa.
303. Trasmarino-transmarino: tierras situadas al otro lado del mar.
304. Trasmediterráneo-transmediterráneo: medios de locomoción que cruzan el mediterráneo.
305. Trasmigrar-transmigrar: emigrar de forma definitiva un grupo social numeroso. Pasar el alma de un cuerpo a otro (metempsicosis).
306. Trasmitir-transmitir: comunicar avisos, etc. Contagiar una enfermedad. Emitir por radio o televisión. Comunicar por teléfono, telégrafo, télex, etc. Ceder un derecho o cosa a otra persona.
307. Trasmudar-transmudar: mudar, cambiar de sitio. Desaconsejar, hacer cambiar de parecer. Transmutar.
308. Traspacífico-transpacífico: situado al otro lado del Pacífico.
309. Traspadano-transpadano: relativo a la otra parte del río Po.
310. Trasparencia-transparencia: propiedad de algunos cuerpos permeables al paso de la luz. Filmina, diapositiva.
311. Traspiración-transpiración: pérdida de agua a través de la piel, especialmente por sudoración. Eliminación de vapor de agua por las plantas, realizada por la cutícula o estomas.
312. Traspirar-transpirar: sudar.
313. Traspirenaico-transpirenaico: situado al otro lado de los Pirineos. Medios de locomoción que los atraviesan.
314. Trasplante-transplante sustitución quirúrgica de un órgano lesionado por otro sano procedente de un donante —que proporciona—.
315. Trasponer-transponer: trasladar una cosa, especialmente más allá de donde estaba. Ponerse el Sol.

316. Trasportador-transportador: que transporta. Semicírculo graduado para medir o trazar ángulos.
317. Trasportar-transportar: llevar personas o cosas de un lugar a otro, especialmente en vehículo.
318. Trasporte-transporte: medio o vehículo destinado al traslado de personas o mercancías.
319. Trasportista-transportista: persona que se dedica al transporte público.
320. Trasposición-transposición: operación que consiste en intercambiar dos elementos en un sistema ordenado. Malformación congénita en la que las vísceras se hallan anómalamente invertidas de situación.
321. Trasterminar-transterminar: rebasar los límites de un término jurisdiccional —poder o autoridad que se tiene para aplicar las leyes o sancionar su incumplimiento—.
322. Trasverberación-transverberación: transfixión —acción de perforar de parte a parte con un instrumento puntiagudo—.
323. Trasversal-transversal: que atraviesa de un lado a otro. Que se inclina o desvía de la dirección principal o recta. Pariente que no lo es en línea directa. Línea que lleva una dirección que corta a otra determinada.
324. Trasverso-transverso: colocado de través —oblicua o transversalmente, es decir, inclinado.
325. Tricofitia-tricofitosis: micosis —enfermedad originada por hongos patógenos— causada por infestación de hongos. Afecta a los pelos, uñas y también la piel lampiña.
326. Trisilábico, ca-trisílabo, ba: que tiene tres sílabas.
327. Tumultuario, ria-tumultuoso, sa: que produce tumultos —disturbio, alboroto de gente amotinada; agitación, desorden ruidoso—. Que se realiza sin orden.
328. Tuneci-tunecino, na: de Tunicia o Túnez, y dialecto árabe del país.
329. Turbiedad-turbieza: turbidez —turbio: confuso, poco claro—.
330. Uromancia-uromancía: adivinación por el examen de la orina.
331. Varice-várice: variz —dilatación permanente de las venas, con alteración patológica de sus paredes, especialmente, en las piernas.
332. Varistancia-varistor: elemento que posee una resistencia eléctrica de material semiconductor que varía con la tensión (al aumentar la tensión disminuye la resistencia).
333. Velaje-velamen: conjunto de velas de un barco.
334. Vellorí-vellorín: paño —pedazo de tela para usos muy diversos (quitar el polvo, limpiar una herida, etc.)— entrefino pardo grisáceo o del color de la lana sin teñir.
335. Verborrea-verbosidad: fluidez de palabra del demagogo —persona que usa de la demagogia (manipulación de los sentimientos de las clases populares para otener apoyo político).
336. Versalilla-versalita: letra mayúscula de igual tamaño que la minúscula del mismo cuerpo.
337. Vidueño-viduño: variedad de vid —planta trepadora de la familia Vitáceas.
338. Virreinato-virreino: en los antiguos reinos de la corona de Aragón, cargo y dignidad del que, en ausencia del Rey, gobernaba éstos, asumiendo sus funciones. Territorio bajo la jurisdicción y periodo de duración de dicho cargo.
339. Xantocromía-xantodermia: pigmentación amarilla de la piel, debida al depósito de colorante de origen vegetal. Suele observarse en personas que comen muchas zanahorias.
340. Yápigo, ga-yapigio, gia: antiguo pueblo de la península Itálica.
341. Yerba-hierba: planta en la que sus órganos son de consistencia más o menos blanda y de tamaño pequeño. Arbusto leñoso de la familia Aquifoliáceas. Pastos de las dehesas —hacienda destinada a pastos—.
342. Zabida-zabila: áloe —planta de la familia Liliáceas—.
343. Zelote-zelota: miembro de una secta judía.
344. Zeugma-zeuma: recurso sintáctico consistente en hacer intervenir en dos o más periodos un término que sólo se enuncia una vez en uno de ellos.
345. Zodíaco-zodiaco: cinturón circular de 17° de altura que envuelve la Tierra y por cuyo centro pasa la eclíptica —círculo máximo de la esfera celeste que señala el curso aparente del Sol en el año—. Los doce signos del Zodiaco son: Aries, Tauro, Géminis, Cáncer, Leo, Virgo, Libra, Escorpión, Sagitario, Capricornio, Acuario y Piscis.
346. Zorrillo-zorrino: mamífero carnívoro de la familia Mustélidos que despide una substancia de olor nauseabundo —que produce náuseas.

SEXTA PARTE

LAS ABREVIATURAS MÁS USUALES EN LA COMUNICACIÓN

Abreviatura: Es un vocablo expresado con una o varias grafías o letras. Generalmente se usa punto al final de éste.

a.	área
* AA.	autores
A. en P.	Asociación en Participación
abl.	ablativo
abrev.	abreviatura
Abr.	abril
a/c	a cargo
a/cta.	a cuenta
acept.	aceptación
acr.	acreedor
acus.	acusativo
acúst.	acústica
a.C.	antes de Cristo
adj.	adjetivo
adm.	administrador, administrativo
Admón.	Administración
adv.	adverbio
aeron.	aeronáutica
aerop.	aeropuerto
a/f	a favor
afl.	afluente
afmo.	afectísimo
afr.	africano, na
Ago.	agosto
agr.	agricultura, agrícola, agrario, ria
agrim.	agrimensura
Ags.	Aguascalientes
al.	alemán, na
ál.	álgebra
alt.	altura, altitud
alter.	alteración
a.m	ante meridiem (antes del mediodía)
a m/cgo	a mi cargo
a m/f	a mi favor
amb.	ambiguo
amer.	americano, na
Amér.	América
Amér. C.	América Central
anat.	anatomía
ant.	antiguo-gua, antiguamente
Ant.	Antillas
antón.	antónimo
Antróp.	antropólogo
Apdo. Postal	Apartado Postal
apénd.	apéndice
apóc.	apócope
aprox.	aproximadamente
Apto.	Apartamento
ár.	árabe
arc.	arcaico
archip.	archipiélago
Arg.	Argentina
arg.	argentino, na
argl.	argelino, na
Arit.	Aritmética
Arq.	arquitecto
arq.	arquitectura
Arqueol.	Arqueología
Arqueól.	arqueólogo
arqueol.	arqueológico, ca
art.	artículo
artill.	artillería
Arz.	Arzobispo
arz.	arzobispado
Astrol.	Astrología
astrol.	astrológico, ca
Astron.	Astronomía
At'n de	Atención de
A.T.	Antiguo Testamento
atta.	atenta
Atte.	atentamente
atto.	atento
aum.	aumentativo
aust.	austríaco
austrl.	australiano
autom.	automovilismo
Aux.	auxiliar
a/v	a la vista
Av. o Ave.	Avenida
ayte.	ayudante
B.	banco
Ba. por o Bo. por	Buena por, bueno por (en documentos)
bact.	bacteriología
barb.	barbarismo
bat.	batalla
B.C.	Baja California
bibliogr.	bibliografía
biofís.	biofísica
Biol.	Biología
biol.	biológico, ca
bioquím.	bioquímico, ca
Bol.	Bolivia
bol.	boliviano
Bot.	Botánica
bot.	botánico
Br.	bachiller
bras.	brasileño
brit.	británico, ca
búlg.	búlgaro

* Abreviaturas comerciales.

C/	Centra o de cuenta
C.	Ciudadano
ca.	centiárea
C.A.E.	Cóbrese al entregar
CC.	Ciudadanos
c/c	cuenta corriente
c.c.p.	con copia para
caligr.	caligrafía
Calz.	Calzada
Camp.	Campeche
Cap.	capitán
cap.	capítulo
Card.	Cardenal
cast.	castellano
Cd.	ciudad
cerraj.	cerrajería
cf.	confirma
C.F.S.	costo, flete y seguro
cg.	centígramo
cgo.	cargo
Cía.	Compañía
cl.	centilitro
cm.	centímetro
cm^2	centímetro cuadrado
Coah.	Coahuila
C.O.D.	Cóbrese o devuélvase
colab.	colaborar
comp.	compilador
Col.	Colima
Col.	Colonia
corresp.	correspondencia
C.P.	Código Postal
C.P.T.	Contador Público Titulado
créd.	crédito
cta.	cuenta
cts.	céntimos
ctdo.	contado
ctvo.	centavo
C.V.	Capital Variable
c/u	cada uno, a
ch/	cheque
checosl.	checoslovaco
Chih.	Chihuahua
Chis.	Chiapas
d.	densidad
D.	Don
Da.	Doña
d/act	del actual
dag.	decagramo
dal.	decalitro
dam.	decámetro
dat.	dativo
d.C.	después de Cristo
dcha.	derecha
dcho.	derecho
d/f	días-fechas
D.F.	Distrito Federal
defect.	defectivo
dem.	demostrativo
dep.	deportes, deportivo
Depto.	Departamento
Der.	Derecho
descto.	descuento
desp.	despacho; despachador
despect.	despectivo
desus.	desusado
deter.	determinado
Dg.	decagramo
dg.	decigramo
dgr.	decigrado
Dic.	Diciembre
dim.	diminutivo
Dip.	Diputado
Dir.	Director, ra
Direc.	Dirección
Distr.	Distrito
distrib.	distributivo
div.	división
Dl.	decalitro
dl.	decilitro
dm.	decímetro
dmh	diezmilésima de hora
D.N.	Defensa Nacional
doc.	docena
docto.	documento
dom.	dominicano
dr.	deudor
Dr.	doctor
Dra.	Doctora
d/v	días-vista
dupdo.	duplicado
E.	este
e.	especie
e.	edad (histórica)
e.	endoso
Ec.	Ecuador
Ecol.	Ecología
ecol.	ecológico, ca
Econ.	Economía
econ.	económico, ca
Ecuad.	Ecuador
Ecuat.	ecuatoriano
Edic.	Edición
Edit.	Editorial
efvo.	efectivo
eg.	egipcio
Ej.	ejemplo
electr.	electricidad
elem.	elemento
E.M.	Estado Mayor
E.M.	Edad Media
Emp.	Emperador
ENE	este nordeste
Ene.	enero
En liq.	en liquidación

equit.	equitación, equitativo
esc.	escultura; escocés, sa
Esc.	Escuela
ESE	este sudeste
esgr.	esgrima
Esp.	España, Español
esp.	español, la
esp.	especial
est.	estado
estát.	estático
et. al.	y otros
etc.	etcétera
Etim.	Etimología
Etnogr.	Etnografía
Etnol.	Etnología
E.U.A.	Estados Unidos de América
Excia.	Excelencia
excl.	exclamativo
Excmo.	Excelentísimo
explot.	explotación
export.	exportación
exp.	expresión
ext.	extensión; exterior
f. a b.	franco a bordo
fact.	factura
fam.	familia, familiar
farm.	farmacia
F.C.	Ferrocarril
fcos.	francos
Feb.	febrero
fem.	femenino
fest.	festividad
FF.CC.	ferrocarriles
fig.	figura; figurativo
Fil.	Filosofía
fil.	filosófico, ca
Filol.	Filología
filol.	filológico, ca
finl.	finlandés
Fís.	Física
fís.	físico
Fisiol.	Fisiología
flam.	flamenco, ca
Fon.	Fonología
fon.	fonético, ca; fonológico, ca
fol.	folio
fort.	fortificación
fot.	fotografía
Fr.	Fray
fr.	francés, sa; frase
frec.	frecuentemente
fund.	fundador; fundación; fundado, da
fut.	futuro
g	gramo
g.	guerra
G/	giro
gall.	gallego, ga
gén.	género
gent.	gentilicio
Geod.	Geodesia
Geogr.	Geografía
geogr.	geográfico, ca
Geol.	Geología
geol.	geológico, ca
Geom.	Geometría
ger.	gerundio
germ.	germánico, ca
G.M.	Guerra Mundial
Gob.	Gobierno
Gobr.	Gobernador
got.	gótico, ca
g/p	giro postal
gr.	griego, ga
gr.	grado
grab.	grabado
Gral.	General
gral.	general
gralte.	generalmente
Gram.	Gramática
Gro.	Guerrero
gro.	guerrero
Gte.	Gerente
Gto.	Guanajuato
Guat.	Guatemala
guat.	guatemalteco
H.	Honorable
h.	hora; heroico, hacia
hs.	horas
Ha.	hectárea
hab.	habitante
heb.	hebreo, a
Hect.	hectárea
hem.	hemisferio
heráld	heráldica
Hg.	hectogramo
Hgo.	Hidalgo
H.H.	Honorables
Hidrául.	Hidráulica
Hig.	Higiene
Hist.	Historia
hist.	histórico
Hl.	hectolitro
Hm.	hectómetro
Hnos.	hermanos
hol.	holandés
hom.	homónimo
Hond.	Honduras
hond.	hondureño
H.P.	caballos de fuerza
húng.	húngaro
ib.	(ibídem) allí mismo
id.	(ídem) lo mismo
Ilmo	Ilustrísimo
Iltre.	Ilustre
ilustr.	ilustración
Imp.	imperio
imp.	imperial
imper.	imperativo
imperf.	imperfecto
impers.	impersonal
import.	importante; importación
impr.	imprenta
Inc.	incorporación, incorporada

ind.	industria
indef.	indefinido
Indep.	Independencia
indep.	independencia, independiente
indet.	indeterminado
indic.	indicativo
Inf.	Informes
infin.	infinitivo
infor.	informática
Ing.	ingeniero
ing.	inglés, sa
insep.	inseparable
Inst.	Instituto
int.	interior
interj.	interjección
internal.	internacional
interr.	interrogativo
intr.	intransitivo
i.o.	infraorden
irl.	irlandés
irón.	irónico
irreg.	irregular
isr.	israelí
it.	italiano
ítem.	del mismo modo
izq.	izquierda, do.
Jal.	Jalisco
jap.	japonés
J.C.	Jesucristo
Jue.	jueves
Jul.	Julio
Jun.	Junio
kg.	kilogramo
kl.	kilolitro
km.	kilómetro
kW.	kilovatio
kWh.	kilovatiohora
l	litro
l/equivocada	letra equivocada
L/	Letra de cambio
LAB	Libre a bordo
lat.	latín; latitud
lib.	libro
Lic.	Licenciado
Ling.	Lingüística
ling.	lingüístico, ca
Lit.	Literatura
lit.	literario, ria
loc.	locución
Lóg.	Lógica
lóg.	lógico, ca
long.	longitud
ltda.	limitada
L/v	Letra a la vista
M., MM.	Madre, Madres (religiosas)
m	metro
m/l	moneda legal
Mar.	Marzo
masc.	masculino
m. adv.	modo adverbial
mar.	marina
Mat.	Matemáticas
mat.	matemático, ca
máx.	máximo
May.	Mayo
mec.	mecánica
med.	medicina
merid.	meridional
metal.	metalurgia
meteor.	meteorología
métr.	métrica
metrop.	metropolitana
Méx.	México
mex.	mexicano
mic.	micología
Mich.	Michoacán
miérc.	miércoles
mg.	miligramo
mgr.	miligrado
mil.	militar; milicia
mill.	millón, millones
ml.	mililitro
Mm.	miriámetro
min.	minuto; minería, minero; mineralogía
mín.	mínimo
Mit.	Mitología
mit.	mitológico, ca
M.N.	Moneda Nacional
Mon.	Monseñor
mont.	montería
Mor.	Morelos
Mtro.	Maestro
mov.	movimiento
M.S.	manuscrito
MM. SS.	manuscritos
Mun.	Municipio
mús.	música
mus.	musical
N.	norte
n.	nació; neutro; nota
Ntra. Sra.	Nuestra Señora
Nal.	Nacional
n. atóm.	número atómico
náut.	náutico, ca
Nay.	Nayarit
n/cta	nuestra cuenta
NE	nordeste
N/ch	nuestro cheque
neerl.	neerlandés, sa
neg.	negación
N/F	nuestra factura
N/G	nuestro giro
Nic.	Nicaragua
nic.	nicaragüense
N.L.	Nuevo León
N/L	nuestra letra
nom.	nomenclatura
NNE	norte nordeste
nor.	noruego, ga
NO	noroeste
norteamer.	norteamericano
Nos.	nosotros
n/ord	nuestra orden
Nov.	noviembre
N.S.	Nuestro Señor
N/P	nuestro pagaré
n.p.	nombre propio
N.T.	Nuevo Testamento
Ntro.	nuestro
Núm. —No.	número
numis.	numismática

O.	oeste
o.	orden
Oax.	Oaxaca
Ob.	Obispo
obr. póst.	obras póstumas
observ.	observación
Oct.	octubre
occ.	occidental
ONO	oeste noroeste
onomat.	onomatopeya
Ópt.	óptica
ópt.	óptico
or.	origen, originario; oriental
Ortogr.	Ortografía
OSO	oeste sudoeste
P/	Pagaré
p.	participio; partido
p.	por, para
p.a.	participio activo
P.A	por ausencia
p. a. c.	por su amable conducto
pág.-p.	página
págs.-pp.	páginas
pak.	pakistaní
Paleont.	Paleontología
Pan.	Panamá
pan.	panameño
p. anton.	por antonomasia
Par.	Paraguay
par.	paraguayo
pas.	pasivo, va
Pat.	Patología
pat.	patológico, ca
p. atóm.	peso atómico
Pbro.	Presbítero
P.D.	Postdata, posdata
p. de e.	punto de ebullición
p.e.	peso específico
Pedag.	Pedagogía
pend.	pendientes
p. ej.	por ejemplo
p.m.	después del meridiano
pm	por minuto
penins.	península
per.	peruano
pers.	persona (categoría gramatical)
p. ext.	por extensión
p.f.	participio de futuro, punto de fusión
pint.	pintura
pl.	plural
P.N.	Producto Nacional
p.o.	por orden
pob.	población
poét.	poético, ca
pol.	polaco, ca
polít.	político, ca
port.	portugués, sa
pos.	posesivo
post.	posterior; posteriormente
P. y G.	Pérdidas y Ganancias
p. p.	porte pagado o por poder
p.p.	participio pasado
ppdo.	próximo pasado
pral.	principal
prales.	principales
pralm.	principalmente
pref.	prefacio
prep.	preposición
Pres.	Presidencia
pres.	presente
pret.	pretérito
prnl.	pronominal
prob.	probablemente
Proc.	Procurador
prod.	producción, producto
profa.	profeta
Profra.	profesora
Profr.	profesor
próI.	prólogo
pron.	pronombre
protect.	protectorado
prov.	provincia, proverbio, provenzal
próx.	próximo, ma
Psic.	Psicología
psic.	psicológico, ca
Psiq.	Psiquiatría
psiq.	psiquiatra
Pte.	Presidente; poniente
p. us.	poco usado
prus.	prusiano
Pue.	Puebla
pza.	pieza
q.e.p.d.	que en paz descanse
q.m.	quintal métrico
Q.R.	Quintana Roo
Qro.	Querétaro
Quím.	Química
quím.	químico
R.	Respetable
R/, Rbo.	recibo
r/	remesa
Rep. Dom.	República Dominicana
rec.	recíproco; recibido
R. D.	Real Decreto
Rvdo.	Reverendo
reduc.	reducción
ref.	referencia
ref.	refinería
reg.	región
reg.	regular
rég.	régimen
R.I.P.	Requiescat in pace (Descanse en paz)
rel.	relativo
Renac.	Renacimiento
R.O.	Real Orden
Rep.	República
rep.	republicano
Ret.	Retórica

ret.	retórico
Rte.	remitente
Rev.	Revolución
Rev.	revisado
rev.	revolucionario, ria
rioplat.	rioplatense
Romant.	Romanticismo
r/m	revoluciones por minuto
r/s	revoluciones por segundo
rom.	romano
rum.	rumano, na
S.	Sur
S.	San
s.	siglo
s/	sobre o según
S.A.	Sociedad Anónima
sáb.	sábado
salv.	salvadoreño
sáns.	sánscrito
S.A.R.	Su Alteza Real
S.C.	Sociedad Civil
scl.	subclase
S.C.L.	Sociedad Cooperativa Limitada
S. Coop.	Sociedad Cooperativa
S. de R.L.	Sociedad de Responsabilidad Limitada
S. en C.	Sociedad en Comandita
S. en C. por A.	Sociedad en Comandita por Acciones
S. en N.C.	Sociedad en Nombre Colectivo
S. Ltda.	Sociedad Limitada
S.D.M.	Su Divina Majestad
S.E.	Su Excelencia
s.e. u o.	salvo error u omisión
seg.	segundo; segmento
Sen.	Senador
Sept.	Septiembre
sept.	septentrional
seud.	seudónimo
sgte.	siguiente
S.L.	Sociedad Limitada
S.L.P.	San Luis Potosí
símb.	símbolo
síng.	singular
sinón.	sinónimo
sist.	sistema
S.A. de C.V.	Sociedad Anónima de Capital Variable
sit.	situación; situado, da
Smo.	Santísimo
S.M.	Su Majestad
S.N.	Servicio Nacional
s/n	sin número
S.O.	Suborden
SO	suroeste o sudoeste
S/L	sin letra
S/P	sin pagaré
S/G	sin giro
S/ch	sin cheque
S/rbo	sin recibo
soc.	sociedad
Sociol.	Sociología
sociol.	sociológico
Son.	Sonora
sov.	soviético, ca
S.R.I.	Santa Romana Iglesia
Sr.	señor
Sra.	señora
Srita.	señorita
Sría.	Secretaría
Sria.	secretaria
Srio.	secretario
S.S.	Su Santidad
S.S.S.	Su Seguro Servidor
SSE	sur sudeste
Sta.	Santa
Sto.	santo
Sto. Dom.	Santo Domingo
subj.	subjuntivo
sup.	superficie
superl.	superlativo
surafr.	surafricano
s/ord	su orden
s/p	su pagaré
ss.ss.	seguros servidores
Sucr.	sucesor
suc.	sucursal
Sucrs.	sucesores
s/l	su letra
Sin.	Sinaloa
t.	tonelada
Tab.	Tabasco
Tamps.	Tamaulipas
Taurom.	Tauromaquia
tb.	también
tecn.	tecnicismo; tecnología
tel.	teléfono
temp.	temperatura
Teol.	Teología
teol.	teológico, ca; teólogo
Terap.	Terapéutica
terap.	terapéutico
term.	terminación
térm. mun.	término municipal
territ.	territorio
text.	textil
tít.	título
Tlax.	Tlaxcala
Tol.	Toluca
ton. m.	tonelada métrica
tons. m.	toneladas métricas
topogr.	topografía
tox.	toxicología
tr.	transitivo
trad.	traducción
trig.	trigonometría
trop.	tropical
Tte.	Teniente
TV.	televisión
Ud.	usted
Uds.	ustedes
últ.	último, ma
unipers.	unipersonal
Univ.	Universidad
Urug.	Uruguay
urug.	uruguayo
V.	voltio
v.	verbo; villa

v	valor
Vall.	Valladolid
var.	variedad
Vda.	viuda
V.E.	Vuestra Excelencia
Ven.	Venerable
Venez.	Venezuela
venez.	venezolano
Ver.	Veracruz
veter.	veterinaria; veterinario
v. gr.	verbigracia (por ejemplo)
Vicepres.	Vicepresidente
Vo. Bo.	Visto Bueno
vol.	volumen
vols.	volúmenes
V.S.	Vuestra Señoría
v. tr.	verbo transitivo
vulg.	vulgarismo
w.	watio
yac.	yacimiento
Yuc.	Yucatán
yug.	yugoslavo
Zac.	Zacatecas
Zool.	Zoología
zool.	zoológico

LAS SIGLAS MÁS USUALES EN LA COMUNICACIÓN

Sigla: Son las letras iniciales de las palabras que nombran a organizaciones e instituciones. Sólo se emplean mayúsculas, salvo algunas excepciones, y no se anota punto en las siglas.

ABM	Asociación de Banqueros de México
AC	Asociación Civil
ACLA	Asociación Comercial Latino Americana
ADO	Autobuses de Oriente
AFRC	Administración Fiscal Regional del Centro
AHMSA	Altos Hornos de México, Sociedad Anónima
AIF	Asociación Internacional de Fomento
ALALC	Asociación Latino Americana de Libre Comercio
ALITALIA	Líneas Aéreas Italianas
ALPRO	Alianza para el Progreso
AMA	Asociación Mexicana Automovilística
AMAF	Asociación Mexicana de Arbitros de Fútbol
AMH	Asociación Mexicana de Hoteles
AMPAC	Asociación Mexicana de Periodistas, Asociación Civil
AMPRYT	Asociación Mexicana de Periodistas de Radio y Televisión
ANA	Asociación Nacional de Automovilistas
ANDA	Asociación Nacional de Actores
ANUIES	Asociación Nacional de Universidades e Instituciones de Enseñanza Superior
ARMO	Adiestramiento Rápido de Mano de Obra
ASA	Aeropuerto y Servicios Auxiliares
ASPA	Asociación Sindical de Pilotos Aviadores
B. de M.	Banco de México
BANAMEX	Banco Nacional de México
BANCA CREMI	Banca de Crédito Minero
BANCOMER	Banco Nacional de Comercio
BANCRESER	Banco de Créditos y Servicios
BANFOCO	Banco de Fomento Cooperativo
BANGRICOLA	Banco Nacional de Crédito Agrícola
BANJIDAL	Banco Nacional Ejidal
BANRURAL	Banco de Crédito Rural
BBC	British Broadcasting Cooperation
BCH	Banco de Cédulas Hipotecarias
BID	Banco Interamericano de Desarrollo
CANACINTRA	Cámara Nacional de la Industria y de la Transformación
CAPFCE	Comité Administrador del Programa Federal de Construcción de Escuelas

CBETIS	Centro de Bachillerato Tecnológico Industrial y de Servicios
CCH	Colegio de Ciencias y Humanidades
CEBAS	Centro de Educación Básica para Adultos
CEBATAS	Centro de Bachillerato Tecnológico Agropecuario y de Servicios
CECA	Centros de Capacitación
CEE	Comunidad Económica Europea (Mercomún)
CELEX	Centro de Lenguas Extranjeras
CENAPRO	Centro Nacional de Productividad
CENETI	Centro Nacional de Enseñanza Técnica Industrial
CEPAM	Comisión Económica para la América Latina
CEPES	Centro de Estudios Políticos, Económicos y Sociales
CETES	Certificados de la Tesorería
CETIS	Centro de Estudios Tecnológicos Industriales y de Servicios
CETMA	Centro de Estudios Tecnológicos Mexicano Alemán
CFE	Comisión Federal de Electricidad
CFI	Corporación Financiera Internacional
CGT	Confederación General del Trabajo
CIA	Agencia Central de Inteligencia (siglas en inglés)
CICOM	Centro Investigador de las Culturas Olmeca Maya
CIESAS	Centro de Investigación y Estudios Superiores en Antropología Social
CIET	Colegio Iberoamericano de Estudios Turísticos
CIIS	Centro de Investigación para la Integración Social
CISE	Centro de Investigaciones y Servicios Educativos
CL y F del C	Compañía de Luz y Fuerza del Centro, Sociedad Anónima
CLAD	Colegio de Licenciados en Administración
CLIDDA	Clínica de Detección y Diagnóstico Automatizados
CNC	Confederación Nacional Campesina
CNIA	Comisión Nacional de la Industria Azucarera
CNOP	Confederación Nacional de Organizaciones Populares
CNP	Consejo Nacional de la Publicidad
CNT	Confederación Nacional del Trabajo
CNTE	Consejo Nacional Técnico de la Educación
CODEUR	Comisión de Desarrollo Urbano
COFAA	Comisión de Operación y Fomento de Actividades Académicas
COI	Comité Olímpico Internacional
CONACITE	Corporación Nacional Cinematográfica Trabajadores y Estado
CONACURT	Consejo Nacional de Cultura y Recreación para los Trabajadores
CONACYT	Consejo Nacional de Ciencia y Tecnología
CONADECA	Comisión Nacional del Cacao
CONAFE	Consejo Nacional de Fomento Educativo
CONAFRUT	Consejo Nacional de Fruticultura
CONALEP	Colegio Nacional de Educación Profesional Técnica
CONAPO	Consejo Nacional de Población
CONASUPO	Compañía Nacional de Subsistencias Populares
CONATUR	Consejo Nacional de Turismo
CONCACAF	Confederación Centro Americana y del Caribe de Asociaciones de Fútbol
CONCAMIN	Confederación de Cámaras Industriales
CONCANACO	Confederación de Cámaras Nacionales de Comercio
CONESCAI	Centro Nacional de Construcciones Escolares para América Latina en el Caribe
CONLA	Colegio Nacional de Licenciados en Administración
COPLAMAR	Coordinación General de Plan Nacional de Zonas Deprimidas y Grupos Marginados
COSSIES	Comisión Coordinadora del Servicio Social de Estudiantes de las Instituciones de Educación Superior
COSUTH	Consejo Superior de Turismo y Hotelería
COVE	Cooperativa de Vestuario y Equipos
CREA	Consejo Nacional de Recursos para la Atención de la Juventud
CREFAL	Centro Nacional de Educación de Adultos y Alfabetización Funcional para la América Latina

CROM	Confederación Revolucionaria de Obreros Mexicanos
CTIS	Centro Tecnológico Industrial y de Servicios
CTM	Confederación de Trabajadores Mexicanos
CU	Ciudad Universitaria
CUF	Comité de Unificación de Frecuencia
DAAC	Departamento de Asuntos Agrarios y Colonización
DDF	Departamento del Distrito Federal
DFEP	Dirección Federal de Educación Primaria
DGCMPM	La Dirección General de Capacitación y Mejoramiento Profesional del Magisterio
DGEI	Dirección General de Educación Infantil
DGEMS	Dirección General de Educación Media Superior
DGES	Dirección General de Educación Secundaria
DGEST	Dirección General de Educación Secundaria Técnica
DGETI	Dirección General de Educación Tecnológica Industrial
DGPT	Dirección General de Policía y Tránsito
DIF	Desarrollo Integral de la Familia
EME	Embajadores Mexicanos en el Extranjero
ENAMACTI	Escuela Nacional de Maestros de Capacitación para el Trabajo Industrial
ENCB	Escuela Nacional de Ciencias Biológicas
ENEF	Escuela Nacional de Educación Física
ENEP	Escuela Nacional de Educación Profesional
ENM	Escuela Nacional de Medicina
ENS	Escuela Normal Superior
ESCA	Escuela Superior de Comercio y Administración
ESIA	Escuela Superior de Ingeniería y Arquitectura
ESIME	Escuela Superior de Ingeniería Mecánica Eléctrica
ESIQUIE	Escuela Superior de Ingeniería Química e Industrial Extractivas
ETA	Escuela Tecnológica Agropecuaria
EUA	Estados Unidos de América
EXIMBANK	Banco de Exportaciones e Importaciones
FAM	Fuerza Aérea Mexicana
FAO	Organización para la Alimentación y Agricultura
FBI	Federal Bureau of Investigations
FEP	Federación de Escuelas Particulares
FESUNTU	Federación Sindical Unitaria de Trabajadores Universitarios
FIEP	Fideicomiso para la Investigación y Educación Pesquera
FIFA	Federación Internacional de Fútbol Amateur
FLACSO	Facultad Latino Americana de Ciencias Sociales
FM	Frecuencia Modulada
FMI	Fondo Monetario Internacional
FOCCE	Fideicomiso para el Otorgamiento de Crédito a Cooperativas Escolares
FONACOT	Fondo Nacional de Crédito para los Trabajadores
FONAFE	Fondo Nacional de Fomento Ejidal
FONAPAS	Fondo Nacional para Actividades Escolares
FONATUR	Fondo Nacional para el Turismo
FONEI	Fondo Nacional de Equipamiento Industrial
FONEP	Fondo Nacional de Estudios y Proyectos
FOVISSSTE	Fondo para la Vivienda del Instituto de Seguridad y Servicios Sociales para los Trabajadores del Estado
FSTSE	Federación de Sindicatos de los Trabajadores al Servicio del Estado
GE	Gobernador de Estado
HBD	Hispanic Books Distributors

IATA	Asociación de Transportes Internacionales
IBM	Compañía Internacional de Máquinas
ICA	Ingenieros Civiles Asociados
ICSA	Instituto de Ciencias Sociales y Administrativas
IEM	Industria Eléctrica de México
IEPES	Instituto de Estudios Políticos, Económicos y Sociales
IFAL	Instituto Francés de América Latina
ILCE	Instituto Latino Americano de Comunicación Educativa
IMCE	Instituto Mexicano de Comercio Exterior
IMCO	Organización Intergubernamental Consultiva de la Navegación Marítima
IMCP	Instituto Mexicano de Contadores Públicos
IMICE	Instituto Mexicano de Informática y Computación Electrónica
IMP	Instituto Mexicano del Petróleo
IMPECSA	Impulsora del Pequeño Comercio
IMSS	Instituto Mexicano del Seguro Social
INAH	Instituto Nacional de Antropología e Historia
INAOE	Instituto Nacional de Astrofísica Óptica y Electrónica
INBA	Instituto Nacional de Bellas Artes
INCA	Instituto Nacional de Capacitación del Sector Agropecuario
INDECO	Instituto de Desarrollo de la Comunidad
INDETEL	Industria de Telecomunicaciones, Sociedad Anónima
INEA	Instituto Nacional de Educación para Adultos
INFONAVIT	Instituto del Fondo Nacional para la Vivienda de los Trabajadores
INI	Instituto Nacional Indigenista
INIA	Instituto Nacional de Investigación Agrícola
ININ	Instituto Nacional de Investigaciones Nucleares
INJUVE	Instituto Nacional de la Juventud Mexicana
INMECAFE	Instituto Mexicano del Café
INTERPOL	Policía Internacional
IPN	Instituto Politécnico Nacional
ISSSTE	Instituto de Seguridad y Servicios Sociales para los Trabajadores del Estado
ITA	Instituto Tecnológico Agropecuario
ITT	Instituto Tecnológico Tijuana
IVA	Impuesto al Valor Agregado
JMAS	Junta Municipal de Agua y Saneamiento
KLM	Compañía Real Holandesa de Aviación
LADA	Larga Distancia Automática
LGICOA	Ley General de Instituciones de Crédito y Organizaciones Auxiliares
LGSM	Ley General de Sociedades Mercantiles
LGTOC	Ley General de Títulos y Operaciones de Crédito
LICONSA	Leche Industrializada de la CONASUPO, S.A.
LMPE	Liga Mexicana de Radioexperimentadores
LN	Lotería Nacional
LOCATEL	Localización Telefónica
LOPPE	Ley de Organizaciones Políticas y Procesos Electorales
MCC	Mercado Común Centroamericano
MCE	Mercado Común Europeo
NAFINSA	Nacional Financiera, Sociedad Anónima
NATO	Organización del Tratado del Atlántico Norte (siglas en inglés)
OACI	Organización de Aviación Civil Internacional
ODECA	Organización de Estados Centro Americanos

OEA	Organización de Estados Americanos
OFH	Oficina Federal de Hacienda
OIEA	Organismo Internacional de Energía Atómica
OIT	Organismo Internacional del Trabajo
OMM	Organización Meteorológica Mundial
OMS	Organización Mundial de la Salud
ONU	Organización de las Naciones Unidas
OPEP	Organización de Países Exportadores de Petróleo
OTAN	Organización del Tratado del Atlántico Norte
OTI	Organización de Televisión Iberoamericana
OVNI	Objeto Volador no Identificado
PAN	Partido de Acción Nacional
PARM	Partido Auténtico de la Revolución Mexicana
PCM	Partido Comunista Mexicano
PDM	Partido Demócrata Mexicano
PEMEX	Petróleos Mexicanos
PGJDF	Procuraduría General de Justicia del Distrito Federal
PGR	Procuraduría General de la República
PIDER	Programa Integral de Desarrollo Rural
PIPSA	Productora e Importadora de Papel, Sociedad Anónima
PLANCOMER	Plan de Inversiones del Banco de Comercio
PMT	Partido Mexicano de los Trabajadores
PPS	Partido Popular Socialista
PRI	Partido Revolucionario Institucional
PROFAM	Promotora Nacional de Planificación Familiar
PRONAF	Programa Nacional Fronterizo
PRONARTE	Productora Nacional de Radio y Televisión
PRONASE	Productora Nacional de Semillas
PRT	Partido Revolucionario de los Trabajadores
PST	Partido Socialista de los Trabajadores
PSUM	Partido Socialista Unificado de México
RAF	Real Fuerza Aérea (Inglaterra)
RAU	República Árabe Unida
RTC	Dirección General de Radio, Televisión y Cinematografía
SA de CV	Sociedad Anónima de Capital Variable
SA de RL	Sociedad Anónima de Responsabilidad Limitada
SAHOP	Secretaría de Asentamientos Humanos y Obras Públicas
SAM	Sistema Alimentario Mexicano
SARH	Secretaría de Agricultura y Recursos Hidráulicos
SCEP	Servicios Coordinados de Educación Pública
SCFI	Secretaría de la Contraloría General de la Federación
SCT	Secretaría de Comunicaciones y Transportes
SDN	Secretaría de la Defensa Nacional
SECOFI	Secretaría de Comercio y Fomento Industrial
SECOM	Secretaría de Comercio
SECTUR	Secretaría de Turismo
SEDENA	Secretaría de la Defensa Nacional
SEDUE	Secretaría de Desarrollo Urbano y Ecología
SEM	Subsecretaría de Educación Media
SEMAFO	Servicio Médico Forense
SEMIP	Secretaría de Energía, Minas e Industria Paraestatal
SEMTS	Subsecretaría de Educación Media, Técnica y Superior
SEP	Secretaría de Educación Pública
SEPAFIN	Secretaría de Patrimonio y Fomento Industrial

SEPANAL	Secretaría de Patrimonio Nacional
SERVYTUR	Servicio y Turismo
SETTAI	Servicio de Transportación Terrestre del Aeropuerto Internacional
SG	Secretaría de Gobernación
SHCP	Secretaría de Hacienda y Crédito Público
SIC	Secretaría de Industria y Comercio
SIDA	Síndrome de Inmuno Deficiencia Adquirida
SINATEL	Sindicato Nacional de Telefonistas
SM	Secretaría de Marina
SME	Sistema Monetario Europeo
SMI	Sistema Monetario Internacional
SMN	Servicio Metereológico Nacional
SNTE	Sindicato Nacional de Trabajadores de la Educación
SP	Secretaría de Pesca
SPP	Secretaría de Programación y Presupuesto
SRA	Secretaría de la Reforma Agraria
SRE	Secretaría de Relaciones Exteriores
SSA	Secretaría de Salubridad y Asistencia
ST	Secretaría de Turismo
STC	Sistema de Transporte Colectivo
SUTERM	Sindicato Único de Trabajadores Electricistas de la República Mexicana
STEUNAM	Sindicato de Trabajadores y Empleados de la Universidad Nacional Autónoma de México
STPS	Secretaría del Trabajo y Previsión Social
SUMESA	Supermercados, Sociedad Anónima
TELMEX	Teléfonos de México, Sociedad Anónima
UABC	Universidad Autónoma de Baja California
UACH	Universidad Autónoma de Chihuahua
UACJ	Universidad Autónoma de Ciudad Juárez
UAM	Universidad Autónoma Metropolitana
UIA	Universidad Iberoamericana
UIT	Unión Internacional de Telecomunicaciones
UMAI	Unión Mexicana de Asociaciones de Ingenieros, A.C.
UNAM	Universidad Nacional Autónoma de México
UNESCO	Organización de las Naciones Unidas para la Educación, Ciencia y la Cultura
UNICEF	Fondo Internacional para la Infancia
UNPASA DE CV	Unión Nacional de Productores de Azúcar, Sociedad Anónima de Capital Variable
UPADI	Unión Panamericana de Asociaciones de Ingenieros
UPN	Universidad Pedagógica Nacional
URSS	Unión de Repúblicas Soberanas Soviéticas
UTU	Unión Postal Universal

SÉPTIMA PARTE

ESCRITURA DE LOS NÚMEROS CARDINALES

1	uno	12	doce
2	dos	13	trece
3	tres	14	catorce
4	cuatro	15	quince
5	cinco	16	dieciséis
6	seis	17	diecisiete
7	siete	18	dieciocho
8	ocho	19	diecinueve
9	nueve	20	veinte
10	diez	21	veintiuno, ventiún
11	once	22	veintidós

23	veintitrés
24	veinticuatro
25	veinticinco
26	veintiséis
27	veintisiete
28	veintiocho
29	veintinueve
30	treinta
31	treinta y uno
32	treinta y dos
33	treinta y tres
34	treinta y cuatro
35	treinta y cinco
36	treinta y seis
37	treinta y siete
38	treinta y ocho
39	treinta y nueve
40	cuarenta
41	cuarenta y uno
42	cuarenta y dos
50	cincuenta
51	cincuenta y uno
52	cincuenta y dos
60	sesenta
61	sesenta y uno
62	sesenta y dos
70	setenta
71	setenta y uno
72	setenta y dos
80	ochenta
81	ochenta y uno
82	ochenta y dos
90	noventa
91	noventa y uno
92	noventa y dos
100	cien
101	ciento uno
102	ciento dos
103	ciento tres
104	ciento cuatro
105	ciento cinco
106	ciento seis
107	ciento siete
108	ciento ocho
109	ciento nueve
110	ciento diez
111	ciento once
112	ciento doce
113	ciento trece
114	ciento catorce
115	ciento quince
116	ciento dieciséis
117	ciento diecisiete
118	ciento dieciocho
119	ciento diecinueve
120	ciento veinte
121	ciento veintiuno

122	ciento veintidós
123	ciento veintitrés
124	ciento veinticuatro
125	ciento veinticinco
126	ciento veintiséis
127	ciento veintisiete
128	ciento veintiocho
129	ciento veintinueve
130	ciento treinta
131	ciento treinta y uno
132	ciento treinta y dos
133	ciento treinta y tres
134	ciento treinta y cuatro
135	ciento treinta y cinco
136	ciento treinta y seis
137	ciento treinta y siete
138	ciento treinta y ocho
139	ciento treinta y nueve
140	ciento cuarenta
141	ciento cuarenta y uno
142	ciento cuarenta y dos
150	ciento cincuenta
151	ciento cincuenta y uno
152	ciento cincuenta y dos
160	ciento sesenta
161	ciento sesenta y uno
162	ciento sesenta y dos
170	ciento setenta
171	ciento setenta y uno
172	ciento setenta y dos
180	ciento ochenta
181	ciento ochenta y uno
182	ciento ochenta y dos
190	ciento noventa
191	ciento noventa y uno
192	ciento noventa y dos
200	doscientos
201	doscientos uno
203	doscientos tres
224	doscientos veinticuatro
250	doscientos cincuenta
294	doscientos noventa y cuatro
300	trescientos
306	trescientos seis
311	trescientos once
400	cuatrocientos
413	cuatrocientos trece
500	quinientos
525	quinientos veinticinco
600	seiscientos
678	seiscientos setenta y ocho
700	setecientos
731	setecientos treinta y uno
800	ochocientos
833	ochocientos treinta y tres
900	novecientos
999	novecientos noventa y nueve

1000	mil	70,110	setenta mil ciento diez
1001	mil uno	80,000	ochenta mil
1010	mil diez	80,739	ochenta mil setecientos treinta y nueve
1999	mil novecientos noventa y nueve	90,000	noventa mil
2000	dos mil	90,999	noventa mil novecientos noventa y nueve
2003	dos mil tres	100,000	cien mil
3000	tres mil	100,010	cien mil diez
3389	tres mil trescientos ochenta y nueve	200,000	doscientos mil
4000	cuatro mil	200,120	doscientos mil ciento veinte
4031	cuatro mil treinta y uno	300,000	trescientos mil
5000	cinco mil	301,012	trescientos un mil doce
5021	cinco mil veintiuno	400,000	cuatrocientos mil
6000	seis mil	410,000	cuatrocientos diez mil
6777	seis mil setecientos setenta y siete	500,000	quinientos mil
7000	siete mil	535,261	quinientos treinta y cinco mil doscientos sesenta y uno
7040	siete mil cuarenta	600,000	seiscientos mil
8000	ocho mil	600,003	seiscientos mil tres
8200	ocho mil doscientos	700,000	setecientos mil
9000	nueve mil	740,468	setecientos cuarenta mil cuatrocientos sesenta y ocho
9999	nueve mil novecientos noventa y nueve	800,000	ochocientos mil
10,000	diez mil	835,259	ochocientos treinta y cinco mil doscientos cincuenta y nueve
10,101	diez mil ciento uno	900,000	novecientos mil
14,345	catorce mil trescientos cuarenta y cinco	999,999	novecientos noventa y nueve mil novecientos noventa y nueve
20,000	veinte mil	1,000,000	un millón
20,856	veinte mil ochocientos cincuenta y seis	2,930,089	dos millones novecientos treinta mil ochenta y nueve
30,000	treinta mil	18,023,611	dieciocho millones veintitrés mil seiscientos once
30,001	treinta mil uno	25,000,238	veinticinco millones doscientos treinta y ocho
40,000	cuarenta mil	90,000,000	noventa millones
40,537	cuarenta mil quinientos treinta y siete		
50,000	cincuenta mil		
50,139	cincuenta mil ciento treinta y nueve		
60,000	sesenta mil		
60,040	sesenta mil cuarenta		
70,000	setenta mil		

ESCRITURA DE LOS NÚMEROS ORDINALES

1o.	primero, primer	18o.	décimo octavo
2o.	segundo	19o.	décimo noveno
3o.	tercero, tercer	20o.	vigésimo
4o.	cuarto	21o.	vigésimo primero
5o.	quinto	22o.	vigésimo segundo
6o.	sexto	23o.	vigésimo tercero
7o.	séptimo	24o.	vigésimo cuarto
8o.	octavo	25o.	vigésimo quinto
9o.	noveno	26o.	vigésimo sexto
10o.	décimo	27o.	vigésimo séptimo
11o.	undécimo o décimo primero	28o.	vigésimo octavo
12o.	duodécimo o décimo segundo	29o.	vigésimo noveno
13o.	décimo tercero	30o.	trigésimo
14o.	décimo cuarto	31o.	trigésimo primero
15o.	décimo quinto	32o.	trigésimo segundo
16o.	décimo sexto	40o.	cuadragésimo
17o.	décimo séptimo	41o.	cuadragésimo primero

42o.	cuadragésimo segundo	301o.	tricentésimo primero
50o.	quincuagésimo	302o.	tricentésimo segundo
51o.	quincuagésimo primero	400o.	cuadringentésimo
52o.	quincuagésimo segundo	401o.	cuadringentésimo primero
60o.	sexagésimo	402o.	cuadringentésimo segundo
61o.	sexagésimo primero	500o.	quingentésimo
62o.	sexagésimo segundo	501o.	quingentésimo primero
70o.	septuagésimo	502o.	quingentésimo segundo
71o.	septuagésimo primero	600o.	sexcentésimo
72o.	septuagésimo segundo	601o.	sexcentésimo primero
80o.	octagésimo	602o.	sexcentésimo segundo
81o.	octagésimo primero	700o.	septingentésimo
82o.	octagésimo segundo	701o.	septingentésimo primero
90o.	nonagésimo	702o.	septingentésimo segundo
91o.	nonagésimo primero	800o.	octingentésimo
92o.	nonagésimo segundo	801o.	octingentésimo primero
100o.	centésimo	802o.	octingentésimo segundo
101o.	centésimo primero	900o.	noningentésimo
102o.	centésimo segundo	901o.	noningentésimo primero
200o.	ducentésimo	902o.	noningentésimo segundo
201o.	ducentésimo primero	1000o.	milésimo
202o.	ducentésimo segundo	1005o.	milésimo quinto
300o.	tricentésimo	1,000,000o.	millonésimo

ESCRITURA DE LOS NÚMEROS PARTITIVOS

Número partitivo es el que puede ser partido o dividido. Son usados en las fracciones comunes. Ejemplo: 1/3 (un tercio).

1/2	un medio	1/30	un treintavo
1/3	un tercio	1/40	un cuarentavo
1/4	un cuarto	1/50	un cincuentavo
1/5	un quinto	1/60	un sesentavo
2/6	dos sextos	1/70	un setentavo
2/7	dos séptimos	1/80	un ochentavo
2/8	dos octavos	1/90	un noventavo
2/9	dos novenos	1/100	un centésimo
1/10	un décimo	1/200	un doscientosavo
1/11	un onceavo	1/300	un trescientosavo
1/12	un doceavo	1/400	un cuatrocientosavo
1/13	un treceavo	1/500	un quinientosavo
2/14	dos catorceavos	1/600	un seiscientosavo
2/15	dos quinceavos	1/700	un setecientosavo
2/16	dos dieciseisavos	1/800	un ochocientosavo
2/17	dos diecisieteavos	1/900	un novecientosavo
1/18	un dieciochoavo	1/1000	un milésimo
1/19	un diecinueveavo	1/10,000	un diezmilésimo
1/20	un veinteavo		

ESCRITURA DE LOS NÚMEROS ROMANOS

Las reglas o normas de la numeración romana son las siguientes:

1. La numeración romana tiene siete letras o grafías y deberán escribirse con mayúsculas.

I	V	X	L	C	D	M	LETRAS
1	5	10	50	100	500	1000	VALOR

2. Si a la derecha de una cifra se agrega otra; se va aumentando el valor de ésta.

L + X + X = 50+10+10=70 LXX

3. Si a la "V" o "X" le anotas antes una "I" deberá restar una unidad.

IV= 5−1=4 IV
IX= 10−1=9 IX

4. Si a la "L" o "C" le escribes antes una "X" deberás restar diez unidades.

XL= 50−10=40 XL
XC= 100−10=90 XC

5. Si a la "D" o "M" le anotas antes una "C" deberás restar 100 unidades.

CD= 500−100=400 CD
CM= 1000−100=900 CM

6. Una letra podrá sólo repetirse tres veces.

CCC=300 CCCC=400 incorrecto CD
XXX=30 XXXX=40 incorrecto XL

7. No podrán repetirse la "V", la "L" y la "D"; porque otras cifras tienen este valor.

V+V=10 X=10 diez
L+L=100 C=100 cien
D+D=1000 M=1000 mil

8. Una raya escrita encima del número expresa millares, dos rayas millones y así sucesivamente.

$\overline{\text{CDLVIII}}$CXXVIII=458, 128

EJERCICIOS

1. Escriba las abreviaturas de las siguientes palabras:

Aguascalientes ______Ags.______ atento ____________
boliviano ____________ capítulo ____________
Calzada ____________ doctor ____________
ilustración ____________ Jalisco ____________
masculino ____________ mexicano ____________
nosotros ____________ página ____________
profesora ____________ profeta ____________
señorita ____________ también ____________
teléfono ____________ usted ____________
volumen ____________ Yucatán ____________
yugoslavo ____________ Zacatecas ____________

2. **Anota el significado de las siglas que se te proporcionan:**

ANDA Asociación Nacional de Actores

CAPFCE ______

CBETIS ______

CEBAS ______

CISE ______

CONASUPO ______

DGCMPM ______

DGEST ______

ENS ______

FOVISSSTE ______

ICA ______

INBAL ______

ISSSTE ______

SEDUE ______

SHCP ______

SETTAI ______

SIDA ______

SNTE ______

UACJ ______

UNAM ______

UNESCO ______

UPN ______

3. Escriba los números cardinales de los siguientes casos:

5 cinco ____________________

9 ____________________

10 ____________________

16 ____________________

20 ____________________

22 ____________________

23 ____________________

26 ____________________

34 ____________________

98 ____________________

600 ____________________

625 ____________________

700 ____________________

800 ____________________

900 ____________________

1004 ____________________

1040 ____________________

1,257 ____________________

5,384 ____________________

9,701 ____________________

10,315 ____________________

447,684 ____________________

____

2,313,616 ____________________

____

425,938,315 ____________________

____

4. Anota los números ordinales de los siguientes casos:

1o. primero, primer ____________________

3o. ____________________

10o. ____________________

11o. ____________________

12o. ____________________

20o. ____________________

30o. ____________________

40o. ____________________

50o. ____________________

55o.

100o.

200o.

399o.

400o.

500o.

600o.

700o.

800o.

1000o.

1,000,000o.

5. Escriba los números partitivos de los siguientes casos:

1/2 un medio

1/3

3/5

2/6

2/16

1/30

1/40

1/50

1/60

1/70

1/80

1/90

1/100

1/200

1/300

1/400

1/500

1/600

1/700

1/1000

1/10,000

6. Anota los números romanos de los siguientes casos:

3	III	4	
9		10	
30		40	

90	______	100	______
259	______	427	______
573	______	896	______
900	______	1,859	______
8,335	______	3,595	______
20,384	______	359,914	______

OCTAVA PARTE

LAS FORMAS DEL VERBO

Antes de iniciar el tema que ahora nos ocupa es básico que conozcas lo siguiente:

Verbo: Es la parte cambiante o variable de la oración que manifiesta acción, pasión o existencia de las personas o cosas. Con esto queremos decir que el sujeto es o realiza algo.

Si faltara el núcleo del predicado —verbo— en los elementos que constituyen el enunciado bimembre —oración— no habría relación alguna.

La oración o enunciado bimembre puede constar de un verbo simple (yo manejo), de un verbo compuesto (yo he manejado); también puede tener sujeto morfológico o tácito (cantaremos el próximo jueves en Bellas Artes), pero si se omitiera o quitara el verbo no se entendería la oración. Ejemplo:

Los estudiantes compraron el libro de "Ortografía Didáctica" para practicar las formas irregulares del verbo.

Los estudiantes el libro de "Ortografía Didáctica" para practicar las formas irregulares del verbo. ¿Qué le hizo falta en este caso? Explícalo a tus compañeros oralmente.

CLASIFICACIÓN DE LOS VERBOS

Por su Composición

Son los cambios que tienen los verbos al conjugarse. Veamos:

1. REGULARES: son los que no cambian su lexema, sólo los gramemas verbales. Ejemplos: acab<u>ar</u>, aprend<u>er</u>, abr<u>ir</u>, etc.

   a) Yo acabo, tú acabas, él acaba, nosotros acabamos, ustedes* acaban, ellos acaban.

   b) Yo acabé, tú ______

   c) Yo acabaré, tú ______

   d) Yo aprendo, tú ______

   e) Yo abro, tú ______

2. IRREGULARES: son los que tienen diferente lexema y gramema verbales. Si un verbo cambia la terminación en un tiempo el lexema estará dentro de las formas irregulares. Ejemplos: empezar, ser, repetir.

   a) Yo empiezo, tú empiezas, él empieza, nosotros empezamos, ustedes empiezan, ellos empiezan.

   b) Yo empecé, tú ______

   c) Yo soy, tú ______

   d) Yo fui, tú ______

   e) Yo seré, tú ______

   f) Yo era, tú ______

*Nota del Editor: En la segunda persona del plural el autor sólo sigue la forma más usual.

g) Yo sería, tú ______________________

____

h) Yo repito, tu ______________________

____

3. SIMPLES: es una acción que consta de un pronombre personal y un verbo. Ejemplos: yo amo, tú comiste, él escribirá, etc.

4. COMPUESTOS: es una acción que consta de un pronombre personal, un verbo auxiliar —haber— y su participio correspondiente. Ejemplos: yo he amado, tú hubiste comido, él habrá escrito, etc.

Por la manera de la Conjugación

Son los verbos que admiten todos los pronombres personales: yo, tú, él, nosotros, ustedes, ellos. Habrá excepciones que sólo acepten uno; esto dependerá de la constitución del núcleo del predicado —verbo—. El verbo se clasifica en:

1. PRONOMINAL: se conjuga en todos los tiempos y pronombres personales. Ejemplos: yo acepto, tú alquilas, él barre, nosotros comemos, ustedes cumplen, ellos escriben.
2. IMPERSONAL: carece de sujeto y solamente puede conjugarse en las terceras personas. Ejemplos: llueve, relampaguea, nieva, chispea, etc.
3. DEFECTIVO: son los verbos que sólo se conjugan en algunos tiempos o personas. Ejemplo: abolir.

a) Nosotros abolimos (sólo admite la primera persona del plural).

b) Yo abolí, tú ______________________

____

c) Yo aboliré, tú ______________________

____

d) Yo abolía, tú ______________________

____

e) Yo aboliría, tú ______________________

____

Por su Significado

Estos verbos tendrán una función concreta en el enunciado bimembre (oración). Veamos:

1. AUXILIARES: se emplean en la conjugación de los tiempos compuestos de cualquier verbo. Nos referimos al verbo "ser" y "haber". Ejemplos: El departamento **será remodelado** el próximo año. Mariana **ha decidido** irse a Canadá.

a) Yo he, tú has, él ha, nosotros hemos, ustedes han, ellos han.

b) Yo hube, tú ______________________

____

c) Yo habré, tú ______________________

____

d) Yo había, tú ______________________

____

e) Yo habría, tú ______________________

____

2. COPULATIVOS: son útiles para unir el predicativo al sujeto. Los más comunes son el verbo "ser" y "estar". Ejemplos: El Rey es Kara. La caja estaba vacía.
3. TRANSITIVOS: la acción pasa del sujeto a otro sustantivo en el mismo enunciado bimembre —oración—. Ejemplos: La madre peina a la niña (objeto indirecto). Ellos construyeron un edificio muy alto (objeto directo).
4. INTRANSITIVOS: la acción permanece en el sujeto. Ejemplos: El joven corre todos los días. Todos vivimos en Cuernavaca.
5. REFLEXIVOS: la acción recae en el mismo sujeto que la efectúa. Se utilizan los siguientes pronombres: me, te, se, nos. Ejemplos: Yo me quejo, tú te quejas, etc.

   Algunos verbos transitivos e intransitivos pueden ser reflexivos. Ejemplo: bañarse. Yo me baño, tú te bañas, etc.
6. RECÍPROCOS: expresan una acción de un verbo realizada entre dos o más personas. Ejemplo: Beto y Ariana se tutean desde la niñez.

CARACTERÍSTICAS DEL VERBO

Lo que singulariza a un verbo es el modo, la persona, el número y el tiempo. Veamos.
Modo: es la manera como el hablante juzga las acciones: indicativo, subjuntivo e imperativo.

1. INDICATIVO: manifiesta la existencia o acción de un verbo de una forma verídica, o sea, expresa un hecho real y preciso. Ejemplos: yo nado, tú pintaste, etc.
2. SUBJUNTIVO: expresa una acción manifestando deseo, temor o duda. El subjuntivo dependerá siempre del indicativo. Ejemplos: **Quiero** que **sepas** la verdad, **Deseo** que **cantes** con la entonación adecuada.

3. IMPERATIVO: es una orden o mandato sobre algo que queremos que una persona realice. Ejemplos: cállate, cállense, haz la tarea, etc.

Persona: persona gramatical es el pronombre personal que utilizamos para conjugar los diferentes tiempos del verbo. Están clasificados en primera, segunda y tercera personas del singular y del plural.

1. PRIMERA PERSONA: cuando el sujeto se refiere a la persona que habla. Ejemplo: yo bailo, nosotros cantamos.
2. SEGUNDA PERSONA: cuando el sujeto se refiere a la persona con quien se habla. Ejemplos: tú bailas, ustedes cantan.
3. TERCERA PERSONA: cuando el sujeto se refiere a la persona de quien se habla. Ejemplos: Él o ella baila, ellos o ellas cantan.

Número: es la cantidad de seres o cosas que participan en una acción. Puede ser singular —yo bailo— o plural —ustedes bailan—.

Tiempo: conjugar un verbo es recitar o escribirlo en el modo, tiempo, número y persona correspondientes.

Por su terminación los verbos se clasifican en tres conjugaciones o modelos: la primera, verbos cuyo infinitivo acaba en "ar"; la segunda, en "er" y la tercera en "ir".

Tiempo es el momento en que se efectúa o hace una acción. Los tiempos pueden ser de dos tipos:

a) SIMPLES: presente, pretérito o pasado, futuro, copretérito, y pospretérito.
b) COMPUESTOS: antepresente, antepretérito o antepasado, antefuturo, antecopretérito y antepospretérito.

MODO INDICATIVO: TIEMPOS SIMPLES

PRESENTE: la acción se efectúa en el instante. Ejemplo: Ellos bailan con frecuencia.

1. Amar: yo amo, tú ______________________

____

2. Comer: yo como, tú ____________________

____

3. Partir: yo parto, tú ____________________

____

Regulares: acabar, aceptar; aprender, barrer; abrir, cumplir.
Irregulares: cerrar, despertar; ser, conocer; invertir, dormir.

PRETÉRITO: es una acción acabada y que se terminó con anterioridad. Ejemplo: Yo escribí algunos poemas para mi novia.

1. Amar: yo amé, tú ______________________

____

2. Comer: yo comí, tú ____________________

____

3. Partir: yo partí, tú ____________________

____

Regulares: alquilar, arreglar; vender, esconder; escribir, recibir.
Irregulares: acostar, almorzar; devolver, encender; decir, distribuir.

FUTURO: es una acción que se efectuará después. Ejemplo: Los turistas irán a Bellas Artes la próxima semana.

1. Amar: yo amaré, tú ____________________

____

2. Comer: yo comeré, tú ___________________

____

3. Partir: yo partiré, tú ___________________

____

Regulares: cantar, cenar; recorrer, romper; sacudir, vivir.
Irregulares: contar, dar; entender, hacer; ir, oír.

COPRETÉRITO: es una acción pasada pero que no acaba y se relaciona con otra acción pasada. También es una acción pasada que se efectuó con anterioridad. Ejemplos: El maestro hablaba cuando llegó el Director. Mi tía Dolores trabajaba en el Hospital General.

1. Amar: yo amaba, tú ____________________

____

2. Comer: yo comía, tú ____________________

____

3. Partir: yo partía, tú ____________________

____

Regulares: comprar, contestar; beber, comprender; decidir, subir.
Irregulares: empezar, estar; obedecer, poder; pedir, preferir.

POSPRETÉRITO: es una acción posible que se efectúa después de otra acción pretérita o pasada. Ejemplo: El supervisor dijo que los obreros obtendrían un ascenso.

1. Amar: yo amaría, tú ______

______

2. Comer: yo comería, tú ______

______

3. Partir: yo partiría, tú ______

______

Regulares: esperar, faltar; aprender, barrer; acudir, admitir.
Irregulares: jugar, merendar; saber, tener, caber; producir, bendecir.

MODO INDICATIVO: TIEMPOS COMPUESTOS

ANTEPRESENTE: expresa una acción que acaba de realizarse. Ejemplo: Mis primos han llegado de Madrid bastante cansados.

1. Amar: yo he amado, tú ______

______

2. Comer: yo he comido, tú ______

______

3. Partir: yo he partido, tú ______

______

Regulares: acabar, aceptar; aprender, barrer; abrir, cumplir.
Irregulares: cerrar, despertar; ser, conocer; invertir, dormir.

ANTEPRETÉRITO: expresa un hecho inmediato anterior a otro pasado. Ejemplo: Apenas hubo terminado la tarea nos fuimos al concierto de Mahler.

1. Amar: yo hube amado, tú ______

______

2. Comer: yo hube comido, tú ______

______

3. Partir: yo hube partido, tú ______

______

Regulares: alquilar, arreglar; vender, esconder; escribir, recibir.
Irregulares: acostar, almorzar; devolver, encender; decir, distribuir.

ANTEFUTURO: expresa una acción que se realizará pero acabada, y efectuándose otra venidera o futura. Ejemplo: Cuando vuelvas ya habré terminado la portada de tu libro.

1. Amar: yo habré amado, tú ______

______

2. Comer: yo habré comido, tú ______

______

3. Partir: yo habré partido, tú ______

______

Regulares: cantar, cenar; recorrer, romper; sacudir, vivir.
Irregulares: contar, dar; entender, hacer; ir, oír.

ANTECOPRETÉRITO: expresa una acción que se ha efectuado antes de otra también pretérita. Ejemplo: Los estudiantes habían declamado el poema de Juan Ramón Jiménez cuando llegamos al teatro.

1. Amar: yo había amado, tú ______

______

2. Comer: yo había comido, tú ______

______

3. Partir: yo había partido, tú ______

______

Regulares: comprar, contestar; beber, comprender; decidir, subir.
Irregulares: empezar, estar; obedecer, poder; pedir, preferir.

ANTEPOSPRETÉRITO: expresa una acción pasada pero acabada, y coincide con otra posiblemente pretérita o pasada. Ejemplo: Pensé que ya habrías terminado tu carrera.

1. Amar: yo habría amado, tú ______

______

2. Comer: yo habría comido, tú ______

______

3. Partir: yo habría partido, tú ______

______

Regulares: esperar, faltar; aprender, barrer; acudir, admitir.
Irregulares: jugar, merendar; saber, tener, caber; producir, bendecir.

MODO SUBJUNTIVO: TIEMPOS SIMPLES

PRESENTE: expresa un hecho en presente en modo indicativo junto a otro en presente en modo subjuntivo. Ejemplo: Deseo que cantes en Guanajuato.

1. Amar: yo ame, tú ames, él ____________________
2. Comer: yo coma, tú ____________________
3. Partir: yo parta, tú ____________________

Regulares: acabar, aceptar; aprender, barrer; abrir, cumplir.
Irregulares: cerrar, despertar; ser, conocer; invertir, dormir.

PRETÉRITO: consta de dos maneras. La segunda casi no se usa. Expresa un hecho pasado en modo indicativo, y coincide con otro pasado en subjuntivo sujeto a un deseo. Ejemplo: No pensé que tomaras o tomases una decisión tan absurda.

1. Amar: yo amara, tú amaras, él ____________________
2. Amar: yo amase, tú amases, él ____________________
3. Comer: yo comiera, tú ____________________
4. Comer: yo comiese, tú ____________________
5. Partir: yo partiera, tú ____________________
6. Partir: yo partiese, tú ____________________

Regulares: alquilar, arreglar; vender, esconder; escribir, recibir.
Irregulares: acostar, almorzar; revolver, encender; decir.

FUTURO: casi no se emplea. Expresa una posible acción futura. Ejemplo: Al pueblo que fueres haz lo que vieres.

1. Amar: yo amare, tú amares, él ____________________
2. Comer: yo comiere, tú ____________________
3. Partir: yo partiere, tú ____________________

Regulares: cantar, cenar; recorrer, romper; sacudir, vivir.
Irregulares: contar, dar; entender, hacer; ir, oír.

MODO SUBJUNTIVO: TIEMPOS COMPUESTOS

ANTEPRESENTE: expresa un hecho que pudo haberse efectuado antes de otro presente o futuro. Ejemplo: Deseamos que hayan reparado la máquina de escribir. Muy pronto desearemos que haya transcurrido el tiempo.

1. Amar: yo haya amado, tú ____________________
2. Comer: yo haya comido, tú ____________________
3. Partir: yo haya partido, tú ____________________

Regulares: acabar, aceptar; aprender, barrer; abrir, cumplir.
Irregulares: cerrar, despertar; ser, conocer; invertir, dormir.

ANTEPRETÉRITO: consta de dos maneras. La segunda casi no se usa. Es un hecho en modo indicativo o subjuntivo sujeto a otro pasado en subjuntivo, y se expresa como deseo o condición. Ejemplo: Si lo hubieras o hubieses pensado correctamente no tendrías tantas dificultades.

1. Amar: yo hubiera amado, tú ____________________
2. Amar: yo hubiese amado, tú ____________________
3. Comer: yo hubiera comido, tú ____________________
4. Comer: yo hubiese comido, tú ____________________
5. Partir: yo hubiera partido, tú ____________________
6. Partir: yo hubiese partido, tú ____________________

Regulares: alquilar, arreglar; vender, esconder; escribir, recibir.
Irregulares: acostar, almorzar; devolver, encender; decir, distribuir.

ANTEFUTURO: casi no se utiliza. Expresa un hecho futuro en indicativo antes de otro futuro en subjuntivo. Ejemplo: Mañana podrás asistir al partido de fútbol, porque para entonces ya hubieres acabado tu conferencia.

1. Amar: yo hubiere amado, tú ________________

____

2. Comer: yo hubiere comido, tú ________________

____

3. Partir: yo hubiere partido, tú ________________

____

Regulares: cantar, cenar; recorrer, romper; sacudir, vivir.
Irregulares: contar, dar; entender, hacer; ir, oír.

MODO IMPERATIVO

Para la Academia Española sólo puede emplearse en presente —se utiliza para dar órdenes— y en segunda persona en singular y plural. Son tres las maneras en las que puede usarse.

1. PERÍFRASIS VERBAL: consta de un verbo conjugado, y a veces de un nexo más el infinitivo o verboide.
   —Ve a pedir un poco de azúcar con la vecina.
   —Haz el favor de llevar a mi tía a Taxqueña.
   —Debes interpretar melodías románticas.

La perífrasis verbal es el rodeo que utilizamos para indicar algo cuando se puede expresar omitiendo o quitando palabras. Ejemplo:

—Voy a ir al Distrito Federal el próximo sábado
(Perífrasis verbal)
—Iré al Distrito Federal el próximo sábado.
(No hay perífrasis verbal).

2. EN MODO INDICATIVO: un verbo en modo indicativo, el nexo y un verbo en modo subjuntivo. Ejemplos:

   —Quiero que declames poemas de León Felipe.
   —Tienes que pedirle disculpas a tu amiguita Blanca.

3. UNA SOLA FORMA VERBAL: empleando una sola forma verbal, y a veces utilizando los enclíticos: me, te, se, nos. Ejemplos:

—Cállate	¿Quién?	Tú
—Cállese	¿Quién?	Ud.
—Cállense	¿Quiénes?	Uds.
—Ve	¿Quién?	Tú
—Vaya	¿Quién?	Ud.
—Vayan	¿Quiénes?	Uds.

FORMAS IRREGULARES DEL VERBO

La información anterior es indispensable para que no tengas dudas al analizar "Las formas irregulares del verbo". Además te será de gran utilidad para el primero, segundo y tercer cursos de secundaria, y en todos los niveles: primaria, comercio, bachilleres y la universidad.

¿Podrías contestar la siguiente pregunta? ¿Cuál es la diferencia entre un verbo regular e irregular? Si tienes dudas te sugiero releas este apartado.

Los verbos irregulares se dividen en seis familias que a continuación explicaremos. Es importante que aprendas el tiempo o tiempos en que se pueden utilizar.

a) Y EUFÓNICA: se emplea en presente de indicativo, subjuntivo e imperativo. Los verbos que corresponden a esta familia son los que terminan en "UIR" e intercalan la "Y" entre el lexema y el gramema. Ejemplo: construir-construo-construyo. Construyo, construya, construye.
   OTROS CASOS: atribuir, concluir, constituir, construir, contribuir, destituir, destruir, diluir, disminuir, distribuir, fluir, huir, incluir, influir, instruir, reconstruir, sustituir.
b) DIPTONGACIÓN: se emplea en presente de indicativo, de subjuntivo e imperativo. Los verbos que tienen una "E" o una "I" en el lexema lo cambian por la "IE"; los que tienen una "O" y una "U" la cambian por la "UE". Ejemplos: sembrar-sembro-siembro, adquirir-adquiro-adquiero; volver-volvo-vuelvo, jugar-jugo-juego. Siembro, siembre, siembra.
   OTROS CASOS: acertar, acostar, adquirir, apretar, ascender, calentar, cerrar, colar, comenzar, comprobar, concertar, concordar, consentir, consolar, contar, convertir, degollar, desaprobar, descender, digerir, dormir, empezar, encender, encontrar, hervir, injerir, interferir, invertir, jugar, mentir, moler, mostrar, mover, negar, pensar, pervertir, poder, preferir, probar, promover, quebrar, querer, reprobar, requerir, rodar, sembrar, sentar, sentir, soldar, sugerir, temblar, tender, tentar, torcer, tostar, trascender, transferir, tronar, volver, volar.
c) TRUEQUE VOCÁLICO O ALTERNATIVA DE VOCALES: se usa en presente de indicativo, subjuntivo e imperativo. Los verbos que tienen una "E" y a veces una "O" en el lexema, se cambian por una

"I" o una "U". Ejemplos: elegir-elego-elijo; podrir-podro-pudro. Elijo, elija, elige.

OTROS CASOS: gemir, medir, pedir, repetir, servir, teñir, vestir.

d) PRETÉRITO LLANO O GRAVE: los verbos cambian la sílaba dominante o tónica al penúltimo lugar formando un vocablo o palabra grave y no aguda. Ejemplo: caber-cabí-cupe.

OTROS CASOS: bendecir-bendecí-bendije, caber-cabí-cupe, conducir-conducí-conduje, decir-decí-dije, inducir-inducí-induje, introducir-introducí-introduje, poner-poní-puse, producir-producí-produje, querer-querí-quise, reducir-reducí-reduje, saber-sabí-supe, tener-tení-tuve, traducir-traducí-traduje.

e) FUTURO ALTERADO: en este tipo de verbos se quitan o sustituyen letras formando el futuro. Ejemplos: decir-deciré-diré, venir-veniré-vendré.

OTROS CASOS: caber-cabré, componer-compondré, decir-diré, haber-habré, hacer-haré, poder-podré, poner-pondré, querer-querré, saber-sabré, salir-saldré, tener-tendré, valer-valdré, venir-vendré.

f) GUTURIZACIÓN: se utiliza en el presente de indicativo y subjuntivo. Este tipo de verbos intercalan un fonema gutural "K" o "G" entre el lexema y el gramema. Ejemplos: nacer-nazo-nazco, producir-produzo-produzco, poner-pono-pongo, salir-salo-salgo. Produzco, produzca.

OTROS CASOS: abastecer, aborrecer, apetecer, carecer, compadecer, comparecer, componer, conducir, conocer, contener, contraponer, convalecer, crecer, desaparecer, descomponer, desconocer, deshacer, desobedecer, disponer, embellecer, endurecer, enloquecer, entorpecer, entristecer, hacer, humedecer, inducir, interponer, introducir, lucir, mantener, merecer, nacer, obedecer, obtener, ofrecer, oponer, padecer, parecer, permanecer, pertenecer, poner, posponer, predisponer, producir, proponer, reaparecer, reconocer, reducir, reponer, salir, suponer, tener, traducir, yuxtaponer.

Ejercicios

Por lo extenso de este tema te sugerimos resuelvas el cuestionario en tu cuaderno de Español. Consulta a tu maestro para contestarlo.

1. ¿A qué se le llama verbo?
2. ¿De qué otra manera se le denomina al verbo?
3. ¿Qué es un verbo regular?
4. ¿Qué es un verbo irregular?
5. ¿Qué es un verbo simple?
6. ¿Qué es un verbo compuesto?
7. ¿Cómo se clasifican los verbos por la manera de conjugarse? Explícalos oralmente.
8. ¿Qué es un verbo defectivo? Anota un ejemplo.
9. ¿Cómo se dividen los verbos por su significado? Explícalos oralmente.
10. Conjuga en la primera y segunda personas del singular el verbo "haber" en el modo indicativo y subjuntivo. ¿Para qué nos sirve éste?
11. ¿Cuáles son los cuatro aspectos que caracterizan a un verbo? Explícalos oralmente.
12. ¿Qué significa el modo indicativo?
13. ¿Cómo explicarías el modo subjuntivo?
14. ¿A qué se refiere el modo imperativo?
15. ¿Qué es conjugar un verbo?
16. ¿A qué se denomina tiempo verbal?
17. ¿Cómo se clasifican los verbos por su terminación?
18. ¿Cuáles son los tiempos simples y compuestos?
19. ¿Cuál es la diferencia entre el pretérito y copretérito del modo indicativo?
20. ¿A qué se llama perífrasis verbal?
21. ¿Cuál es la diferencia entre el modo indicativo, subjuntivo e imperativo?
22. ¿Cuáles son las formas irregulares del verbo?
23. ¿En qué tiempos se utiliza la "y eufónica". Anota un ejemplo en cada caso.
24. Escribe cinco ejemplos de la diptongación.
25. ¿De qué otra manera se llama al trueque vocálico?
26. ¿En qué tiempos se utiliza éste? Anota un ejemplo en cada caso.
27. ¿En qué consiste el pretérito llano o grave? Anota cinco ejemplos.
28. ¿A qué se refiere el futuro alterado? Escriba cinco casos.
29. ¿En qué consiste la guturización?
30. ¿En qué tiempos se utiliza éste? Anota cinco ejemplos.

NOVENA PARTE

HOMÓFONOS, HOMÓFONOS, HOMÓFONOS...

Los homófonos son las palabras que se pronuncian igual; su escritura es diferente y su significado no es el mismo.

La ejercitación de los homófonos podrá realizarse de diferente manera:

a) Lea los homófonos —en grupos de 10— en voz alta dos o tres veces.
b) Haga una oración con los homófonos, que se están practicando, en forma oral o escrita.
c) Busque en el periódico, textos literarios, etc., palabras homófonas.
d) Elabore oraciones con las palabras que usted localizó.
e) Elabore un diccionario ilustrado —con dibujos, recortes de revistas, etc.— como lo juzgue conveniente, en su cuaderno de Español, y consulte a su maestro.

---

1. A: primera letra del alfabeto castellano; preposición; vocal.
   ¡Ah!: interjección que expresa pena o sorpresa.
   Ha: del verbo haber.
2. Aarón: nombre propio de varón; primer sacerdote israelita.
   Arón: aro; arca destinada por los judíos para guardar los libros.
   Harón: perezoso.
3. Aba: ciudad griega; medida de longitud antigua.
   ¡Aba!: interjección que expresa ¡Cuidado! ¡Quita!
   Haba: planta herbácea; apellido.
4. Abal: árbol; apellido.
   Aval: es la persona que responde por el pago de otra.
5. Abalar: tirar; zarandear, agitar; esponjar, ahuecar.
   Avalar: garantizar que se liquidará la compra de algo por el aval.
6. Abano: abanico colgado del techo.
   Habano: persona que nació en la Habana.
7. Abante: antiguos pobladores de la isla Eubea (Grecia). Decimosegundo Rey mitológico de Argos.
   Avante: adelante (adverbio). Progresar.
8. Abejar: colmenar.
   Avejar: perseguir; fastidiar, molestar.
9. Abezar: enseñar al halcón a arrojarse sobre la presa y regresar a la mano del halconero.
   Avezar: acostumbrar; enseñar.
10. Abitar: amarrar a los postes el cable del ancla.
    Habitar: vivir en un lugar o casa.
11. Ablando: del verbo "ablandar". Suavizar algo o a una persona.
    Hablando: de verbo "hablar". Platicar o conversar.
12. Abocar: coger con la boca; reunirse varias personas para debatir un asunto.
    Avocar: solicitar un tribunal superior la causa que lleva otro inferior.
13. Abollado: del verbo "abollar". Objeto que tiene abolladuras.
    Aboyado: del verbo "aboyar". Poner boyas.
14. Abollar: hacer abolladuras.
    Aboyar: colocar boyas.
15. Abrasante: del verbo "abrasar".
    Abrazante: del verbo "abrazar".
16. Abrasar: quemar algo en su totalidad; producir un calor intenso.
    Abrazar: ceñir o rodear con los brazos.
17. Abrase: del verbo "abrasar".
    Abrace: del verbo "abrazar".
    Habrase: del verbo "haber" y el pronombre personal "se".
18. Abría: del verbo "abrir".
    Habría: del verbo "haber".
19. Abusado: del verbo "abusar".
    Abuzado: del verbo "abuzar". Emborracharse.
20. Acalla: del verbo "acallar".
    Acaya: nombre de varias ciudades antiguas de Grecia.
21. Acecinar: conservar las carnes salándolas y ahumándolas.
    Asesinar: matar a alguien.
22. Acechar: vigilar escondido la llegada de una persona o cosa.
    Asechar: tramar asechanzas (trampas).
23. Acedo: del verbo "acedar" (agriar una cosa). Desagradable.
    Asedo: del verbo "asedar". Poner suave como la seda una cosa.
24. Acequible: del verbo "acequiar". Poner acequias.
    Asequible: que puede conseguirse o alcanzarse. Comprensible.
25. Acerbo: áspero al gusto; cruel, riguroso; apellido.
    Acervo: conjunto o cantidad de algo.
26. Acético: relativo al vinagre o sus derivados (ácido).
    Ascético: búsqueda de la perfección cristiana.
27. Acezar: jadear. Respirar con dificultad.
    Asesar: adquirir juicio o sensatez. Prudencia en una persona.
28. Acha: apellido.
    Hacha: hoja de hierro afilada por un lado y con mango.
29. Adolecente: del verbo "adolecer". Padecer de algo.
    Adolescente: que está en la adolescencia.
30. Ahijada: cualquier persona con relación a sus padrinos de bautismo, confirmación, etc.

Aijada: Aguijada (del verbo: aguijar). Picar con la aguijada a los bueyes para que avancen rápido.

31. Ahojar: pacer (comer la hierba el ganado) los animales.
Aojar: hacer mal de ojo; malograr una cosa.
32. Aire: mezcla gaseosa que forma la atmósfera.
Ayre: canción estrófica inglesa con acompañamiento de laúd.
33. Ala: miembro de ave o un avión.
¡Hala!: interjección que utilizamos para llamar la atención o apresurar a alguien.
34. Alagar: encharcarse un terreno; inundarse un barco (Bolivia).
Halagar: acciones que pueden ser gratas a otra persona.
35. Alambra: del verbo "alambrar".
Alhambra: castillo.
36. Alar: de alero. Estar en la ala —a los lados—.
Halar: jalar algo.
37. Alba: amanecer; vestidura que usan los sacerdotes.
Alva: apellido.
38. Albear: madrugar (Argentina); blanquear; gredal.
Alvear: apellido.
39. Albino: descendiente de morisco y europeo; individuo de raza negra que nace blanco.
Alvino: relativo al bajo vientre (abdomen).
40. Alisar: eliminar las rugosidades en una superficie.
Alizar: friso de azulejos.
41. Aprehender: detener a alguien por robo o contrabando.
Aprender: instruirse.
42. Aré: del verbo "arar".
Haré: del verbo "hacer".
43. Aro: del verbo "arar". Objeto en forma de anillo.
Haro: Apellido.
44. Arrollar: tener una cosa forma de rollo; atropellar.
Arroyar: formar torrentes el agua de lluvia.
45. Arrollo: del verbo "arrollar". Atropellar.
Arroyo: pequeña corriente de agua, después que ha llovido.
46. Arte: habilidad para hacer algo o desempeñar una actividad.
Harte: del verbo "hartarse". Satisfacer una necesidad vital (comer); fastidiarse una persona de alguien o algo.
47. As: ser el primero en alguna actividad; en las barajas.
Has: del verbo "haber".
Haz: del verbo "hacer".
48. Asa: del verbo "asar". Agarradera de una vasija o bandeja.
Aza: apellido.
Haza: franja de tierra para cultivar algo.
49. Asar: poner en el fuego un alimento crudo.
Azar: casualidad.
Azahar: flor del naranjo.
50. Ascenso: subida de una montaña, etc. Progresar en algo.
Asenso: del verbo "asentir". Conformidad o credibilidad en algo.
51. Ascienda: del verbo "ascender" (prosperar en algo).
Hacienda: finca agrícola.
52. Asciendo: del verbo "ascender".
Asiendo: del verbo "asir". Coger con la mano algo.
Haciendo: del verbo "hacer".
53. Ase: del verbo "asar".
Hace: del verbo "hacer".
Hase: río, apellido.
54. Asencio: grito de inicio de la Guerra de Independencia de Uruguay.
Asensio: apellido.
55. Asia: continente.
Hacia: preposición.
56. Asolar: destruir; posarse en un líquido; echarse a perder frutos y plantas por el calor.
Azolar: desbastar la madera.
57. Asta: palo largo donde se coloca la bandera pica mástil.
Hasta: preposición.
58. Atajo: paso que acorta un camino.
Hatajo: pequeño grupo de ganado.
59. Atesar: poner rígido. Cuba (irse de un lugar).
Atezar: poner liso y brillante; poner moreno; ennegrecer.
60. Ato: del verbo "atar".
Hato: grupo de ganado.
61. ¡Ay!: interjección que expresa aflicción o dolor.
Hay: forma impersonal del verbo "haber".
62. Aya: institutriz.
Halla: del verbo "hallar".
Haya: del verbo "haber".
63. Azaña: apellido.
Hazaña: hecho heroico, proeza, gesta.
64. Baca: parte superior de las diligencias donde se colocaba el equipaje cubriéndolo con una lona.
Vaca: hembra del toro; dinero que juegan varias personas.
65. Bacante: Sacerdotisa; mujer desvergonzada, ebria y atrevida.
Vacante: empleo o cargo que no se ha ocupado.
66. Bacía: vasija semicirular usada en las peluquerías.
Vacía: del verbo "vaciar". Persona monótona, rutinaria.

67. Bacilo: bacteria (microbio).
Vacilo: del verbo "vacilar".
68. Baco: Dios griego del vino.
Vaco: buey (toro).
69. Badea: melón o sandía de mala calidad.
Vadea: del verbo "vadear". Atravesar un río o corriente de agua.
70. Baga: fruto.
Vaga: del verbo "vagar".
71. Bagar: echar semilla el lino.
Vagar: caminar sin rumbo fijo.
72. ¡Bah!: interjección que indica incredulidad o desdén.
Va: del verbo "ir".
73. Bajilla: tonel, cuba grande para guardar vino, etc.
Vajilla: conjunto de vasos, platos, etc., que se utilizan para comer.
74. Balaca: bravata; persona pretenciosa o bravucona.
Valaca: persona que nació en Valaquia (Rumania). Idioma.
75. Balar: dar balidos.
Valar: relativo al vallado, muro o cerca que se pone a algo.
76. Baldés: piel curtida de oveja.
Valdés: apellido.
77. Baldo: del verbo "baldar". Perder algún miembro del cuerpo.
Valdo: apellido.
78. Bale: del verbo "balar". Dar balidos la oveja.
Vale: del verbo "valer". Costo de una cosa. Documento.
79. Balido: sonido propio del cordero, oveja, cabra, gamo y ciervo.
Valido: del verbo "valer". Preferido, favorito.
80. Balón: pelota grande para jugar.
Valón: persona que nació en Valonia (Bélgica). Dialecto.
81. Balsa: plataforma flotante de madera.
Valsa: del verbo "valsar". Bailar valses.
82. Balsas: río del S. de México que nace en el valle de Puebla.
Valsas: del verbo "valsar".
83. Balso: cordaje que se utiliza en los barcos para sostener en alto alguna carga.
Valso: del verbo "valsar".
84. Ballet: representación escénica de danza y pantomima con música.
Valet: criado.
85. Bana: poeta indio.
Vana: persona altanera; vacía, hueca, vanidosa, presumida.
86. Baqueta: varilla con que los picadores manejan las caballerías.
Vaqueta: piel curtida de ternera.
87. Bar: lugar o mueble donde se guardan las bebidas.
Var: unidad de potencia reactiva de una corriente alterna.
88. Bara: apellido.
Vara: rama larga y delgada. Palo delgado y largo.
89. Barba: pelo que nace en las mejillas y parte del cuello.
Varva: capa sedimentaria depositada en el transcurso de un año.
90. Bario: metal sólido, blanco y brillante.
Vario: que tiene variedad algo; cambiante, variable.
91. Barita: óxido de bario.
Varita: vara pequeña.
92. Barón: título de nobleza.
Varón: persona del sexo masculino.
93. Barona: apellido; aldea española.
Varona: mujer con características propias de un varón.
94. Basa: del verbo "basarse".
Baza: número de cartas que recoge el que gana la partida.
Vasa: familia sueca.
95. Basar: fundamentarse en algo.
Bazar: mercado público donde se venden artículos diversos.
Vasar: anaquelería para poner vasos, etc., en la cocina.
96. Basca: malestar en el estómago después que se comió o bebió en exceso.
Vasca: persona que nació en el país Vasco (España).
97. Base: del verbo "basar". Parte inferior de un objeto.
Vase: del verbo "ir" y el pronombre personal "se".
98. Basta: del verbo "bastar". Ser suficiente una cosa. Persona grosera, vulgar, tosca.
Vasta: extensa, amplia, muy grande.
99. Basto: del verbo "bastar". Individuo grosero, vulgar, tosco.
Vasto: extenso.
100. Bate: del verbo "batir".
Vate: poeta; adivino.
101. Baya: fruto carnoso con semillas rodeadas de materia pulposa.
Valla: cerca que se pone alrededor de algo para protección o establecer una separación.
Vaya: del verbo "ir".
102. Baz: apellido.
Vas: del verbo "ir".
103. Bazo: órgano de nuestro cuerpo con forma de huevo (ovalada).
Baso: del verbo "basar".
Vaso: recipiente que se utiliza para beber.

104. Be: nombre de la segunda letra del alfabeto español.
Ve: del verbo "ir".
Ve: del verbo "ver".
105. Beban: del verbo "beber".
Bevan: apellido.
106. Beda: monje benedictino.
Veda: del verbo "vedar". Prohibir, Libro sagrado del hinduismo.
107. Bela: Rey de Hungría.
Vela: del verbo "velar". Objeto hecho de cera.
108. Bello: que tiene belleza algo.
Vello: pelo corto y suave del cuerpo humano.
109. Ben: árbol.
Ven: del verbo "venir".
Ven: del verbo "ver".
110. Benda: familia checoslovaca; apellido.
Venda: del verbo "vender". Tira de tela de gasa.
111. Beneficio: bien que se hace o se recibe por algo.
Veneficio: antiguamente maleficio, por medio del cual, se pretende hacer daño a alguien.
112. Bernal: apellido.
Vernal: primaveral.
113. Beses: del verbo "besar".
Veces: plural de "vez". Indica el número de ocasiones que se hace o ejecuta una cosa.
114. Beso: del verbo "besar".
Bezo: labio grueso.
115. Beta: letra del alfabeto griego.
Veta: del verbo "vetar". Prohibir algo. Capacidad de un individuo para una ciencia o arte. Filón.
116. Bías: sabio.
Vías: plural de vía (camino, ruta).
117. Bidente: que tiene dos dientes.
Vidente: que puede ver; profeta.
118. Bienes: riqueza, patrimonio de una persona, empresa o Estado.
Vienes: del verbo "venir".
119. Biga: carro de guerra arrastrado por dos caballos.
Viga: madero largo y grueso.
120. Billa: jugada en el billar americano.
Villa: casa de recreo, especialmente, en el campo. Apellido.
121. Billar: sala pública o privada donde se practica este juego.
Villar: pueblo pequeño (aldea).
122. Bimana: que tiene dos manos.
Vimana: sala-santuario de la pagoda India.
123. Biso: secreción filamentosa producida por el pie de algunos moluscos.
Viso: del verbo "visar".
124. Bitola: Ciudad de Yugoslavia.
Vitola: patrón para medir el calibre de una cosa.
125. Bizco: torcer la vista al mirar.
Visco: árbol (Argentina).
126. Bobina: carrete en el que se enrolla hilo, papel, alambre, etc.
Bovina: que posee características del toro o la vaca.
127. Bocal: boquilla de un instrumento. Tubo pequeño para fumar un cigarro.
Vocal: relativo a la voz; letra vocal.
128. Bolada: tiro que se hace con la bola de billar.
Volada: del verbo "volar". Persona alocada. Enamorarse.
129. Bolado: negocio; ocupación; carambola excelente (Billar).
Volado: del verbo "volar". Enamorarse. Juego con monedas.
130. Bolandera: persona que hace bolas (pelotas).
Volandera: permanecer en el aire; imprevisto.
131. Bolla: del verbo "bollar". Repujar (hacer relieves).
Boya: del verbo "boyar". Reflotar.
132. Bollar: repujar (hacer relieves en una chapa de metal, etc.).
Boyar: reflotar una embarcación estática.
133. Bollero: persona que hace bollos (panecillos).
Boyero: individuo que cuida bueyes.
134. Bota: del verbo "botar". Calzado.
Vota: del verbo "votar".
135. Bote: del verbo "botar". Recipiente pequeño. Barco pequeño.
Vote: del verbo "votar".
136. Botero: persona que compone botas.
Votero: individuo que cuenta los votos en una elección.
137. Boto: del verbo "botar". Torpe.
Voto: del verbo "votar".
138. Bracero: jornalero del campo. Arma lanzada con el brazo.
Brasero: anafre para que se caliente algo.
139. Brasa: leña o carbón encendido.
Braza: medida de longitud. Estilo para nadar.
140. Brisa: viento fresco y suave.
Briza: tembladera (planta).
141. Búfalo: animal bóvido (mamífero con cuernos huecos).
Buffalo: Ciudad de Estados Unidos. Seudónimo.
142. Caba: apellido.
Cava: del verbo "cavar". Bóveda subterránea.
143. Cabal: íntegro, completo. Estar loco (se usa en plural).
Caval: flauta pequeña de forma cilíndrica.
144. Cabes: del verbo "caber".
Caves: del verbo "cavar".
145. Cabo: grado militar. Hilo. Punta o extremidad de una cosa.
Cavo: del verbo "cavar".

146. Cacera: zanja o caudal de riego.
Casera: persona que cuida o permanece en la casa.
147. Caceta: colador usado antiguamente en farmacias.
Caseta: cuarto pequeño de planta baja para diversos usos.
148. Cacito: diminutivo de "cazo".
Casito: diminutivo de "caso".
149. Calla: del verbo "callar". Palo afilado (Chile).
Caya: Bolivia. Fécula del tubérculo.
150. Callado: del verbo "callar".
Cayado: palo o bastón curvo por la parte superior.
151. Calló: del verbo "callar".
Cayó: del verbo "caer".
152. Callo: del verbo "callar". Hipertrofia de la capa córnea de la piel.
Cayo: isla.
153. Callote: hipertrofia de la capa córnea de la piel.
Cayote: chayote.
154. Carate: enfermedad cutánea parecida a la sarna.
Karate: lucha japonesa.
155. Caroso: Perú. Rubio, descolorido.
Carozo: hueso de cualquier fruta.
156. Casa: del verbo "casar". Vivienda.
Caza: del verbo "cazar".
157. Casadero: persona que está en edad de casarse.
Cazadero: animal que se puede cazar.
158. Casar: contraer nupcias.
Cazar: atrapar a alguien.
159. Caso: del verbo "casar". Suceso o acontecimiento.
Cazo: del verbo "cazar". Vasija metálica con mango.
160. Cauce: zanja por donde corre el agua.
Cause: del verbo "causar". Originar algo.
161. Ce: tercera letra del alfabeto español.
Se: pronombre personal. Verbo "saber" —sé—.
162. Cebo: del verbo "cebar". Echar cebo a los animales. Fallar algo.
Sebo: producto de secreción de las glándulas sebáceas de los animales herbívoros.
163. Ceca: casa de moneda.
Seca: del verbo "secar".
164. Ceda: del verbo "ceder".
Seda: del verbo "sedar". Sosegar, calmar a alguien. Hilo.
165. Cede: del verbo "ceder".
Sede: del verbo "sedar". Lugar donde se realiza una actividad importante.
166. Cegar: perder la vista. Tapar la cañería. Obcecar la razón.
Segar: cortar.
167. Ceibo: árbol.
Seibo: Provincia de la República Dominicana.
168. Cena: del verbo "cenar".
Sena: río.
169. Cenado: del verbo "cenar".
Senado: lugar donde se reúnen los Senadores.
170. Cenador: persona que acostumbra cenar.
Senador: persona responsable de la política interna y externa de un país.
171. Censor: persona que prohíbe o critica algo.
Sensor: dispositivo que capta un cambio en la cantidad física de una magnitud.
172. Censorio: relativo al censor o censura.
Sensorio: facultad de sentir.
173. Censual: relativo al censo.
Sensual: relativo a los sentidos. Persona atractiva.
174. Centón: manta o colcha de retales de diferentes colores.
Sentón: caer sentado bruscamente.
175. Cepa: base del tronco de un árbol. Personas con genotipo idéntico.
Sepa: del verbo "saber".
176. Cera: materia blanda y amarillenta que se vuelve dura y quebradiza por el frío.
Sera: espuerta grande.
177. Ceres: diosa romana de la agricultura.
Seres: plural de ser.
178. Cerio: elemento químico.
Serio: persona que difícilmente ríe. Asunto importante.
179. Cerna: apellido.
Serna: parcela de tierra propia para sembrar.
180. Cerón: residuo.
Serón: sera alargada.
181. Ceroso: relativo a la cera.
Seroso: relativo al suero.
182. Cerrada: del verbo "cerrar". Persona hermética.
Serrada: del verbo "serrar". Cortar con la sierra.
183. Cerrado: del verbo "cerrar". Cielo saturado de nubes.
Serrado: del verbo "serrar".
184. Cerrar: tapar lo que se puede ver.
Serrar: cortar con la sierra un material.
185. Cesión: renunciar a algo para favorecer a otra persona.
Sesión: reunión de un grupo de personas para discutir un tema.
186. Ceso: del verbo "cesar".
Seso: cerebro o encéfalo.
187. Ciclo: duración de algo.
Siclo: unidad de peso antigua de plata.
188. Cidra: fruto del cidro.

Sidra: bebida de baja graduación alcohólica.
189. Ciega: del verbo "cegar". Persona deslumbrada.
Siega: del verbo "segar".
190. Cien: apócope de ciento.
Sien: cada una de las dos partes laterales de la cabeza, entre la frente y las orejas.
191. Ciento: de cien.
Siento: del verbo "sentir".
192. Ciervo: mamífero rumiante.
Siervo: esclavo; persona que pertenece a una comunidad religiosa.
193. Cilicio: vestidura rasposa. Cinturón con púas.
Silicio: elemento químico.
194. Cilla: granero; diezmo.
Silla: asiento individual con respaldo. Aparejo para montar a caballo.
195. Cima: lo más alto de un árbol, etc. Cúspide, apogeo.
Sima: capa inferior de la corteza terrestre.
196. Cimiente: del verbo "cimentar". Basarse en algo. Cimiento.
Simiente: semilla.
197. Cirio: vela de cera larga y gruesa.
Sirio: persona que nació en Siria (Estado de Asia).
198. Cita: del verbo "citar".
Sita: ubicación de un lugar.
199. Citar: compromiso entre dos personas; mencionar lo dicho o escrito por otra persona.
Sitar: instrumento musical.
200. Cocer: preparar los alimentos por medio del fuego.
Coser: unir dos pedazos de tela o materia parecida con hilo y aguja.
201. Cocido: del verbo "cocer".
Cosido: del verbo "coser".
202. Colla: gorjal: parte de la armadura que protegía el cuello.
Coya: Emperatriz, Soberana o Princesa entre los antiguos peruanos.
203. Combino: del verbo "combinar".
Convino: del verbo "convenir".
204. Concejero: público.
Consejero: persona que aconseja.
205. Concejo: Ayuntamiento o Municipio.
Consejo: opinión o parecer sobre algo. Agrupación de personas.
206. Consciente: persona que sabe lo que está haciendo.
Consiente: del verbo "consentir".
207. Corbeta: barco más pequeño que la fragata.
Corveta: ejercicio ecuestre en el que el caballo camina con las patas en el aire.
208. Corso: persona que nació en Córcega.
Corzo: mamífero rumiante.
209. Cos: isla.
Coz: acción de agitar con violencia las caballerías las patas traseras; acción de retroceder una arma de fuego al disparar.
210. Chiba: ciudad del Japón.
Chiva: cría de la cabra.
211. Deba: del verbo "deber".
Deva: cada uno de los dioses del panteón védico.
212. Descinchar: quitar las fajas con que se asegura la silla sobre la cabalgadura.
Deshinchar: quitar lo inflamado.
213. Descocido: del verbo "descocer".
Descosido: del verbo "descoser".
214. Desecho: del verbo "desechar".
Deshecho: del verbo "deshacer". Desanimado.
215. Deshojó: del verbo "deshojar".
Desojó: del verbo "desojar".
216. Desmalla: del verbo "desmallar'.
Desmaya: del verbo "desmayarse".
217. Desolló: del verbo "desollar".
Desoyó: del verbo "desoír".
218. Despesar: disgusto, pesar (pena).
Despezar: adelgazar por un extremo un tubo de filtración.
219. Días: plural de día.
Díaz: apellido.
220. Echo: del verbo "echar".
Hecho: del verbo "hacer". Acontecimiento o suceso.
221. Embasar: detener un barco.
Embazar: poner trabas, obstáculos; fastidiarse; asombrado.
Envasar: vaciar líquidos en recipientes adecuados para su transporte.
222. Embistió: del verbo "embestir".
Envistió: del verbo "envestir" (investir).
223. Encausar: proceder judicialmente contra alguien.
Encauzar: llevar a buen término un asunto. Guiar.
224. Enceres: del verbo "encerar".
Enseres: muebles necesarios en una casa o profesión.
225. Encima: del verbo "encimar". Estar arriba algo.
Enzima: sustancia orgánica soluble que actúa como catalizador en los procesos de metabolismo.
226. Enebro: arbusto.
Enhebro: del verbo "enhebrar". Ensartar.
227. Enrasar: poner al mismo nivel dos recipientes.
Enrazar: Col. Cruzar animales.
228. Ería: río.
Hería: del verbo "herir". Tocar un instrumento de cuerda.
229. Erró: del verbo "errar".

Herró: del verbo "herrar". Colocar las herraduras a las caballerías, bueyes. Cubrir de hierro.

230. Esteba: hierba gramínea.
Esteva: pieza posterior del arado de forma curva.

231. Ética: relativo a los principios de la moral y las obligaciones del hombre.
Hética: persona delgada, tísica.

232. Exekias: pintor griego.
Exequias: honras fúnebres.

233. Fabela: formación anormal de un cartílago.
Favela: vivienda pequeña y miserable; cabaña de pastores.

234. Faces: plural de faz (rostro). Cara de una moneda o medalla.
Fasces: segur rodeada de un haz de varillas que llevaban los lictores romanos delante de algunos Magistrados.
Fases: plural de fase (cambios de una teoría, etc.).

235. Falla: del verbo "fallar". Equivocarse en algo. Defecto.
Faya: tela gruesa de seda.

236. Fresa: del verbo "fresar". Trabajar con la fresa. Taladrar.
Freza: del verbo "frezar". Período en el que come hojas el gusano de seda.

237. Fucilar: producir relámpagos sin ruido.
Fusilar: matar a alguien. Copiar algo.

238. Gallo: ave doméstica; apellido.
Gayo: alegre, vistoso.

239. Gama: hembra del gamo; apellido.
Gamma: tercera letra del alfabeto griego.

240. Gasa: tela ligera y transparente, generalmente de seda.
Gaza: Mar. Ojo o lazo que se obtiene al doblar la punta de un cable; cotorra.

241. Geta: pueblo tracio.
Jeta: boca abultada o saliente de alguien.

242. Gineta: mamífero.
Jineta: manera de montar a caballo con los estribos pequeños.

243. Gira: del verbo "girar".
Jira: tira que se rompe de un tejido. Merienda campestre.

244. Girafa: planta (Cuba).
Jirafa: mamífero rumiante de cuello muy largo.

245. Girón: apellido; familia noble castellana.
Jirón: desgarrón de una prenda de vestir.

246. Graba: del verbo "grabar". Registrar un sonido en un disco.
Grava: del verbo "gravar". Piedra machacada.

247. Grabe: del verbo "grabar".
Grave: del verbo "gravar". Estar enfermo. Problema serio.

248. Gragea: confite, generalmente pequeño.
Grajea: del verbo "grajear". Emitir sonidos guturales el niño de pecho. Chillar el grajo (ave).

249. Guajaca: Cuba. Planta de la familia Bromeliáceas.
Oaxaca: Estado del Sur de México.

250. Guisado: del verbo "guisar".
Guizado: apellido.

251. Había: del verbo "haber".
Avía: del verbo "aviar". Proporcionar a alguien lo necesario.

252. Habito: del verbo "habitar".
Avito: militar arverno (miembro de una tribu gala Auvernia).

253. Hacedera: factible, posible.
Acedera: hierba perenne (que no muere).

254. Haceros: del verbo "hacer" y el pronombre personal "os".
Aceros: plural de acero.

255. Hacía: del verbo "hacer".
Asía: del verbo "asir".

256. Halita: sal gema (yama de una planta).
Alita: diminutivo de ala.

257. Haltera: barra con discos.
Altera: del verbo "alterar".

258. Halles: del verbo "hallar".
Ayes: quejidos, lamentos.

259. Hallo: del verbo "hallar".
Hayo: mezcla de coca y sales.
Ayo: persona que cuida y educa a uno o varios niños.

260. Hama: Ciudad de Siria.
Ama: del verbo "amar".

261. Hamada: zona pedregoza en el Sahara.
Amada: del verbo "amar".

262. Hamo: anzuelo para pescar.
Amo: del verbo "amar".

263. Hanega: fanega (medida agraria).
Anega: del verbo "anegar". Inundarse algo.

264. Haras: lugar que se usa para la reproducción y cuidado del ganado equino (Río de la Plata).
Aras: del verbo "arar".

265. Harca: tropa indígena de Marruecos.
Arca: baúl de tapa plana; caja fuerte.

266. Hazuela: de haza (porción de tierra labrantía).
Azuela: herramienta de carpintero; apellido.

267. He: del verbo "haber".
¡He!: interjección que se usa para preguntar, reprender, etc.
E: conjunción copulativa.

268. Hera: diosa.
Era: del verbo "ser".

269. Heras: apellido.
Eras: del verbo "ser". Épocas.

270. Hiendo: estiércol.
Yendo: del verbo "ir".

271. Hierba: planta pequeña.
Hierva: del verbo "hervir".
272. Hierro: del verbo "herrar". Metal.
Yerro: del verbo "errar". Equivocarse.
273. Himpar: gemir; aullido.
Impar: que no tiene par.
274. Hinca: del verbo "hincar".
Inca: Rey, Príncipe o Varón entre los peruanos. Moneda.
275. Hiza: árbol.
Iza: del verbo "izar". Subir algo con una cuerda.
276. Hizo: del verbo "hacer".
Izo: del verbo "izar".
277. Hoces: plural de hoz.
Oses: del verbo "osar". Atreverse a hacer algo.
278. Hojear: pasar las hojas de un libro o cuaderno de prisa.
Ojear: dirigir los ojos a determinada parte.
279. ¡Hola!: expresión de cortesía para saludar a una persona.
Ola: onda de gran amplitud que se forma en el mar.
280. Hollada: del verbo "hollar". Pisar algo. Humillar.
Hoyada: del verbo "hoyar". Hacer un hoyo.
281. Hollado: del verbo "hollar". Pisar algo. Humillar.
Ollado: cada uno de los agujeros bastante reforzados que se emplean en toldos, etc.; en una embarcación.
282. Horado: cueva subterránea.
Orado: del verbo "orar".
283. Horca: del verbo "horcar" (ahorcar).
Orca: mamífero.
284. Horno: del verbo "hornear". Bóveda para cocer alimentos.
Orno: del verbo "ornar" (adornar).
285. Hosco: huraño; lugar no habitable o desagradable.
Osco: antiguo pueblo de la Campania (región del sur de Italia).
286. Hostia: hoja redonda y delgada de pan ázimo.
Ostia: ostra (molusco).
287. Hoya: hoyo grande en la tierra. Sepultura.
Olla: vasija redonda de barro o metal con dos asas.
288. Hoyo: hueco o agujero en la tierra o en otras superficies.
Oyo: Ciudad del suroeste de Nigeria.
289. Hoz: instrumento útil para segar la hierba.
Os: pronombre personal.
290. Hoza: del verbo "hozar". Mover o levantar la tierra con el hocico un animal.
Osa: del verbo "osar". Atreverse a hacer algo.
291. Hube: del verbo "haber".
Uve: nombre de la vigésima quinta letra en Español.
292. Huero: insubstancial; podrido.
Güero: rubio; gracioso.
293. Hulla: carbón.
Huya: del verbo "huir".
294. Hunan: Provincia del centro S. de China.
Unan: del verbo "unir".
295. Husada: hilo que se pone en el huso.
Usada: del verbo "usar".
296. Huso: objeto de madera o metálico para ovillar seda, etc.
Uso: del verbo "usar".
297. Huta: choza.
Uta: enfermedad de la piel (Perú).
298. Ila: Ciudad del suroeste de Nigeria.
Hila: del verbo "hilar".
299. Incipiente: algo que apenas se inicia.
Insipiente: ignorante.
300. Ingerir: tragar comida, bebida, etc.
Injerir: insertar algo en un texto.
301. Intención: propósito para hacer algo.
Intensión: de intensidad.
302. Isar: río de Baviera.
Izar: subir algo jalando de una cuerda.
303. Jaba: canasto en el que se envasan objetos para su transporte.
Java: isla de Indonesia.
304. Kagera: río.
Cajera: persona que efectúa pagos y cobros en un banco, etc.
305. Kama: río de la URSS; Dios.
Cama: objeto para descansar.
306. Kan: título de algunos soberanos turcos.
Can: perro.
307. Kano: Ciudad de Nigeria sept.; escuela de pintores japoneses.
Cano: con canas.
308. Kansas: Estado de los Estados Unidos.
Cansas: del verbo "cansar".
309. Kara: mar.
Cara: rostro; anverso de una moneda o medalla; costo de algo.
310. Kazan: Ciudad de la URSS; apellido.
Casan: del verbo "casar".
Cazan: del verbo "cazar".
311. Kola: península de la URSS.
Cola: parte trasera de los animales. Hacer fila.
312. Kolyma: río de la URSS.
Colima: Estado de México.
313. Kota: Ciudad de la India.
Cota: vestimenta medieval.
314. Kristiandad: Ciudad de Noruega y del S. de Suecia.
Cristiandad: colectividad cristiana.
315. Kura: río de la URSS.
Cura: del verbo "curar". Sacerdote.

316. Kure: Ciudad del Japón.
Cure: del verbo "curar".
317. Laso: cansado; hilo sin torcer.
Lazo: del verbo "lazar". Cuerda. Vínculo.
318. Liasa: enzima que rompe enlaces o agrega grupos a los compuestos químicos.
Liaza: conjunto de cestas para hacer toneles.
319. Lisa: sin asperezas o arrugas.
Liza: competencia; batalla.
320. Liso: sin asperezas o arrugas.
Lizo: hilo grueso.
321. Losa: piedra lisa y grande, no gruesa. Sepulcro.
Loza: vajilla; barro fino vidriado.
322. Lusco: tuerto o bizco.
Luzco: del verbo "lucir".
323. Llana: pieza plana de metal pulido, unida a una aza.
Yana: Cuba. Árbol de la familia Combretáceas.
324. Llanta: aro metálico que sostiene el neumático.
Yanta: del verbo "yantar". Comer.
325. Llanto: del verbo "llorar".
Yanto: del verbo "yantar".
326. Macasar: pieza de punto o encaje que se coloca en los brazos, respaldos; en butacas.
Makasar: estrecho de Indonesia.
327. Macera: del verbo "macerar". Ablandar algo en un líquido.
Masera: recipiente para amasar pan.
328. Madraza: Medersa (escuela religiosa del mundo islámico).
Madraza: madre que cuida con exceso o es indulgente con los hijos.
329. Malla: traje de ballet o gimnasia.
Maya: pueblo antiguo de Mesoamérica.
330. Mallo: mazo (martillo grande de madera).
Mayo: quinto mes del año.
331. Mancilla: del verbo "mancillar". Ofensa, deshonra.
Mansilla: animal que no es bravo (manso).
332. Masa: pasta que se obtiene al ser ablandada con agua.
Maza: extremo inferior de un palo de billar.
333. Masada: masía (casa rural).
Mazada: mazazo. Golpe con el mazo (martillo grande de madera).
334. Masar: amasar. Dar masajes.
Mazar: batir la leche.
335. Masetero: músculo masticador situado en la cara lateral del maxilar inferior.
Macetero: soporte para las macetas.
336. Maso: apellido.
Mazo: martillo; fajo de objetos; individuo impertinente.
337. Meces: del verbo "mecer".
Meses: plural de mes.
338. Mecías: del verbo "mecer".
Mesías: enviado de Dios a la Tierra.
339. Mesa: mueble que sirve para comer o escribir; asamblea.
Meza: del verbo "mecer".
340. Meso: repliegue peritoneal de algunos órganos por medio del cual quedan fijados a la pared abdominal.
Mezo: del verbo "mecer".
341. Montaraz: que se ha criado o está habituado a la vida en el monte.
Montarás: del verbo "montar".
342. Mosa: río de Europa.
Moza: empleada para trabajos sencillos. Mujer joven.
343. Musa: fuente de inspiración; deidades mitológicas.
Muza: muceta. Toga.
344. Naba: planta herbácea de la familia Crucíferas.
Nava: planicie baja situada gralte. en terreno montañoso.
345. Nabal: terreno adecuado para sembrar nabos.
Naval: se refiere a los barcos o al arte de navegar.
346. Nutrís: del verbo "nutrir".
Nutriz: nodriza.
347. O: conjunción, cuarta vocal en Español.
¡Oh!: interjección que expresa tristeza, alegría, etc.
348. Óbolo: donativo.
Óvolo: moldura convexa.
349. Ojo: órganos periféricos del sentido de la vista.
Hojo: familia japonesa.
350. Oliba: Conde de Ripoll (España).
Oliva: aceituna.
351. Ombría: umbría (poco soleado).
Hombría: cualidad de hombre.
352. Onda: porción de agua que sube y baja alternativamente.
Honda: cuerda. Ciudad de Colombia.
353. Ora: del verbo "orar". Conjunción.
Hora: consta de sesenta minutos.
354. Orne: del verbo "ornar" (adornar).
Horne: del verbo "hornear".
355. Pace: del verbo "pacer". Pastar.
Pase: del verbo "pasar". Boleto.
356. Paso: del verbo "pasar".
Pazo: casa solariega (finca rústica) en Galicia, España.
357. Pasote: paso grande.
Pazote: planta.
358. Peces: plural de pez.
Peses: del verbo "pesar".
359. Pello: piel fina.

Peyo: seudónimo.
360. Perdís: sinvergüenza.
Perdiz: ave.
361. Pesa: del verbo "pesar". Objeto para hacer ejercicio.
Peza: Apellido.
362. Pisciforme: con figura de pez.
Pisiforme: último hueso de la primera fila del carpo.
363. Poetisa: mujer que compone obras poéticas (poemas).
Poetiza: del verbo "poetizar".
364. Polisón: almohadilla o armazón que elevaba la falda de las mujeres por detrás.
Polizón: persona que se embarca oculta y clandestinamente.
365. Polla: gallina joven. Jovencita.
Poya: derechos que se pagan por cocer el pan en algunos hornos.
366. Pollo: cría que nace de cada huevo. Gallo joven. Muchacho.
Poyo: banco de piedra o de otro material pegado a las paredes.
367. Posa: del verbo "posar".
Poza: hueco en la tierra que tiene una cierta cantidad de agua.
368. Poso: del verbo "posar".
Pozo: excavación vertical de un terreno en forma circular.
369. Probo: íntegro y cumplidor.
Provo: miembro de un movimiento juvenil izquierdista de los Países Bajos.
370. Profetisa: mujer profeta, adivina.
Profetiza: del verbo "profetizar".
371. Pulla: dicho o palabra obscena.
Puya: punta acerada que tienen las varas o garrochas de los picadores.
372. Qatar: Estado del Oriente Medio, al Este de la península Arábiga, sobre el golfo Pérsico.
Catar: degustar algo para determinar su calidad; observar.
373. Rallar: desmenuzar algo utilizando el rallador.
Rayar: hacer líneas; tachar; subrayar.
374. Rallo: del verbo "rallar". Rallador.
Rayo: del verbo "rayar". Descarga eléctrica de una nube a la tierra.
375. Rasa: del verbo "rasar". Eliminar la rugosidad o manchas de algo. Asiento sin respaldo.
Raza: grupo humano definido por caracteres físicos hereditarios.
376. Rebelarse: oponerse o sublevarse a algo.
Revelarse: del verbo "revelar". Decir un secreto.
377. Rebosar: derramarse un líquido por las orillas de un recipiente. Abundar algo en demasía.
Rebozar: bañar un alimento con huevo batido, etc.
378. Reboso: del verbo "rebosar".
Rebozo: del verbo "rebozar". Mantilla o manto cuadrangular.
379. Recabo: del verbo "recabar". Obtener lo que se desea por ruegos.
Recavo: del verbo "recavar". Volver a cavar.
380. Reces: del verbo "rezar". Orar.
Reses: plural de res.
381. Reciente: que acaba de suceder o acontecer.
Resiente: del verbo "resentir". Sentir nostalgia. Estar molesto.
382. Rehusar: no aceptar una cosa.
Reusar: volver a usar.
383. Repollo: variedad de hojas gruesas y apretadas entre sí.
Repoyo: resto, especialmente de la comida.
384. Resumen: del verbo "resumir". Exposición breve de algo.
Rezumen: del verbo "rezumar". Salir un líquido por las hendiduras o poros de un cuerpo.
385. Retasar: bajar el precio de una cosa puesta en subasta que no se ha podido vender.
Retazar: desmenuzar o despedazar algo.
386. Riba: división prominente de tierra entre dos campos.
Riva: apellido.
387. Ribera: orilla del mar o río.
Rivera: riachuelo.
388. Risa: movimiento de la boca y el rostro manifestando alegría.
Riza: del verbo "rizar". Ensortijar el pelo.
389. Rolla: niñera.
Roya: nombre que se da a las distintas enfermedades provocadas en las plantas.
390. Rollo: objeto plano de forma cilíndrica.
Royo: apellido.
391. Rosa: flor del rosal; color levemente rojizo.
Roza: del verbo "rozar". Tocar una cosa suavemente con algo.
392. Rosado: objeto de color rosa.
Rozado: del verbo "rozar".
393. Sabe: del verbo "saber".
Save: río.
394. Sabia: persona que posee sabiduría.
Savia: líquido circulante en los tejidos conductores de las plantas.
395. Safio: pez (Cuba).
Zafio: tosco, inculto, grosero, mal educado.
396. Safo: poetiza griega.
Zafo: del verbo "zafar".
397. Safra: de safranina (compuesto orgánico de fórmula compleja).
Zafra: recolección y cosecha de la caña de azúcar.
398. Saga: hechicera, bruja. Leyenda mitológica escandinava.
Zaga: parte trasera de algo.

399. Sapote: aumentativo de sapo.
Zapote: árbol.
400. Saque: del verbo "sacar".
Zaque: odre (cuero para guardar algún líquido).
401. Saquear: robar o hurtar el total o mayor parte de algo.
Zaquear: verter el líquido de un zaque (odre).
402. Sebiya: espátula.
Sevilla: ciudad capital y provincia de España, en Andalucía.
403. Segueta: sierra.
Cegueta: persona que no ve bien.
404. Senara: porción de tierra que dan los dueños a los criados para que las labren por su cuenta.
Cenara: del verbo "cenar".
405. Senda: recurso que se sigue para obtener algo. Camino angosto.
Zenda: texto sagrado de los persas.
406. Seno: regazo.
Ceno: del verbo "cenar".
407. Serraduras: serrín.
Cerraduras: plural de cerradura.
408. Seseo: es el trueque de la "c" o "z" por la "s".
Ceceo: consiste en cambiar la "s" por la "c".
409. Severa: persona rigurosa o estricta en algo.
Sebera: cartera de cuero (Chile).
410. Sibil: oquedad (hueco) de una cueva usada.
Civil: ciudadano; sociable, cortés, urbano.
411. Sierra: del verbo "serrar". Herramienta; cordillera.
Cierra: del verbo "cerrar'.
412. Silba: del verbo "silbar".
Silva: composición poética.
413. Simón: nombre de un alquilador de coches en Madrid.
Cimón: político ateniense (Grecia).
414. Soca: retoño de la caña de azúcar.
Zoca: zoco (plaza).
415. Solás: apellido.
Solaz: descanso del cuerpo o del espíritu.
416. Solla: pez.
Soya: soja (planta leguminosa [originaria de Aria] de gran valor nutritivo).
417. Sonda: del verbo "sondar". Tubo quirúrgico. Máquina para hacer agujeros profundos.
Zonda: corriente cálida y seca (Bolivia y Argentina).
418. Sorra: arena muy gruesa.
Zorra: mamífero (hembra del zorro).
419. Sosia: persona que tiene parecido con otra.
Socia: persona que forma sociedad con otra u otras.
420. Sueco: de Suecia.
Zueco: zapato de madera labrada o de corcho.
421. Suela: parte del calzado debajo del pie, y en contacto, con el suelo.
Zuela: azuela (herramienta de carpintero).
422. Sulla: planta.
Suya: pronombre posesivo.
423. Sumba: isla del Archipiélago de la Sonda (Indonesia).
Zumba: del verbo "zumbar". Paliza. Borracha.
424. Sumo: el límite máximo al que puede llegar una persona o cosa. Importancia o relevancia de algo.
Zumo: líquido que se obtiene de las hierbas, flores, frutas.
425. Talla: del verbo "tallar". Esculpir (labrar piedra, madera, etc.).
Taya: reptil.
426. Tasa: del verbo "tasar". Asignar a una cosa el valor o precio que le corresponde. Impuesto para algunos servicios públicos.
Taza: vasija pequeña con asa.
427. Tolla: recipiente largo donde bebe el ganado (Cuba).
Toya: cadena de cascabeles que, los indígenas, se ponen en los tobillos en algunas danzas (Bolivia).
428. Tosa: del verbo "toser".
Toza: pedazo de corteza de pino o de otro árbol.
429. Transa: del verbo "transar". Estar de acuerdo personas, países; en las peticiones que se desean obtener.
Tranza: del verbo "tranzar". Cortar, partir.
430. Trisa: del verbo "trisar". Chirriar la golondrina y otras aves.
Triza: del verbo "trizar". Destrozar, triturar.
431. Tuba: instrumento musical; licor.
Tuva: República Autónoma de la URSS.
432. Tubo: pieza hueca en forma de cilindro.
Tuvo: del verbo "tener".
433. Tusa: del verbo "tusar". Cortar el pelo. Vaina de la mazorca.
Tuza: rata de abazones.
434. Vamba: Rey.
Bamba: baile latinoamericano. Bailable típico regional de México.
435. Vegete: del verbo "vegetar". Germinar, crecer y desarrollarse las plantas. Persona que no trabaja.
Vejete: de viejo (usado en forma despectiva).
436. Verás: del verbo "ver".
Veraz: cierto, verdadero.
437. Versa: del verbo "versar". Tratar un asunto determinado.
Berza: planta.
438. Ves: del verbo "ver".
Vez: cada ocasión con que se realiza algo.
439. Veto: del verbo "vetar". Prohibir algo.

Beto: apócope de la palabra Alberto.

440. Veza: del verbo "vezar". Avezar (habituar). Arveja.
Besa: del verbo "besar".

441. Vina: instrumento musical.
Bina: del verbo "binar". Compuesto de dos elementos. Trabajar en parejas.

442. Visar: autorizar dando el visto bueno a algo. Encuadrar algo.
Bisar: repetir algo.

443. Vocear: publicar o manifestar algo en voz alta.
Vosear: consiste en el uso del pronombre personal "vos".

444. Voleo: del verbo "volear". Golpear una cosa en el aire para elevarla.
Boleo: del verbo "bolear". Lustrar los zapatos.

445. Vos: pronombre personal en segunda persona.
Voz: sonido emitido por las cuerdas vocales en la laringe al paso del aire.

446. Yak: mamífero artiodáctilo de la familia Bóvidos.
Jack: voz inglesa. Dispositivo de conexión usado para terminar el cableado de un circuito, al cual se accede mediante la inserción de una clavija.

447. Yama: para los vedas (hindúes) significa dominio moral.
Llama: del verbo "llamar". Poner nombre. Masa gaseosa. Mamífero.

448. Yamao: Cuba. Árbol de la familia Meliáceas.
Llamao: del verbo "llamar".

449. Yero: planta herbácea de la familia leguminosas.
Hiero: del verbo "herir".

450. Yerra: del verbo "errar". Equivocarse.
Hierra: del verbo "herrar".

451. Yoro: Departamento del norte de Honduras.
Lloro: del verbo "llorar".

452. Zabida: áloe (planta).
Sabida: del verbo "saber".

453. Zaca: odre (cuero para guardar algún líquido) para sacar agua.
Saca: del verbo "sacar".

454. Zamba: persona que junta las rodillas y tuerce las piernas hacia afuera al caminar. Hijo de negro e india o viceversa.
Samba: danza brasileña.

455. Zanco: son dos palos largos que tienen estribos a mediana altura donde se colocan los pies para caminar.
Sanco: barro espeso. Guiso argentino.

456. Zeda: zeta (nombre de la letra "z" del alfabeto Español). Letra del alfabeto griego. Coche de la policía española (argot).
Ceda: del verbo "ceder". Traspasar a otro algo.
Seda: del verbo "sedar". Tranquilizar. Hilo.

457. Zelaya: Departamento del Este de Nicaragua.
Celaya: Ciudad en el Estado de Guanajuato, México.

458. Zenica: Ciudad de Yugoslavia.
Cenica: del verbo "cenar".

459. Zeta: última letra del alfabeto en Español. Sexta letra del alfabeto griego.
Seta: cualquier especie de hongo en forma de sombrero.

460. Zopa: pie o mano deformes o torcidos y persona que lo padece.
Sopa: alimento o base de caldo con pasta o verduras.

461. Zopas: se usa en plural con valor de singular (persona que cecea).
Sopas: plural de sopa.

462. Zuda: azud o azuda (dispositivo para sacar agua). Presa para canalizar el agua.
Suda: del verbo "sudar". Despedir el sudor por los poros de la piel.

PARÓNIMOS, PARÓNIMOS, PARÓNIMOS...

Los parónimos son las palabras que tienen pronunciación similar. Los casos de parónimos son los siguientes:

a) El cambio de consonantes: actitud, aptitud.
b) El cambio de vocales: área, aria.
c) El aumento u omisión de letras: areómetro-aerómetro; óptico-ótico.
d) La combinación de los casos anteriores: afición, afección.

La ejercitación de los parónimos podrá realizarse de diferente manera:

a) Lea los parónimos —en grupos de 10—, en voz alta, dos o tres veces.
b) Haga una oración con los parónimos, que se están practicando, en forma oral o escrita.
c) Busque en el periódico, textos literarios, etc., palabras parónimas.
d) elabore oraciones con las palabras que usted localizó.

e) Elabore un diccionario ilustrado —con dibujos, recortes de revistas, etc.—, como lo juzgue conveniente, en su cuaderno de Español, y consulte a su maestro.

---

1. Abidos: antigua ciudad de la Tróade (costa NE de Anatolia); lugar arqueológico egipcio, sobre el Nilo.
   Ávidos: plural de ávido. Ansioso, avaricioso.
2. Abito: del verbo "abitar". Amarrar a las bitas el cable del ancla.
   Evito: del verbo "evitar".
3. Ablación: extirpación de algún órgano.
   Ablución: acción de lavarse.
4. Abrevar: llevar a beber el ganado y beber éste; regar con agua.
   Abreviar: acortar o reducir algo.
5. Absolver: declarar a alguien exento de lo que se le culpaba.
   Absorber: dedicación total de algo; embeber los órganos especializados de una planta los elementos nutricios que ésta necesita.
6. Abuja: Ciudad de Nigeria.
   Aguja: varilla gralte. metálica, aguzada por un extremo y con un ojo en el opuesto.
7. Acarralar: formar irregularidades un tejido cuando una hebra se encoge o se desvía.
   Acorralar: cerrar las vías de escape a un animal o persona.
8. Acarrarse: apelotonarse las ovejas a la sombra en verano.
   Acarrearse: de "acarrear". Transportar una carga.
9. Acceso: vía o punto por el que se comunican dos lugares; acción de aproximarse o llegar.
   Absceso: colección de pus en una cavidad, formada por desintegración de los tejidos.
10. Acepción: cada significado de una palabra o frase.
    Accesión: de acceder. Satisfacer una petición o deseo ajeno.
11. Ación: tira de cuero de la que cuelga el estribo.
    Acción: ejercicio de la facultad de actuar.
12. Acmé: en una enfermedad, periodo de máxima intensidad.
    Acné: dermatosis caracterizada por presencia de pústulas.
13. Acónito: planta herbácea de la familia Ranunculáceas.
    Acólito: monaguillo.
14. Acopar: desarrollar las plantas su copa.
    Acopiar: almacenar, reunir, especialmente alimentos.
15. Acoyundar: colocar la coyunda —soga— a los bueyes.
    Acoyuntar: formar una yunta con animales de dos propietarios para compartirla.
16. Acta: escrito que da fe del desarrollo y conclusiones de una reunión.
    Apta: apropiada, competente.
17. Actitud: gesto o postura corporal que refleja un estado de ánimo.
    Aptitud: capacidad para desempeñar un trabajo u ocupar un cargo.
18. Acusar: culpar a alguien de una falta o delito.
    Acuciar: apresurar a alguien; acosarle a uno una necesidad.
19. Adecentar: arreglar, limpiar, ordenar.
    Acrecentar: aumentar, agrandar. Hacer que progrese alguien.
20. Adelfa: arbusto de la familia Apocináceas.
    Adelfia: proceso de soldadura de los filamentos estaminales de algunas flores.
21. Adén: Ciudad de la República Democrática y Popular del Yemen; Golfo del SO del Océano Índico.
    Edén: el paraíso terrenal, según el Antiguo Testamento.
22. Adepto: seguidor de una secta o doctrina; conocedor de una ciencia.
    Adapto: de adaptar. Amoldarse a una circunstancia.
23. Adiar: fijar una fecha.
    Odiar: aborrecer en grado sumo.
24. Adicción: dependencia, física o psíquica, que procede de un consumo habitual; se aplica especialmente a las drogas.
    Adición: suma.
25. Adsorción: unión química lábil —compuestos químicos inestables que se descomponen fácilmente—, de tipo superficial, que se establece entre las partículas de un sólido o de un líquido con los átomos existentes en el medio.
    Absorción: de absorber. Proceso en que una sustancia (casi siempre gaseosa) penetra y se difunde regularmente en otra (generalmente sólida o líquida).
26. Adstrato: influjo entre dos lenguas o dialectos vecinos.
    Abstracto: concepto que se define por sus cualidades; de difícil comprensión.
27. Adumbrar: dar sombras a una pintura o dibujo.
    Alumbrar: dar luz.
28. Afección: enfermedad; preferencia hacia algo o alguien.
    Afición: inclinación a algo o alguien.
29. Afta: pequeña erupción vesiculosa de las mucosas, especialmente bucales.
    Apta: apropiada, competente.
30. Afuste: soporte antiguo de madera para sostener pequeñas piezas de artillería.

Ajuste: de ajustar. Reacomodar.

31. Ágila: Rey visigodo.
Águila: diversas aves de la familia Accipítridos o Falconiformes.

32. Agravar: hacer más grave algo; cargar con tributos.
Agraviar: sentirse ofendido; apelar de la sentencia desfavorable.

33. Alabear: combar —curvar un objeto— una superficie.
Alabar: elogiar verbalmente.

34. Albar: albo (blanco).
Albear: Arg. madrugar.

35. Alcayata: escarpia —clavo en forma de ele—.
Alcayota: Chile. Chayote.

36. Aleudar: leudar —poner levadura en la masa—.
Adeudar: deber algo.

37. Aliar: unir.
Alear: agitar las alas; mover los brazos.

38. Amén: Que así sea (al final de oraciones litúrgicas).
Amen: del verbo "amar".

39. Amisión: En Derecho, pérdida.
Admisión: del verbo "admitir".

40. Amorrar: detener una embarcación en la arena.
Amarrar: atar.

41. Amular: ser estéril; echarse a perder algo.
Amolar: adelgazar; aguzar un filo mediante la muela —piedra de afilar—.

42. Anegar: sumergir a uno en el agua hasta ahogarle.
Anejar: anexionar —incorporar o juntar una cosa a otra—.

43. Anfractuoso: quebrado, escabroso; especialmente un terreno o superficie que tiene desniveles.
Infructuoso: poco adecuado, de efectos nulos para un fin.

44. Aperador: capataz de una finca o mina.
Operador: médico cirujano; persona a quien compete el funcionamiento, ajuste y entretenimiento de una pieza de equipo, tal como un ordenador o un transmisor.

45. Apia: Capital de Samoa Occidental.
Apea: cuerda que sirve para maniatar las caballerías.

46. Aptar: acoplar, adecuar.
Optar: elegir entre varias oportunidades.

47. Área: unidad de superficie equivalente a 1 Dm^2.
Aria: melodía vocal o instrumental.
Haría: del verbo "hacer".

48. Areómetro: instrumento empleado para determinar densidades y concentraciones.
Aerómetro: aparato que mide densidades de gases.

49. Arrebatar: apropiarse de algo por fuerza.
Arrebatiar: arrabatiar —atar un animal por el rabo—.

50. Arriar: recoger una bandera que está izada; inundar.
Arrear: conducir ganado.

51. Arteria: cada uno de los vasos sanguíneos que conducen la sangre.
Artería: astucia.

52. Artesano: trabajador manual que produce objetos.
Artesiano: determinado tipo de pozo y del agua que contiene.

53. Asequible: que puede lograrse o alcanzarse; comprensible.
Accesible: fácil de entender o abordar; que se puede llegar a él o ella.

54. Asolar: destruir; posarse un líquido.
Asolear: acalorarse; broncearse.

55. Astear: Chile. Dar cornadas.
Hastiar: fastidiar.

56. Astil: mango de ciertas herramientas, como picos, hachas, etc.
Hostil: adversario.

57. Atreo: hijo de Pélope y de Hipodamia, nieto de Tántalo.
Atrio: pórtico de entrada a algunos templos y palacios.

58. Ávaro: pueblo nómada establecido en el Volga hasta mediados del siglo VI.
Avaro: tacaño.

59. Aviente: del verbo "aventar".
Ambiente: conjunto de factores que contribuyen al desarrollo de algo.

60. Balcanización: término político que se refiere a la práctica de crear divisiones artificiales entre Estados para provocar su enfrentamiento.
Vulcanización: proceso químico que consiste en tratar el caucho calentado bajo presión con azufre y otras sustancias.

61. Baldar: dejar maltrecho; impedir o dificultar una enfermedad el uso de los miembros.
Baldear: regar con baldes.

62. Baliza: señal fija o flotante con que se marca un obstáculo o se delimitan los márgenes de caminos, etc.
Paliza: tunda de golpes dados a una persona.

63. Banaba: árbol filipino de la familia Litráceas.
Bañaba: del verbo "bañar".

64. Baria: unidad de presión en el sistema CGS. Equivale a 1 dina/cm^2.
Varía: del verbo "variar".

65. Barimba: Col. Instrumento musical campesino.
Marimba: instrumento de percusión de origen africano.

66. Barrar: embarrar; poner barras en un cheque para indicar que no se pague en mano.
Barrear: fortificar con maderos o barras.
Barrer: arrastrar con la escoba lo sucio del suelo.
67. Baruca: ardid —artimaña, treta— para impedir o eludir la realización de una cosa.
Boruca: alboroto, bulla.
68. Batín: bata corta para estar en casa.
Patín: calzado con cuatro ruedas pequeñas.
69. Beluga: mamífero acuático de la fam. Monodóntidos o Cetáceos.
Verruga: dermatosis de carácter proliferativo de origen vírico —de un virus—.
70. Berrera: nombre común a diversas plantas de la fam. Umbelíferas.
Perrera: lugar donde se guardan o encierran perros.
71. Bursátil: relativo a la bolsa y a las operaciones de ésta.
Versátil: variable.
72. Bestia: animal, generalmente el mamífero cuadrúpedo.
Vestía: del verbo "vestir".
73. Bilogía: libro o composición de dos partes.
Biología: ciencia que estudia los seres vivos.
74. Blinda: viga de zarzos o tierra, empleada para construir trincheras —excavación estrecha y larga— o defensas.
Brinda: del verbo "brindar".
75. Bodigo: panecillo de harina selecta, para ofrendas en la iglesia.
Bodijo: boda entre personas de muy distinta clase social.
76. Bolacear: decir bobadas.
Balacear: herir con balas.
77. Bolaco: Chile. Argucia, truco.
Polaco: de Polonia.
78. Borlarse: América Sur. Doctorarse.
Burlarse: engañar deliberadamente a alguien.
79. Brugo: oruga que daña las hojas de encinas y robles.
Brujo: hombre que se cree tiene poderes del diablo para hacer el mal.
80. Bucal: de la boca.
Vocal: relativo a la voz.
81. Bucear: nadar o ejercer cualquier actividad bajo la superficie del agua.
Vocear: pregonar algo a voces.
82. Bula: documento pontificio que confiere derechos especiales.
Gula: vicio de comer y beber.
83. Buleto: breve, documento pontificio.
Boleto: billete que da derecho para gozar de diferentes servicios; papeleta de una rifa o sorteo.
84. Buque: embarcación.
Buqué: aroma o gusto de los vinos; ramo de flores.
85. Burato: tejido ligero de lana o seda.
Barato: que cuesta poco.
86. Burga: manantial de agua caliente.
Purga: residuos de ciertas operaciones industriales.
87. Cabida: capacidad de una cosa para contener otra.
Cavidad: espacio hueco de un cuerpo o de algún órgano.
88. Cabilla: pieza redonda de hierro para clavar maderos en los buques; cada una de las barritas de la rueda del timón.
Capilla: pequeño edificio de culto, aislado o que forma parte de un templo. Oratorio.
89. Cabria: mecanismo para levantar pesos.
Cabría: del verbo "caber".
90. Caftán: túnica que llevan moros y turcos.
Captan: del verbo "captar".
91. Cambar: Arg., Venez. Curvar algo.
Cambiar: modificar.
92. Carabaña: balneario en la prov. de Madrid, cerca de Aranjuez.
Caravana: grupo de gente que se reúne para ir juntos a algún sitio.
93. Carear: efectuar un careo —interrogatorio para esclarecer la verdad—; confrontar una cosa con otra.
Cariar: producir o sufrir caries.
94. Casamento: cada uno de los fragmentos en que se estructura una obra artística en fase de elaboración.
Casamiento: acción y efecto de casar o casarse.
95. Caseoso: relativo al queso.
Gaseoso: que se halla en estado de gas. Que lleva gases.
96. Casualidad: hecho producido por una serie de circunstancias que no pretendían provocarlo.
Causalidad: causa de algo. Suceso impensado.
97. Cavia: conejo de Indias; especie de alcorque —chancleta con suela de corcho—.
Cabía: del verbo "caber".
98. Cembro: conífera de la familia Pináceas.
Siembro: del verbo "sembrar".
99. Cenema: unidad distributiva mínima en el plano de la expresión.
Cinema: cine.
100. Cesación: de cesar —terminar, interrumpirse algo. Renunciar a un cargo.
Sensación: emoción, impresión producida en el ánimo por algún acontecimiento o noticia importante.
101. Cesible: que puede cederse.

Sensible: que es fácil de conmover o perturbar.

102. Cesto: cesta grande y ancha.
Sexto: que sigue después del quinto.

103. Cesura: en versos de arte mayor, pausa que se introduce, y que los divide en dos partes, iguales o no.
Censura: conjunto de organismos y normas cuyo fin es controlar o impedir la difusión de ciertas ideas o imágenes.

104. Clavaria: diversos hongos basidiomicetes de la fam. Clavariáceas.
Clavaría: del verbo "clavar".

105. Cobla: conjunto instrumental popular catalán, formado por once músicos; en poesía provenzal, denominación de la estrofa.
Cobra: de cobrar. Recibir alguien dinero a cambio de algo.

106. Cogestión: gestión conjunta de todos los elementos implicados en un asunto; participación activa de los alumnos en la clase.
Congestión: aglomeración de personas y vehículos; acúmulo anómalo de sangre en algún órgano o parte del mismo.

107. Cohorte: unidad militar romana; grupo, serie; escolta.
Corte: del verbo "cortar". Comitiva de una persona importante. Tela o material necesario para confeccionar una prenda.

108. Colambre: corambre —conjunto de cueros, especialmente de reses; odre.
Calambre: contractura involuntaria y dolorosa de un músculo.

109. Colera: aderezo en la cola de las caballerías.
Cólera: irritación súbita, agresiva y a veces incontrolable.

110. Colisión: enfrentamiento violento entre personas o grupos de personas.
Coalición: pacto entre varias instituciones, políticas, económicas o sociales, para realizar una acción común.

111. Colpa: óxido férrico.
Culpa: conducta negligente —descuidada—, sin intención directa de perjudicar.

112. Comprensión: capacidad o facilidad para entender.
Compresión: de comprimir. Disminución de volumen por efecto de la presión.

113. Concepción: de concebir. Inicio de un embarazo.
Concesión: de conceder.

114. Concusión: conmoción, agitación violenta.
Conclusión: de concluir.

115. Confección: de confeccionar. Producción de prendas de vestir.
Confesión: de confesar. Expresar hechos o sentimientos ocultos.

116. Consocio: socio con respecto a otro u otros.
Consorcio: asociación entre personas para tutelar e incrementar intereses comunes.

117. Contexto: hilo —concatenación de una historia, etc.— de un escrito, obra, etc.
Contesto: del verbo "contestar".

118. Corbato: parte del alambique —aparato usado en destilación—, en que se enfría el serpentín —tubo enroscado que sirve para facilitar el enfriamiento de los alambiques—.
Corbata: tira de tela o cuero, anudado bajo el cuello de la camisa.

119. Coreo: de corear. Combinación y enlace de los coros musicales.
Careo: en un interrogatorio o juicio, contraste de opiniones de dos o más personas para esclarecer la verdad.

120. Corografía: parte de la geografía que estudia una región o área concretos.
Coreografía: conjunto de pasos para una danza o ballet.

121. Corruto: Cuba. Matraca (instrumento de percusión).
Corrupto: de corromper. Deformar algo. Cohechar, comprar.

122. Cotarro: albergue de pobres; alboroto; negocio.
Catarro: proceso inflamatorio de una mucosa; resfriado.

123. Creador: que crea —artistas e investigadores—. Innovar.
Criador: que cría —niño o animal durante la crianza—.

124. Cubata: cubalibre (refresco de cola).
Cubeta: recipiente de poco fondo.

125. Cúbito: hueso de la parte interna del antebrazo.
Cubito: diminutivo de cubo.

126. Cujear: Cuba. Reprender.
Cojear: caminar asentando mal una pierna o pata.

127. Cutización: transformación de una mucosa por la cual adquiere las características cutáneas.
Cotización: de cotizar. Indicar el precio de una cosa.

128. Chilaba: túnica con capucha, propia de los árabes.
Sílaba: es la letra o letras que se pronuncia de un solo golpe.

129. Choleta: Chile, Perú. Tejido de algodón para forrar vestidos.
Chuleta: costilla de carnero, cerdo, ternera.

130. Chopa: cántara (pez).
Sopa: alimento a base de caldo con pasta o verduras.

131. Dactiliología: parte de la arqueología que estudia los anillos, y otras joyas.

Dactilología: lenguaje de las manos, especialmente el de los sordomudos.

132. Datación: de datar. Encontrar la fecha de composición de algo si se desconoce.
Dotación: de dotar —proporcionar—.

133. Defección: traición, deserción.
Decepción: engaño, mentira; desilusión.

134. Deferencia: apoyo a la actuación o parecer ajeno.
Diferencia: aspecto que permite distinguir una cosa de otra.

135. Delación: de delatar —denunciar a alguien—.
Dilación: demora.

136. Dentellar: castañetear los dientes.
Dentellear: masticar.

137. Dentón: pez osteíctio de la familia Espáridos.
Dientón: de dientes grandes.

138. Depleción: pérdida patológica de líquidos o de alguna sustancia por parte del organismo.
Depresión: de deprimirse. Sentir tristeza por algo o alguien.

139. Desecar: secar algo.
Disecar: seccionar un cadáver, animal, vegetal o humano, con objeto de estudiarlo.

140. Desfrutar: eliminar los frutos de una planta antes de que maduren.
Disfrutar: gozar de algo o alguien.

141. Destapar: quitar aquello que cubre, tapa o abriga a algo o alguien.
Destapiar: abatir —tirar— las tapias que cercan un terreno.

142. Desvolver: modificar algo; preparar la tierra para la siembra.
Devolver: regresar lo que no nos pertenece.

143. Devastar: arrasar un territorio; destruir cualquier cosa.
Desbastar: tallar una madera, etc., rebajar; eliminar las asperezas de una cosa; instruir, refinar a una persona.

144. Didáctico: se refiere a la enseñanza.
Didáctilo: de dos dedos.

145. Dilecto: querido.
Directo: en línea recta.

146. Disenso: de disentir. Desacuerdo.
Descenso: de descender. Declive, decadencia; bajada por la ladera de una montaña.

147. Disidir: disentir de una creencia, ideología, partido, etc.
Decidir: hacer que alguien se incline por una cosa u otra.

148. Dómine: persona que presume de maestro sin serlo. Maestro que utiliza métodos arcaicos —en desuso—.
Domine: del verbo "dominar".

149. Dresde: Ciudad de Alemania.
Desde: preposición.

150. Dúplica: contestación a una réplica —contestación a las alegaciones del demandado—.
Duplica: de duplicar. Obtener el doble de una cantidad.

151. Ebionita: secta fundada por el judío Ebión en Samaria.
Ebonita: caucho vulcanizado negro y duro.

152. Eccema: eczema —enfermedad cutánea de tipo inflamatorio—.
Lexema: es la parte de la palabra que no cambia.

153. Edicto: en la antigua Roma, orden que sólo tenía validez mientras permanecía en el cargo el Magistrado que la había promulgado.
Adicto: inclinado a algo.

154. Égida: coraza o manto protector de piel de la cabra Amaltea usados por Zeus y en ocasiones por Atenea.
Hégira: era de los musulmanes.

155. Egresión: término del paso del disco aparente de un astro por el de otro mayor que él.
Agresión: de agredir. Atacar a alguien física o verbalmente.

156. Elación: orgullo desmedido, soberbia; entusiasmo.
Ilación: coherencia en las ideas o exposición de un discurso.

157. Elidir: malograr o debilitar algo.
Eludir: esquivar un problema, deber, etc.

158. Embestir: abordar intempestivamente a alguien; notarse mucho algo por ser desagradable a la vista.
Investir: otorgar un privilegio, categoría, cargo, etc.

159. Empozar: hacer entrar en un pozo.
Empezar: iniciar algo, principiar, comenzar.

160. Entestar: unir dos piezas por su extremo superior.
Intestar: introducir, ensamblar una cosa en otra y lindar con ella.

161. Envidar: invitar a alguien, con la intención de que no acepte.
Envidiar: malestar del bien ajeno.

162. Escéptico: expresar poca fe en los resultados positivos de algo.
Aséptico: de asepsia. Que no tiene gérmenes infecciosos.

163. Escusa: concesión de pastos que el dueño de una finca hace a sus empleados.
Excusa: pretexto para eludir una obligación.

164. Espiar: escuchar o vigilar con disimulo lo que otros hacen.
Expiar: cumplir un delincuente la pena impuesta por los tribunales.

165. Espirar: tomar aliento; expulsar el aire aspirado.
Expirar: morir; acabar el tiempo o plazo de algo.

166. Esplique: trampa para cazar pájaros.
Explique: de explicar.
167. Estérico: distribución geometricoespacial de los elementos constitutivos de una molécula de una sustancia.
Histérico: de histerismo. Excitación nerviosa.
168. Euforbia: diversas plantas de la familia Euforbiáceas.
Euforia: exteriorización de un estado anímico.
169. Facies: expresión o aspecto que adquiere el rostro en ciertas enfermedades; cara; aspecto exterior de una planta.
Fases: plural de fase. Cada una de las facetas de un fenómeno físico, teoría, etc.
170. Farándola: danza popular provenzal.
Farándula: actividad de los actores teatrales.
171. Feronia: planta arbustiva de la familia Rutáceas.
Felonía: infidelidad, alevosía, infamia.
172. Ficción: de fingir. Mostrar algo a alguien una apariencia que no es real. Obra literaria narrativa.
Fisión: proceso de escisión —ruptura— de un núcleo atómico de un elemento pesado, en 2 partes aproximadamente iguales.
173. Fóvea: fosa de pequeño tamaño, especialmente de la depresión central de la retina ocular.
Fobia: miedo irracional, patológico, muy intenso, hacia personas, objetos o situaciones.
174. Gálgulo: rabilargo (ave).
Cálculo: de calcular. Estimar, valorar.
175. Gansada: sandez.
Cansada: del verbo "cansarse". Sentir fatiga.
176. Gestar: llevar en su seno y alimentar la madre al feto hasta el momento del parto. Iniciarse, desarrollarse opiniones, etc.
Gestear: gesticular. Hacer gestos o muecas.
177. Girándula: rueda de cohetes que los despide al girar; artefacto semejante que esparce el agua en una fuente.
Girándola: del verbo "girar".
178. Grujir: igualar los bordes de un vidrio cortados con un diamante.
Crujir: producir ruido un cuerpo, al quebrarse, rozar o chocar.
179. Grutesco: se refiere a la gruta artificial.
Grotesco: ridículo.
180. Guarecer: cobijarse en un lugar para escapar de un daño, una tempestad, etc.
Guarnecer: colocar guarniciones a algo, adornarlo; dotar de fuerzas un cuerpo militar o estar en guarnición.
181. Hábito: prenda de vestir; práctica usual y repetitiva en la manera de actuar.
Habito: de habitar.
182. Harnear: Col. Chile. Cribar —quitar las impurezas o las partes más menudas de algo, con la criba; ésta es un aro de madera con una tela mecánica— el grano.
Hornear: mantener algo en el horno hasta que se cueza.
183. Harrado: ángulo que forma una bóveda esquilfada.
Herrado: de herrar. Colocar las herraduras a las caballerías.
184. Hastado: órganos vegetales, gralte. Hojas, en cuya base hay 2 formaciones divergentes.
Hastiado: del verbo "hastiarse". Fastidiar.
185. Herejía: En el catolicismo, doctrina contraria a la fe.
Elegía: poema lírico que expresa pena o dolor.
186. Hesitación: parada temporal o suspensión temporal de las operaciones de la secuencia de un ordenador, a fin de ejecutar operaciones de otra secuencia.
Excitación: de excitar. Intensificar un sentimiento, etc. Exaltarse por un sentimiento, acontecimiento, etc.
187. Hexodo: tubo electrónico de vacío provisto de 6 electrodos.
Éxodo: salida; segundo libro del Pentateuco.
188. Higa: amuleto en forma de puño.
Hija: persona respecto de sus progenitores.
189. Hipar: tener ataques de hipo; sollozar; anhelar.
Himpar: gemir.
190. Hombría: cualidad de hombre.
Umbría: poco soleado.
191. Hoyo: hueco o agujero en la tierra o en otras superficies.
Oyó: del verbo "oír".
192. Húsar: soldado de caballería ligera, de origen húngaro.
Usar: utilizar una cosa para algo.
193. Icnografía: dibujo de la planta de un edificio.
Iconografía: colección de imágenes o retratos de una persona o tema.
194. Ictíneo: similar a un pez.
Ictino: arquitecto griego.
195. Iludir: burlar.
Eludir: esquivar un problema, deber, etc.
196. Impudencia: falta de pudor —honestidad; recato—.
Imprudencia: falta de prudencia.
197. Inapeable: inexplicable; empecinado; que no se puede apear —descender de un vehículo o cabalgadura—.
Inapenable: irremediable, inevitable.
198. Incomprensible: que no llega a ser comprendido, entendido.

Incompresible: que no se puede comprimir o reducir a menor volumen al ser sometido a presión.

199. Índico: Océano, relativo a la India.
Indico: del verbo "indicar".

200. Inerme: indefenso, sin armas.
Inerte: sin movimiento, sin vida.

201. Intercesión: de interceder. Ser uno valedor de otro, mediar por él.
Intersección: dados dos o más conjuntos, se llama intersección al conjunto formado por los elementos comunes a todos ellos.

202. Invectiva: sátira —composición poética en la que se ridiculiza o crítica algo o alguien— contra alguien o algo.
Inventiva: facultad y aptitud para inventar, crear.

203. Irisar: mostrar un cuerpo reflejos similares a los del arco iris.
Erizar: levantarse algo; tener un asunto muchos obstáculos y problemas.

204. Jalar: halar —tirar hacia sí de un cabo, remo, etc. Atraer algo hacia sí.
Jalear: Chile. Fastidiar. Aplaudir cuando nos agrada algo. Azuzar a los perros en la caza.

205. Jarear: Bol. Detenerse a descansar. Méx. Pasar hambre.
Jarrear: uso frecuente del jarro; no dejar que un pozo tenga excesiva agua.

206. Karakul: raza ovina procedente de Asia Central.
Caracol: diversas especies de moluscos gasterópodos.

207. Labaria: reptil ofidio de la familia Crotálidos.
Lavaría: del verbo "lavar".

208. Laborar: intrigar; esforzarse por conseguir algo.
Laborear: labrar o trabajar la tierra; explotar una mina.

209. Lacear: atar, ornar con lazos; atrapar con lazo.
Lacerar: maltratar, herir; desacreditar; pasar apuros.

210. Laceria: pobreza, miseria.
Lacería: conjunto de lazos ornamentales.

211. Lampar: pedir, mendigar.
Lampear: Chile, Perú. Labrar con una azada —plancha de hierro de borde cortante y unida en ángulo agudo a un mango—.

212. Laso: decaído; fibras lisas que no están rizadas.
Laxo: flojo; de conducta poco estricta.

213. Legión: unidad de combate principal de los romanos; diversos cuerpos militares.
Región: extensión de territorio definida.

214. Lesión: cualquier tipo de daño o perjuicio; alteración de las características anatomohistológicas de un tejido u órgano.
Lección: exposición teórica o práctica de un tema cualquiera. Clase.

215. Loneta: Amér. Lona de poco espesor.
Luneta: cristal de los anteojos; butacas de los antiguos teatros con respaldo y brazos.

216. Lucido: de lucir. Admirable, sobresaliente.
Lúcido: de la luz. Despierto de inteligencia, sagaz —astuto—.

217. Luego: adv. Inmediatamente, a continuación.
Luengo: largo.

218. Llamar: captar la atención de alguien con voces o gestos.
Llamear: despedir llamas.

219. Macear: golpear con el mazo (martillo). Insistir.
Macerar: poner algo para reblandecerlo; castigar el cuerpo como signo de penitencia.

220. Maledicencia: acción de maldecir (hablar mal de alguien).
Maleficiencia: hábito de actuar negativamente.

221. Marcear: tiempo inestable y ventoso en el mes de marzo.
Marcenar: hacer amelgas —faja de terreno que se delimita para que el sembrado sea más uniforme — en los cultivos.

222. Mástil: palo mayor de una embarcación.
Mastín: raza de perros con funciones de guardia y defensa.

223. Matar: privar de la vida a alguien.
Matear: plantar las hortalizas; husmear el perro las matas u ojearlas el cazador en busca de caza; tomar mate —árbol de la fam. Aquifoliáceas—. Chile. Dar jaque mate en el ajedrez.

224. Mesia: Provincia romana del bajo Danubio.
Mecía: del verbo "mecer".

225. Mesofilo: conjunto de tejidos vegetales dispuestos entre las dos epidermis de las caras de una hoja.
Mesófilo: vegetales que crecen a una humedad intermedia.

226. Micenas: antigua ciudad griega del Peloponeso.
Mecenas: persona o institución que protege y financia actividades intelectuales.

227. Milenio: espacio de tiempo de 1000 años.
Mileno: tejido de 1000 hilos.

228. Moleta: piedra para moler colores, drogas, etc. Instrumento para pulir cristales.
Muleta: aparato ortopédico compuesto por un palo cuyo extremo se apoya en el codo o sobaco.

229. Mollar: quebradizo; frutas muy carnosas; fácil de convencer.
Mollear: ceder por la presión ejercida; doblarse, reblandecerse.

230. Monaquismo: estado de vida religioso de quienes buscan la perfección separados del mundo.
Monarquismo: fidelidad a la Monarquía —régimen político en el que la jefatura del Estado es ejercida por una sola persona, a título hereditario o por elección—.
231. Monoteísmo: creencia en un solo Dios.
Monotelismo: doctrina teológica que sostenía que en Cristo existía una única voluntad divina y dos naturalezas.
232. Montar: subir encima de algo; armar las piezas de maquinarias.
Montear: formar arcos; levantar la caza conduciéndola hacia donde aguardan los cazadores.
233. Mostar: Ciudad de Yugoslavia.
Mostear: vaciar el mosto —jugo de uva sin fermentar— en las tinas.
234. Nasio: primate citarrino de la familia Cercopitécidos.
Nació: del verbo "nacer".
235. Nato: cualidades o defectos que se poseen de nacimiento.
Neto: valor total de algo; preciso, claro; aseado, limpio.
236. Nemático: estado líquido intermedio entre el estado cristalizado y el estado amorfo —sin forma—, en el cual, las moléculas están orientadas en una dirección dada.
Neumático: tubo de caucho, con aire en su interior; parte de la física que estudia las propiedades de los gases.
237. Neptunio: elemento químico del grupo VIII de la tabla periódica.
Neptuno: octavo planeta del sistema solar; Dios romano del mar.
238. Neuroma: engrosamiento fibromatoso que se desarrolla en el extremo proximal de un nervio seccionado.
Neurona: célula que produce y transmite el impulso nervioso.
239. Nóbel: premio anual que se da a las personalidades destacadas en distintas áreas (Literatura, Medicina, etc.).
Nóbel: novato, inexperto; principiante, nuevo.
240. Nubia: región del NE de África.
Novia: persona comprometida para casarse o próxima a hacerlo.
241. Nutación: movimiento oscilatorio que pueden realizar ciertos órganos óseos en relación a otros. Oscilación periódica del eje de la Tierra causada por la atracción del Sol y, en mayor proporción por la de la Luna.
Notación: anotación. Conjunto de signos gráficos que componen un sistema de escritura musical; conjunto de símbolos utilizados en la lógica moderna para representar las constantes y las variables proposicionales.
243. Óbito: muerte, defunción.
Hábito: práctica usual y repetitiva en la manera de actuar.
244. Obseso: que sufre una obsesión —idea o pensamiento que no se puede apartar de la mente—.
Absceso: colección de pus en una cavidad, formada por desintegración de los tejidos.
245. Olambre: azulejo, generalmente formado por una figura geométrica sobre fondo obscuro.
Alambre: hilo de metal.
246. Óptico: se refiere a la visión o la vista.
Ótico: se refiere al oído.
247. Orlar: poner orlas —orilla de una tela— en un vestido, etc.
Ornar: adornar.
248. Palmesano: de Palma de Mallorca.
Parmesano: de Parma.
249. Papa: máxima autoridad de la jerarquía católica; patata.
Papá: padre.
250. Parecentesis: punción evacuadora de alguna cavidad natural, que por causa patológica contiene algún líquido.
Paréntesis: inciso que se produce dentro de una oración.
251. Patología: rama de la medicina que estudia todo lo referente a la enfermedad, especialmente desde un punto de vista clínico.
Patrología: Patrística (teología que estudia la doctrina de los Padres de la Iglesia Católica).
252. Pavonar: aplicar pavón —color azul, negro, o café, a modo de barniz— al hierro u otro metal para que no se oxide.
Pavonear: presumir de algo.
253. Percebe: crustáceo del orden Torácicos.
Percibe: de percibir. Captar nuestros sentidos los estímulos externos. Entender.
254. Perjuicio: perjudicar —dañar a una persona o cosa—.
Prejuicio: juicio prematuro sin conocer suficientemente los hechos.
255. Poción: cualquier bebida.
Porción: parte de un todo.
256. Pórfido: roca magmática eruptiva de composición variable.
Pérfido: carente de fidelidad, desleal, traidor.
257. Pradial: noveno mes del calendario revolucionario francés.
Predial: de predio. Finca, propiedad o bien inmueble.
258. Precesión: movimiento del eje de rotación de un sólido rígido producido por la acción de un par de fuerzas externas.
Precisión: preciso (exacto; conciso).

259. Prever: pronosticar, adivinar.
Proveer: proporcionar lo necesario para un fin.
260. Procaz: insolente, deslenguado.
Precoz: que se produce o desarrolla anticipadamente.
261. Puntear: dibujar o señalar puntos en alguna superficie.
Puntuar: anotar los signos de puntuación a un texto.
262. Raboso: que tiene los extremos deshilachados o rotos.
Rabioso: enfermo de rabia.
263. Radial: forma de radio. Arterias, venas, nervios y músculos del antebrazo.
Radal: Chile. Árboles de la familia Proteáceas.
264. Raer: igualar.
Roer: desgastarse poco a poco algo; cortar y desmenuzar con los dientes una cosa dura.
265. Rais: en varios países musulmanes, gobernante.
Raíz: órgano de fijación de las plantas superiores; origen, causa de una cosa.
266. Ratificar: nueva afirmación o verificación de algo.
Rectificar: corregir algo.
267. Razonar: analizar algo.
Racionar: distribuir equitativamente algo.
268. Recensión: reseña, noticia crítica.
Recesión: acción de retirarse. Periodo posterior a una fase de auge —éxito—, en la que hay una disminución económica.
269. Redhibir: anular el comprador una compra por no haber indicado el vendedor la existencia del gravamen.
Redimir: rescatar a un cautivo pagando su rescate; librar a alguien de un peligro, pena o daño; obtener la liberación de algo que estaba empeñado; librar de un deber.
270. Remedar: imitar algo o a alguien.
Remediar: ayudar en una situación difícil.
271. Reportar: informar, notificar.
Reportear: entrevistar un periodista a alguien.
272. Réprobo: individuo que va a ser condenado a las penas del infierno.
Repruebo: de reprobar —no aprobar a una persona o cosa—.
273. Respecto: proporción o relación que existe entre dos cosas.
Respeto: consideración que se guarda a algo o a alguien
274. Revólver: pistola.
Revolver: agitar una cosa, darle vueltas.
275. Rigente: rígido.
Regente: persona que desempeña una regencia, gobierno transitorio.
276. Románico: periodo artístico desarrollado en la Europa cristiana durante los siglos X al XIII.
Romántico: del romanticismo. Movimiento espiritual y artístico que prevaleció en la cultura occidental entre fines del siglo XVIII y mediados del XIX.
277. Sabana: formación vegetal en la que dominan las plantas herbáceas.
Sábana: cada una de las dos piezas de lienzo o tela que se ponen en la cama.
278. Salio: sacerdotes del Dios Marte. Sacerdote de Marte en la antigua Roma. Individuos pertenecientes a una tribu de pueblos francos que habitaban la Germania inferior.
Salió: del verbo "salir".
279. Salobre: sabor salado por naturaleza.
Salubre: saludable.
280. Sapillo: tumor blanquecino que se localiza bajo la lengua.
Cepillo: tablilla con cerdas en una de sus caras.
281. Sección: cada una de las porciones o partes en que se divide algo.
Sesión: cada una de las reuniones celebradas por un consejo, asamblea, etc.
282. Secesión: acción y efecto de separarse o apartarse.
Sucesión: de suceder. Paso de una persona o cosa al lugar que ocupaba otra; descendencia, linaje; transmisión de bienes, derechos y obligaciones a un heredero.
283. Secretaría: oficina.
Secretaria: persona que atiende la correspondencia, redacta actas, mecanografía oficios, etc.
284. Segundar: ocupar el segundo lugar.
Secundar: cooperar, apoyar.
285. Septenario: número que consta de 7 unidades o que se escribe con 7 guarismos; conjunto de 7 días consecutivos.
Centenario: de centena. Periodo de 100 años.
286. Serial: de una serie. Novela u obra teatral transmitida en episodios o capítulos.
Cereal: cada una de las diversas plantas herbáceas, generalmente gramíneas.
287. Sexta: que sigue después del quinto.
Cesta: recipiente de mimbre, con asa, para transportar cosas.
288. Simpátrico: poblaciones de organismos que ocupan una misma área geográfica.
Simpático: persona agradable a los demás.
289. Sitiar: acorralar a alguien para obligarle a rendirse o a ceder.
Situar: colocar a una persona o cosa en determinado sitio o situación.
290. Solícito: complaciente, dispuesto a hacer lo que se le pide.

Solicito: de solicitar. Pedir con cortesía algo.

291. Sotileza: hilo más fino, al final del aparejo, donde se ata el anzuelo.
Sutileza: de sutil. Delicado, muy delgado tenue.

292. Tanor: indígena filipino obligado a prestar servicio doméstico a los españoles.
Tenor: registro más agudo de la voz masculina; cantante con esta voz.

293. Tasco: estopa gruesa de cáñamo o lino que se hacen tejidos toscos.
Taxco: Ciudad del Estado de Guerrero, México

294. Tasi: Arg., Bol. Planta de la familia Asclepiadáceas.
Taxi: automóvil de alquiler para el servicio público.

295. Tenia: diversos gusanos platelmintos del orden Cestodos.
Tenía: del verbo "tener". Poseer algo.

296. Tesitura: extensión o registro de una voz o instrumento; estado de ánimo, actitud ante la vida.
Textura: disposición de los hilos de una tela; estructura de una obra, poema, etc.

297. Testo: de testar. Otorgar testamento. Borrar lo escrito, tachar.
Texto: cualquier escrito y su contenido.

298. Tiste: Amér. C., Méx. Refresco elaborado a base de maíz, chocolate y azúcar.
Triste: melancólico.

299. Tornar: regresar a un lugar; devolver; mudar o transformar.
Tornear: trabajar o dar forma a una cosa con el torno —máquina que gira horizontalmente y es útil como en la alfarería—.

300. Transición: paso de un estado a otro o manera de ser de alguien.
Transacción: de transigir. Trato, convenio, negocio.

301. Trófico: perturbación en el trofismo —estado nutritivo de los tejidos— de los tejidos, por déficit vascular o trastornos neurológicos.
Tráfico: de traficar. Circulación, tránsito de personas, vehículos, mercancías, etc.

302. Untuoso: pegajoso, grasiento; pesado, empalagoso.
Suntuoso: lujoso, fastuoso.

303. Uval: parecido a la uva.
Oval: forma de huevo; figura de óvalo.

304. Vagido: gemido o llanto del recién nacido.
Vahído: lipotimia —trastorno originado por un déficit pasajero de irrigación cerebral—. Pérdida de la conciencia momentánea.

305. Valido: apreciado, preferido.
Válido: vigente.

306. Varear: golpe con una vara.
Variar: cambiar, volver diferente una cosa.

307. Venal: se refiere a las venas. Vendible, sobornable.
Venial: lo que se opone ligeramente a la ley o precepto, y especialmente del pecado leve.

308. Venimos: venir. Presente de indicativo.
Vinimos: venir. Pretérito de indicativo.

309. Ventisca: tempestad de viento, o de viento y nieve. Ventarrón.
Ventrisca: vientre de un pescado.

310. Vértice: punto en que concurren dos lados de una figura plana.
Vórtice: corriente que se forma en una masa de fluido que gira rápidamente alrededor de su centro, formando un vacío.

311. Vetar: poner un veto o impedimento.
Vetear: dibujar o pintar vetas —franja de distinto color o materia que los de la masa en que se encuentra intercalada— semejantes a las de la madera o el mármol.

312. Vortiginoso: movimiento espiral que adquieren los fluidos al succionarlos.
Vertiginoso: de vértigo. Perturbación del sentido del equilibrio, en la que parece que haya movimiento de rotación del cuerpo.

313. Zafio: mal educado.
Safo: poetisa griega.

314. Zagual: remo corto que no se articula en la embarcación.
Zaguán: vestíbulo de una casa, que da a la calle.

315. Zampar: comer de prisa y en abundancia; agredir o atacar a alguien con hechos o palabras.
Zampear: construir cimientos con ayuda de estacas de madera y obra de mampostería en terrenos poco firmes.

316. Zofra: mantel o alfombra morisca.
Sufra: del verbo "sufrir".

317. Zubia: vertiente de aguas caudalosas.
Subía: del verbo "subir".

GLOSARIO

1. Ababillarse: Chile. Enfermarse de la babilla —rótula de los cuadrúpedos.
2. Abazón: cada una de las bolsas situadas a ambos lados de la cavidad bucal (roedores y catarrinos —primates antropoides—).
3. Abducción: desplazamiento de una parte móvil del cuerpo.
4. Abey: árbol de la familia Bignoniáceas.
5. Abolicionismo: de abolir. Revocar —anular— una ley, norma, etc.
6. Abrasión: desgastar algo raspándolo.
7. Abraxas: simboliza el curso del Sol a lo largo del año.
8. Absterger: limpiar una herida, desinfectándola.
9. Abyecto: ruin, rastrero.
10. Acepción: cada significado de una palabra o frase.
11. Acreencia: Amér. Crédito, calidad que uno tiene de acreedor —persona o institución que tiene derecho a exigir pagos a otra (deudor)— de otro.
12. Acrofobia: miedo fóbico a las grandes alturas.
13. Adagio: refrán; movimiento musical.
14. Adherirse: unir una cosa con otra.
15. Adive: carnívoro de la familia Cánidos.
16. Adjetivo: no tiene independencia como el sustantivo y expresa una cualidad de este. Ejemplo: madre **abnegada**.
17. Adolescente: individuo que está en la adolescencia —periodo comprendido entre la infancia y la edad adulta—.
18. Adscribir: afiliarse a algún colectivo —grupo de personas—.
19. Aducir: probar, alegar, justificar.
20. Advección: circulación atmosférica del calor en sentido horizontal.
21. Advenimiento: esperar con impaciencia algo que se desea.
22. Adverar: dar fe de algo.
23. Adverso: desfavorable; colocado en la parte opuesta.
24. Adviento: ciclo de las 4 semanas anteriores a la Navidad.
25. Advocación: nombre de una virgen, santo, etc., que se da a una iglesia o lugar de culto.
26. Afluxionarse: Col., Cuba. Acatarrarse.
27. Aforismo: máxima o sentencia que se expresa con pocas palabras.
28. Agavanzo: escaramujo (arbusto).
29. Agave: plantas de la familia Amarilidáceas.
30. Agenciar: llevar a cabo las gestiones necesarias para obtener algo.
31. Agerasia: vejez sin achaques.
32. Ageusia: pérdida del sentido del gusto.
33. Agilipollarse: atontarse.
34. Agorafobia: miedo a pasar por espacios abiertos (una gran plaza).
35. Agraz: uva que no ha madurado; sinsabor, pena.
36. Ajear: chillar la perdiz cuando la acosan.
37. Ajenabe: mostaza.
38. Ajillo: aderezo de ciertos guisos con ajo y aceite.
39. Ajonjera: planta de la familia Compuestas.
40. Álabe: rama de árbol que se curva hacia tierra.
41. Alazor: hierba de la familia Compuestas.
42. Albacea: persona designada por el juez, que se encarga de ejecutar las disposiciones testamentarias del finado.
43. Albahaca: hierba anual de la familia Labiadas.
44. Albarazado: mezcla de rojo y negro.
45. Albaricoquero: árbol frutal de la famila Rosáceas.
46. Albarizo: blanquecino, se aplica generalmente al terreno.
47. Albatros: diversas aves de la familia Diomedeidos.
48. Alcarcil: alcachofa silvestre.
49. Alcista: alza o subida de la bolsa. Persona que juega en ésta.
50. Alebrestarse: Méx. Ponerse de malhumor. Alborotarse, excitarse.
51. Aleve: alevòsía. Traición, deslealtad.
52. Alexia: forma de afasia —incapacidad (total o parcial), de hablar o comprender el lenguaje— en la que se presenta imposibilidad de lectura.
53. Alfaraz: caballo usado por los árabes en su caballería ligera.
54. Alfazaque: diversas especies de coleópteros —insectos—.
55. Alfiz: recuadro que envuelve el marco a partir del suelo.
56. Alfoz: término municipal.
57. Algarabía: escándalo, griterío.
58. Algarrobillo: Arg. Algarroba (fruto).
59. Algofobia: temor al dolor.
60. Alharaca: manifestación exagerada de los sentimientos (se usa más en plural).
61. Alicuz: persona viva e interesada.
62. Almacenaje: de almacenar. Depositar en un almacén (local).
63. Alocución: discurso breve hecho por una autoridad.
64. Alrota: residuos de estopa.
65. Altiplanicie: altiplano —extensión de elevada altura—.
66. Altruismo: interés por el bien ajeno aun a costa del propio.
67. Alverja: arveja (planta de la familia Papilionáceas).
68. Amacayo: Amér. Flor de lis.
69. Amación: enamoramiento místico.
70. Amalayar: Amér. Ansiar, desear.
71. Amallarse: Chile. Abandonar un jugador el juego cuando ganó.
72. Amarantáceas: familia de plantas del orden Centrospermas.
73. Amaxofobia: temor enfermizo a los vehículos y a viajar en ellos.
74. Ámbar: perfume suave y grato; de color amarillo anaranjado.
75. Ambigú: cena en que se sirven todos los platos de una vez; bar en las salas de espectáculos.
76. Ambiguo: que se presta a varias interpretaciones algo.
77. Aminación: introducción de un grupo NH_2 (amina) en una molécula orgánica.
78. Amnícola: flora que vive junto a cursos —dirección o rumbo que sigue una cosa al moverse— de agua.
79. Amnios: saco membranoso que rodea el embrión de los vertebrados superiores.
80. Amordazar: colocar una mordaza —objeto que impide el habla—.
81. Anacoreta: persona que se retira a un lugar apartado para dedicarse a la oración y la penitencia.

82. Anacronismo: hecho, objeto, personaje, texto, etc., discordante, a nivel cronológico, del contexto en que aparece. Objeto pasado de moda.
83. Anamnesis: historia clínica de un enfermo.
84. Anchova: pez de la familia Engráulidos.
85. Aneurisma: cavidad formada por dilatación o rotura de la pared de una arteria y que contiene sangre circulante.
86. Ánfora: vaso de cerámica con dos asas y cuello estrecho y largo. Amér. Urna para votaciones.
87. Angazo: Útil para la pesca del marisco.
88. Anguila: diversos peces de la familia Anguílidos.
89. Animadversión: recriminación, crítica desfavorable.
90. Anorexia: pérdida del apetito.
91. Anquilosar: atrofiarse, perder agilidad, física o mental. Paralizarse una cosa.
92. Anteceder: preceder. Adelantar, dar anticipo de algo.
93. Antelación: anticipación temporal de una cosa con respecto a otra.
94. Antirrábico: medicamento para prevenir o curar la rabia.
95. Antraceno: hidrocarburo formado por 3 anillos bencénicos.
96. Ántrax: proceso inflamatorio cutáneo frecuente en la diabetes.
97. Anverso: cara de una moneda. Aspecto principal de una cosa.
98. Apirexia: en una enfermedad febril, periodo sin fiebre.
99. Apologética: conjunto de razonamientos y pruebas para demostrar la aceptación de una doctrina. Parte de la teología que trata de la defensa de la religión cristiana.
100. Apoplejía: cuadro clínico caracterizado por una brusca suspensión de la actividad cerebral, con pérdida de la conciencia y de la motilidad —capacidad de desplazamiento— voluntaria.
101. Ara: altar para sacrificios.
102. Arbitrariedad: actuación contraria a la razón, la justicia o el derecho.
103. Argüe: cabrestante (torno vertical para desplazar grandes pesos).
104. Arqueta: cofre pequeño.
105. Arquetipo: modelo por excelencia de algo en que se resumen sus características esenciales.
106. Arquitrabe: elemento del entablamiento que se apoya directamente sobre el capital de las columnas.
107. Arra: en la ceremonia nupcial, las 13 monedas que en algunos lugares el esposo entrega a la esposa. Es usado en plural.
108. Arreflexia: carencia de reflejos.
109. Arrejerar: anclar simultáneamente por proa y popa.
110. Arriaz: empuñadura de la espada.
111. Arrocabe: viga de madera que une los muros de un edificio.
112. Artrología: estudio anatómico de las articulaciones.
113. Arzolla: diversas plantas de la familia Compuestas.
114. Arzón: pieza de madera en forma de arco, que delimita la silla de montar por delante y por detrás.
115. Asesar: lograr que uno tenga cordura.
116. Asignatura: disciplina de estudio en un centro académico.
117. Asonancia: repetición de los sonidos vocálicos de dos o más versos desde la última vocal acentuada.
118. Asteísmo: figura retórica que consiste en alabar fingiendo que se reprocha.
119. Astringente: sustancia que produce sequedad y constricción en superficies y mucosas.
120. Atabe: abertura practicada en ciertas cañerías para que salga el aire o para ver su interior.
121. Atalaya: perspectiva favorable para enfocar hechos o ideas. Persona que vigila.
122. Atarrayar: Amér. Pescar con atarraya (red).
123. Autorretrato: retrato de sí mismo que hace un artista.
124. Auxanología: rama de la ciencia médica que estudia las leyes que rigen el crecimiento y desarrollo.
125. Axial: referente al eje.
126. Axioma: proposición a la que se asigna, convencionalmente, valor de verdad.
127. Axis: segunda vértebra cervical de los vertebrados superiores.
128. Ayocote: Méx. Frijol grueso.
129. Ayotete: Méx. Planta trepadora de la familia Cucurbitáceas.
130. Azagaya: lanza pequeña o dardo.
131. Bajío: Amér. Terreno bajo; elevación, generalmente arenosa del fondo marino.
132. Balanogloso: animal marino perteneciente a los Enteroneuptos.
133. Balista: máquina antigua de guerra para arrojar piedras y otros proyectiles.
134. Ballesta: arma portátil para disparar flechas, saetas, etc.
135. Bancarrota: quiebra; desastre.
136. Barajar: mezclar los naipes antes de repartirlos.
137. Barrizal: lugar lleno de barro.
138. Basilisco: animal legendario que mataba con la mirada. Reptil de la familia Iguánidos o Escamosos.
139. Betacazo: golpe ruidoso y espectacular. Fracaso total en algo.
140. Batisismo: terremoto cuyo hipocentro está a gran profundidad.
141. Bazofia: desechos de las comidas; comida mala; cosa repulsiva.
142. Bazuca: lanzagranadas.
143. Benceno: es el más elemental de los hidrocarburos cíclicos aromáticos.
144. Beneficencia: ejercer la caridad; institución de asistencia.
145. Benemérito: digno de honor.
146. Berenjena: planta herbácea de la familia Solanáceas.
147. Betuláceas: familia de plantas del orden Fagales.
148. Biáxico: cristales con dos ejes ópticos, birrefringentes.
149. Bibliografía: lista de libros (nombre del autor, título, etc.).
150. Bibliomanía: afición por los libros.
151. Biblioteconomía: ciencia de la administración de las bibliotecas.
152. Bicameralismo: sistema parlamentario con dos cámaras.
153. Bicéfalo: con dos cabezas.
154. Bicicleta: vehículo de dos ruedas.
155. Bicloruro: cloruro cuya molécula contiene dos átomos de cloro.
156. Bicolor: de dos colores.

157. Bicornio: sombrero con dos picos.
158. Bienal: que se organiza cada dos años.
159. Bilineal: se refiere a dos líneas.
160. Bimembre: dos miembros (sujeto y predicado).
161. Biocenosis: conjunto específico de organismos que viven en un biotopo —espacio de la biosfera— determinado.
162. bioestratigrafía: estudio de los restos de los organismos vivos presentes en los estratos geológicos.
163. Biogeografía: estudio de la distribución geográfica de las distintas especies de organismos.
164. Biografía: historia de la vida de una persona.
165. Biota: en ecología, conjunto de los seres vivos de una región concreta.
166. Biplánico: consta de dos planos: significante y significado.
167. Bisabuelo: respecto de una persona, padre o madre de los abuelos.
168. Bisecar: Geom. Dividir en dos partes iguales.
169. Bisnieto: hija o hijo del nieto.
170. Bisutería: joyería que no usa materiales preciosos, aunque a veces los imita. Tienda que los vende.
171. Biyectiva: Mat. Se dice de un tipo de aplicación.
172. Bizbirindo: Méx. Alegre, vivo, Guat. Muchacha desenvuelta.
173. Biznaga: planta anual de la familia Umbelíferas.
174. Boj: arbusto.
175. Brazuelo: parte de las patas delanteras en los cuadrúpedos, entre el codillo y la rodilla.
176. Bucal: se refiere a la boca.
177. Bucanero: aventurero europeo que se instaló en las Antillas.
178. Bufón: persona grotesca que divertía a la corte con su ingenio.
179. Buhardilla: desván.
180. Bullir: hervir un líquido. Nerviosismo en un individuo.
181. Burdo: tosco, basto.
182. Cabezal: cabeza (dispositivo). Almohada que cubre toda la cabecera de la cama.
183. Cadmo: mítico príncipe fenicio fundador de la ciudad de Tebas.
184. Camarín: capilla secundaria detrás del altar; camerino.
185. Camellón: Méx. Tierra de cultivo en las isletas de la laguna del valle de México.
186. Campizal: campo que alterna césped y claros —con bastante luz—.
187. Cancerígeno: agente capaz de inducir la formación de un cáncer.
188. Cantizal: terrreno en el que predominan fragmentos de rocas erosionados —fenómenos que modifican las estructuras superficiales o relieve de la corteza terrestre—.
189. Caonabo: cacique indígena americano.
190. Capisayo: vestidura de los Obispos.
191. Capuza: Venez. Flecha.
192. Carambola: bola impulsada por el taco para que toque a otras 2 en el billar. Enredo, trampa.
193. Carcaj: funda para rifle (América).
194. Cárcava: fosa de una sepultura.
195. Cardizal: lugar poblado de cardos y otras plantas espinosas.
196. Carnívoro: animales que comen carne. Clase de mamíferos.
197. Carrizada: conjunto de pipas y toneles que un buque arrastra flotando sobre el agua.
198. Cataclismo: catástrofe producida por causas naturales.
199. Catoptromancia: adivinación mediante un espejo.
200. Cauterización: destrucción de tejidos superficiales enfermos.
201. Cayapear: Venez. Formar cuadrilla —grupo de personas que realizan un trabajo común— para atacar a uno sin riesgo.
202. Ceba: de cebar. Alimentos para cebar —engordar— animales.
203. Cegajo: macho cabrío durante el segundo año de su vida.
204. Centunviro: miembro de un tribunal romano.
205. Cierzo: viento frío que sopla en dirección NE-SO.
206. Cigala: crustáceo decápodo de la familia Homáridos.
207. Cigarral: casa de recreo con huerta, propia de Toledo.
208. Ciguanaba: Amér. C. Mujer fantástica, con cara de caballo, que se aparece por las noches.
209. Ciguapa: diversas aves estrigiformes.
210. Ciguatera: Méx. Intoxicación provocada por el consumo de peces y mariscos en estado de descomposición.
211. Cigüeñuela: ave caradriforme de la familia Recurvirróstridos.
212. Cinegética: arte de la caza.
213. Cinglar: remar en la popa con un solo remo.
214. Circunmutación: tipo de movimiento helicoidal —en forma de hélice— alrededor de un eje que desarrolla la parte terminal de algunas especies de plantas.
215. Circuncisión: de circuncidar. Rebajar, disminuir algo.
216. Civilidad: de civil. Ciudadano. Persona que no es militar.
217. Claustrofobia: temor enfermizo a los espacios cerrados.
218. Clavicémbalo: instrumento musical de cuerdas punteadas.
219. Clavigéridos: familia de Coleópteros —insectos—.
220. Clerecía: conjunto de clérigos —el que ha recibido las órdenes sagradas— y su profesión.
221. Coercibilidad: facultad del estado de imponer de modo coactivo el cumplimiento de las normas.
222. Cogitabundo: reflexivo, meditabundo.
223. Colinabo: variante de col.
224. Colodrazgo: antiguo impuesto sobre el vino.
225. Comején: termes —diversas especies de insectos isópteros—.
226. Complexión: constitución física.
227. Comprimido: de comprimir. Apretar o reducir el volumen de algo.
228. Concomerse: mover reiteradamente los hombros, por comezón, etc.
229. Concordancia: afinidad de una cosa con otra.
230. Conflagrar: incendiar, abrasar.
231. Conjunción: unión de dos o más cosas. Parte invariable del discurso que une dos palabras o proposiciones.
232. Conllevar: incluir, soportar, tolerar el mal carácter de alguien.
233. Conmiseración: compasión, lástima.
234. Conquiliología: disciplina de la zoología dedicada al estudio de los moluscos.
235. Consenso: consentimiento de las personas que forman una corporación.

236. Consorcio: asociación entre personas incrementando intereses comunes.
237. Consorte: cónyuge —marido respecto de la mujer y viceversa—.
238. Consustancial: que tiene la misma sustancia y forma parte de algo.
239. Convelerse: tener convulsiones.
240. Convexo: se aplica a un tipo de ángulo. Curva y superficie obovedadas hacia afuera.
241. Copayero: árbol de la familia leguminosas.
242. Cornezuelo: hongo de la familia Clavicipitales.
243. Correero: persona que hace o vende correas.
244. Correligionario: que tiene la misma religión que otro; que participa de las mismas ideas políticas de otro.
245. Corsear: expedición de buques corsarios, con autorización de su gobierno, para saquear naves de estados enemigos.
246. Corzuela: diversos mamíferos artiodáctilos de la familia Cérvidos.
247. Cotangente: referida a un ángulo.
248. Cotense: Amér. Tela gruesa de cáñamo.
249. Covarianza: medida de la tendencia de 2 variables aleatorias.
250. Coya: entre los antiguos peruanos, emperatriz, soberana o princesa.
251. Coyol: árbol de la familia Palmas.
252. Coyolxauhqui: diosa azteca, símbolo lunar.
253. Coyote: mamífero carnívoro de la familia Cánidos.
254. Coyuntura: articulación de un hueso; circunstancia óptima para algo; contexto de una situación, hecho, etc.
255. Crascitar: graznar el cuervo.
256. Creencia: ideas políticas o religiosas de una persona o grupo.
257. Cremallera: sistema de cierre, generalmente de prendas de vestir, formado con dos tiras con dientes, que se engranan y se desengranan, según se cierre o se abra.
258. Criba: utensilio que tiene un aro de madera con una tela metálica.
259. Crisopeya: supuesto arte de transformar los metales en oro.
260. Cronaxia: tiempo mínimo que se precisa para que una corriente eléctrica de intensidad determinada cauce excitación muscular o nerviosa.
261. Cronología: ciencia que se refiere a las fechas de acontecimientos históricos o los hechos sobresalientes de alguien.
262. Cuadrigémino: cada uno de los 4 tubérculos, situados en la base del cerebro.
263. Cuatorviro: cada uno de los 4 magistrados romanos que gobernaban algunas ciudades.
264. Cuaba: árbol de la familia Rutáceas.
265. Cubilete: vaso de boca ancha, y de materiales diversos, que se usa en cocina y en algunos juegos, como el de dados.
266. Cultiparlista: que emplea al hablar el estilo del Culteranismo.
267. Curitiba: Ciudad de Brasil.
268. Chagüeto: Col. Tuerto, deforme.
269. Chagüí: diversas especies de aves, parecidas a un gorrión.
270. Chanchullo: negocio turbio.
271. Changüí: Cuba, P. Rico. Baile popular.
272. Chaquiste: diversos insectos dípteros de la familia Psicódidos.
273. Chascarrillo: anécdota graciosa, frase ocurrente.
274. Chichinabo: de locución. Vulgar, mediocre, sin importancia.
275. Chigüil: Ec. Pasta hecha al vapor, de maíz, manteca, huevos y queso.
276. Chiquigüite: Amér. C., Méx., Venez. Cesto sin asas, de bejuco, mimbre, etc.
277. Chiricaya: Amér. C., Méx. Especie de flan de leche, huevos y canela.
278. Chirigüe: ave paseriforme, de la familia Fringílidos.
279. Chirimoya: fruto del chirimoyo.
280. Chivicoyo: ave galliforme, de la familia Odontofóridos.
281. Choquezuela: rótula.
282. Chova: diversas aves paseriformes de la familia Córvidos.
283. Churrigueresco: estilo arquitectónico del último barroco.
284. Churrusco: trozo de pan muy tostado.
285. Chuzo: especie de lanza.
286. Decenviro: miembro de una comisión de diez magistrados de la antigua Roma.
287. Decurtación: pérdida anual y espontánea de las pequeñas ramificaciones de algunos árboles.
288. Deflación: lucha contra la inflación y el alza de precios.
289. Defluviación: desviación del curso de un río.
290. Defoliación: caída prematura de las hojas de una planta.
291. Demencia: estado de debilidad adquirida de la capacidad intelectual.
292. Denuesto: insulto, afrenta.
293. Dermalgia: dolor en la piel (sin lesión), de origen patológico nervioso.
294. Dermatógeno: capa externa diferenciada de la raíz en crecimiento.
295. Desenyugar: quitar el yugo —utensilio agrícola con el que se uncen dos bueyes, mulas, etc.—.
296. Desguazar: desmontar en piezas un buque, coche, etc.
297. Deservir: incumplir la obediciencia y servicio que se debe a uno.
298. Desgolletar: aflojar el cuello de una prenda de vestir.
299. Deshollinar: limpiar de hollín.
300. Desuncir: liberar del yugo.
301. Detritívoro: organismos animales que se alimentan de restos orgánicos.
302. Deutóxido: combinación de un cuerpo con el oxígeno en un segundo grado de oxidación. Antiguamente llamado bióxido.
303. Deyección: expulsión de los excrementos orgánicos.
304. Dibatag: mamífero artiodáctilo de la familia Bívidos.
305. Diblástico: animales metazoos poco evolucionados.
306. Dibranquios: se usa en plural. Subclase de cefalópodos.
307. Dicción: modo de hablar o escribir. Pronuncia-
308. Diezmillo: solomillo —carne situada entre las costillas y el lomo en una res—.
309. Díplex: sistema telegráfico que permite transmitir o recibir dos mensajes al mismo tiempo y en el mismo sentido por un solo circuito.
310. Disacusia: trastorno de la audición.
311. Disartria: dificultad en la articulación de los sonidos

312. Discrasia: perturbación de los humores del cuerpo.
313. Discromatopsia: imposibilidad de percepción de ciertos colores.
314. Disfagia: sensación dolorosa en el esófago durante la deglución.
315. Disfonía: alteración de la voz debida a trastornos funcionales o neuróticos, del aparato fonador.
316. Dislexia: alteración de la capacidad de reconocer el lenguaje escrito.
317. Dismnesia: disminución de la memoria.
318. Disonancia: desacuerdo; sensación auditiva poco armoniosa.
319. Disorexia: falta de apetito.
320. Disritmia: perturbación de algún ritmo.
321. Distasia: trastorno neurológico en el que es difícil mantenerse en pie.
322. Dístico: estrofa de dos verbos; órganos vegetales en doble hilera.
323. Disyuntor: aparato que interrumpe automáticamente un circuito eléctrico cuando la corriente rebasa un valor predeterminado.
324. Ditirambo: en la antigua Grecia, himno en honor de Dionisio.
325. Divagar: perderse en digresiones —parte de una exposición que no sigue la línea principal— en el discurso.
326. Divisa: moneda extranjera y títulos de crédito a corto plazo (talones, letras, etc.) liquidables en moneda de otro Estado. Suele usarse en plural.
327. Diyambo: pie de la métrica clásica constituido por dos yambos —pie formado por una sílaba átona seguida de otra tónica—.
328. Docencia: oficio de enseñar.
329. Duunviro: cada uno de los dos magistrados que en la antigua Roma ejercían funciones civiles y religiosas.
330. Ebanista: persona que trabaja maderas de calidad.
331. Ébano: árbol de la familia Ebenáceas.
332. Eborario: técnica del trabajo del marfil.
333. Eburnación: condensación patológica de un hueso con aspecto de marfil.
334. Ecofobia: temor obsesivo de permanecer en casa.
335. Efebía: en la antigüedad Ciudad-Estado griego.
336. Efebo: adolescente, joven.
337. Elocuencia: arte de expresarse para convencer sobre algo. Oratoria.
338. Elongación: estiramiento de algún miembro, con fin terapéutico.
339. Emigrar: abandonar el lugar de residencia.
340. Enajenado: de enajenar. Delegar en otro la propiedad o el uso de algo. Embobar, encantar.
341. Enálage: cualquier cambio o traslación gramatical que suponga una transgresión de la norma sintáctica habitual.
342. Encabuyar: Amér. Atar o enrollar con cabuya —fibra textil—.
343. Engrumecerse: coagularse, formarse grupos —porción de un líquido que se coagula—.
344. Enigmística: colección de adivinanzas propias de una época o país.
345. Enriscar: alzar, levantar.
346. Enroque: en el ajedrez, jugada por la que se mueven 2 piezas a la vez —el Rey y una torre—.
347. Enyetar: Arg. Traer yeta —mala suerte—, contagiarla.
348. Enyugar: uncir —sujetar el yugo a la yunta—.
349. Eoceno: periodo medio de la era Terciaria inferior.
350. Episcopologio: lista o serie de los Obispos.
351. Equipotencial: de igual potencial eléctrico en todos sus puntos.
352. Erbio: elemento químico del grupo IV de la tabla periódica.
353. Erebo: mítico hijo del Caos y la Oscuridad, hermano de la noche.
354. Erigir: edificar, fundar, establecer.
355. Ermita: iglesia pequeña generalmente alejada de un poblado.
356. Errabundo: errante (nómada). Ave que cambia de un lugar a otro.
357. Erraj: carbón de huesos de aceitunas.
358. Escuerzo: sapo; persona canija y raquítica.
359. Esequibo: Río de Guyana.
360. Esguince: movimiento del cuerpo para esquivar un golpe, caída, etc. Movimiento de disgusto o desdén hecha con el cuerpo. Lesión traumática de una articulación, causada por distensión o torcedura.
361. Esotérico: secreto, reservado.
362. Espeluzno: escalofrío.
363. Esplenectomía: extirpación quirúrgica del bazo.
364. Esplénico: se refiere al bazo.
365. Esplenio: músculo de la región dorsal y nuca. Da movilidad a la cabeza.
366. Espliego: planta sabarbustiva de la familia Labiadas.
367. Esqueje: método de reproducción artificial de las plantas.
368. Estalación: las jerarquías de una comunidad, especialmente eclesiástica.
369. Estiba: de estibar. Comprimir cosas para ahorrar espacio. Disponer adecuadamente los pesos de un barco.
370. Estrabismo: defecto de paralelismo de los ejes oculares, que determina la desviación de uno de los ojos.
371. Estracilla: trozo de tela viejo. Papel de estraza fino.
372. Estragón: planta herbácea de la familia Compuestas.
373. Estrambote: verso o versos que se añaden al final de una composición poética que no tendría por qué incluirlos.
374. Estrambótico: raro, excéntrico.
375. Estrangul: lengüeta de algunos instrumentos de viento.
376. Estrapefobia: temor enfermizo a las tempestades.
377. Estraperlista: persona dedicada al contrabando o al mercado negro.
378. Estratagema: celada, trampa en una guerra; fingimiento, treta.
379. Estrave: remate de la quilla de un buque.
380. Estribillo: repetición de un verso o versos en un poema.
381. Estropicio: desorden, rotura de cosas pequeñas que ocasionan mucho ruido.
382. Éter: líquido obtenido cuando se calienta a elevada temperatura alcohol etílico mezclado con ácido sulfúrico.
383. Etéreo: se refiere al éter y al cielo. Sutil.
384. Etmoides: hueso craneal impar que se articula con el frontal y el esfenoides.
385. Eufemismo: cualquier palabra que se usa para evitar pronunciar otra mal vista socialmente.

386. Eufuismo: es un estilo literario que tiene forma del preciosismo.
387. Euritmia: armonía y equilibrio entre los diversos componentes de una obra de arte; conjugación apropiada de los sonidos.
388. Evaporita: roca sedimentaria de origen químico.
389. Evehente: astro que asciende sobre el horizonte paralelamente al ecuador —círculo en la esfera celeste— celeste.
390. Eventración: hernia congénita o adquirida.
391. Eversión: devastación. De devastar. Destruir cualquier cosa.
392. Evisceración: extracción de alguna víscera, especialmente del abdomen.
393. Eviterno: lo que tiene principio, pero no fin.
394. Evoluta: lugar geométrico de los centros de curvatura de una curva.
395. Evónimo: bonetero (arbusto).
396. Exacción: acción y efecto de reclamar impuestos y tributos. Cobro improcedente y forzado.
397. Exangüe: desangrado, escaso de sangre; abatido; muerto.
398. Excelso: aplicado como elogio expresa la especial superioridad de algo o alguien.
399. Excipiente: sustancia usada en la elaboración de un medicamento para darle la consistencia y forma precisa.
400. Excitatriz: máquina eléctrica auxiliar que se emplea para suministrar corriente a otra máquina de potencia más elevada.
401. Execración: de execrar. Pérdida de la sacralidad —religiosidad— de un lugar a causa de algún tipo de profanación.
402. Exequible: posible de hacer o conseguir.
403. Eximir: dispensar de obligaciones, cuidados, etc.
404. Exógeno: originado en el exterior del organismo.
405. Exordio: introducción de un discurso u obra literaria.
406. Exorreico: zonas de la corteza terrestre con abundante circulación de agua en superficie.
407. Exóstosis: prominencia hipertrófica y circunscrita que aparece en la superficie de un hueso.
408. Expeditar: Amér. Dejar cerrado un asunto; cancelarlo.
409. Expender: gastar; vender cosas de otro por orden del propietario.
410. Expensar: Chile, Guat., Méx. Costear una gestión, principalmente de tipo jurídico.
411. Expletivo: palabras y nexos que, siendo superfluos, adornan la frase.
412. Expoliar: desposeer injustamente a alguien de lo suyo.
413. Expolición: figura retórica mediante la cual se repite un pensamiento bajo distintas formas.
414. Exultar: manifestar mucha alegría.
415. Exutorio: úlcera que supura, con efectos curativos.
416. Exuvia: despojo de tegumento que es abandonado por los animales que experimentan muda (serpientes, crustáceos, insectos, etc.).
417. Fabismo: enfermedad relacionada con la ingestión de habas o inhalación de su polen.
418. Facsímil: reproducción fiel de un escrito, firma, dibujo, etc.
419. Falaz: que atrae por medio de engaños.
420. Febo: nombre romano de Apolo.
421. Fehaciente: que es fidedigno —que merece confianza o fe—.
422. Fiambre: carne curada y preparada para su conservación.
423. Fibrilación: grave trastorno del ritmo y de la contractilidad del corazón.
424. Fideero: persona que se dedica a hacer o vender fideos y pastas.
425. Flamígero: que lanza llamas o imita su aspecto. Se dice de una fase del arte gótico.
426. Fleje: lámina metálica estrecha y delgada.
427. Floresta: lugar apacible poblado de árboles y flores.
428. Florilegio: antología de textos literarios.
429. Fluminense: natural de Río de Janeiro.
430. Fogueo: de foguear. Enseñar a alguien las dificultades o rigores de un trabajo.
431. Follón: cohete que estalla sin ruido; brabucón.
432. Forense: médico que actúa como perito ante los tribunales de justicia.
433. Forrajero: los pastos útiles para el forraje —yerba, verde o seca, que se da al ganado para su alimentación—.
434. Fortísimo: superlativo de fuerte —muy fuerte—.
435. Fotofobia: aversión a la luz.
436. Frugívoro: animales que se alimentan de frutos.
437. Fuelle: conjunto de pliegues que permiten ampliar la capacidad de una cartera, bolso, maleta, etc. Doblez del vestido.
438. Fumígeno: que provoca humo.
439. Fumívoro: que aspira el humo o evita que se origine.
440. Funesto: que causa dolor; desventurado.
441. Fungir: ejercer un oficio. Amér. Actuar.
442. Furibundo: lleno de furia o irritación sobre algo.
443. Fusibilidad: propiedad de los cuerpos de pasar del estado sólido al líquido por efecto del calor.
444. Gabinete: conjunto de ministros de un Estado.
445. Gabrovo: Ciudad de Bulgaria.
446. Galayo: saliente puntiagudo de una montaña.
447. Gálibo: arco metálico semejante a una U invertida con el que se comprueba si un vagón de ferrocarril podría pasar por un túnel, puente, etc.
448. Galófobo: que odia lo francés.
449. Gallaruza: especie de capellina —capucha— de los montañeses.
450. Garguero: primera sección de la tráquea.
451. Gariba: reptil escamoso de la familia Vipéridos.
452. Gasoducto: conducto usado para el transporte a distancia de gases naturales.
453. Gayuba: planta arbustiva de la familia Ericáceas.
454. Gazpacho: sopa fría elaborada con agua, aceite, vinagre, sal, pan, pimiento, tomate, etc.
455. Gélido: muy frío, helado.
456. Gemebundo: que gime —exteriorizar el dolor con sonidos lastimeros— continuamente.
457. Gemíparo: animales y plantas que se reproducen por medio de yemas.
458. Geneático: que cree que las circunstancias que rodean al parto marcan el destino.
459. Genitor: que engendra o genera.
460. Genoma: conjunto de todos los cromosomas diferentes que se encuentran en cada núcleo de una especie determinada.
461. Gente: grupo de personas.
462. Geobío: conjunto de los organismos vegetales y animales que viven en la superficie de la Tierra.
463. Geodesia: ciencia que estudia la forma y tamaño de la Tierra.
464. Geófito: planta que crece en el suelo.

465. Geogenia: parte de la Geología que estudia el origen y proceso de consolidación de la Tierra.
466. Geomancia: método de adivinación supersticiosa realizado mediante cuerpos terrestres o con líneas trazadas en la arena.
467. Geórgico: referente a la agricultura. Poema que exalta los valores de la vida rural.
468. Gestar: llevar en su seno y alimentar la madre al feto hasta el momento del parto.
469. Gibar: fastidiar.
470. Gigüela: Río de España.
471. Gímnico: luchas de los atletas y bailes que imitan éstas.
472. Ginecocracia: gobierno de las mujeres.
473. Glaciación: fenómenos producidos a causa del descenso en la temperatura de la Tierra.
474. Glaucio: planta herbácea de la familia Papaveráceas.
475. Glosario: lista de palabras en desuso o difíciles que necesitan explicación. Vocabulario, léxico.
476. Gollete: parte de la garganta unida a la cabeza; cuello estrecho de las vasijas; estar muy endeudado.
477. Góndola: embarcación propia de Venecia.
478. Gorguz: palo largo con el que se recogen las piñas de los pinos.
479. Gorjear: empezar el niño a hablar; gorgoritos de los pájaros.
480. Gótico: de los godos. Periodo artístico desarrollado en los s. XII al XVI.
481. Grandevo: de edad muy avanzada.
482. Granívoro: que se alimenta de granos.
483. Gresca: ruido, algarabía, riña, reyerta.
484. Grogui: aturdido.
485. Grotesco: ridículo.
486. Grujir: igualar los bordes de un vidrio cortados con un diamante.
487. Grulla: aves gruiformes de la familia Gruidos.
488. Guadaña: utensilio para segar —cortar— hierbas.
489. Guardarropía: conjunto de trajes, muebles y otros objetos que en un teatro pueden usarse en las representaciones.
490. Guarismo: signo o conjunto de signos que representan un número.
491. Guarnición: tropa que protege una plaza.
492. Guasave: Ciudad del Estado de Sinaloa, México.
493. Guayaco: árbol de la familia Zigofiláceas.
494. Guayar: P. Rico. Emborracharse.
495. Güeldo: cebo hecho con crustáceos pequeños, para la pesca.
496. Güicurú: Arg., Par. Nombre con que los españoles nombraban a diversas tribus.
497. Guigüe: Villa de Venezuela.
498. Guijarro: Piedra redondeada.
499. Güira: árbol de la familia Bignoniáceas.
500. Güiro: Amér. Instrumento musical de percusión; planta herbácea.
501. Güito: sombrero.
502. Gutural: se refiere a la garganta.
503. Habiente: en Derecho que tiene.
504. Hagiografía: rama de la historia eclesiástica que narra la vida de los santos.
505. Hálito: aliento; vapor que se desprende de algo.
506. Halobiótico: que tiene como medio ambiente el agua del mar.
507. Halófilo: plantas y bacterias que crecen en medios acuáticos o terrestres exclusivamente.
508. Haplografía: error inconsciente que se produce en la escritura al suprimir una letra o letras en el interior de una palabra.
509. Hatajar: separar el ganado formando hatajos —grupos de ganado—.
510. Hayo: coca.
511. Hecatombe: sacrificio pagano en el que se ofrecían 100 bueyes.
512. Hedonismo: doctrina que considera el placer el fin último de la vida.
513. Hegemonía: predominio de una nación sobre otras.
514. Heliófilo: animales y plantas que requieren exposición directa al Sol para su desarrollo.
515. Hematemesis: expulsión de sangre por la boca procedente del aparato digestivo.
516. Hematíe: célula roja de la sangre que posee un pigmento llamado hemoglobina.
517. Hematimetría: recuento de los elementos celulares de la sangre.
518. Hematófago: animales parásitos que se alimentan de sangre de vertebrados.
519. Hematofobia: temor a ver sangre.
520. Hemeralopía: trastorno de la visión, llamado también, ceguera nocturna.
521. Hemiplejía: parálisis de un lado del cuerpo.
522. Hemistiquio: cada una de las dos partes de un verso, iguales o no, que divide la cesura —en versos de arte mayor, pausa que se introduce—.
523. Hemograma: estudio analítico de una muestra de sangre.
524. Hemorragia: salida de la sangre de los vasos sanguíneos.
525. Henrio: unidad de inductancia y autoinducción eléctricas en el sistema internacional.
526. Heptacordo: grupo de 7 notas musicales.
527. Heptarquía: conjunto de los 7 reinos más importantes que existieron en Inglaterra.
528. Hepteno: hidrocarburo no saturado formado por una cadena de 7 átomos de carbono.
529. Heptodo: tubo electrónico de vacío provisto de 7 electrodos.
530. Herbazal: lugar en donde abundan las hierbas.
531. Herbero: esófago de los rumiantes.
532. Herbívoro: animal que se alimenta de plantas.
533. Herbolario: persona que se dedica a la recolección y venta de plantas medicinales.
534. Hermenéutica: ciencia y arte de las interpretaciones de textos antiguos, especialmente las escrituras sagradas.
535. Hermes: Dios olímpico, hijo de Zeus y de la ninfa Maya.
536. Heterodino: oscilador que induce, en un circuito receptor radiofónico, una frecuencia ligeramente diferente de las ondas transmitidas.
537. Heterogéneo: distinto.
538. Heteromancia: augurio mediante el vuelo de las aves.
539. Heteronimia: fenómeno por el cual 2 palabras que pertenecen al mismo tiempo semántico proceden de distintas raíces (caballo-yegua).
540. Heterópsido: metal sin brillo.
541. Heurístico: método analítico que ayuda a buscar y descubrir las propiedades y fuentes de algo.
542. Hexámetro: verso grecolatino que consta de 5 dáctilos y un troqueo.
543. Hexástilo: edificio con 6 columnas en su frente.
544. Hexosa: monosacárido con 6 átomos de carbono.

545. Hialografía: técnica del grabado en vidrio. Pintura sobre cristal.
546. Hialoplasma: parte transparente e indiferente del citoplasma celular.
547. Hiato: pronunciación de dos vocales contiguas en sílabas distintas.
548. Hibernación: mecanismo de defensa de numerosas especies animales durante la estación desfavorable, basado en reducir al mínimo su metabolismo y temperatura corporal.
549. Hibernáculo: grupo de células de resistencia, propio de algas y organismos primitivos.
550. Hibernal: invernal.
551. Hibernia: antiguo nombre de Irlanda.
552. Hibisco: rosa de China; rosa de Siria.
553. Híbrido: palabra formada por elementos que no pertenecen al mismo sistema lingüístico.
554. Hicso: miembro de un conjunto de pueblos de origen semita.
555. Hidracina: líquido oleoso, incoloro, corrosivo y venenoso.
556. Hidrargilita: hidróxido e aluminio.
557. Hidrófito: plantas que viven sumergidas en el agua o cerca a ésta.
558. Hidrofobia: aversión enfermiza al agua.
559. Hidrognosia: estudio del ciclo del agua en la Tierra.
560. Hidromancia: arte de augurar mediante el agua.
561. Hidropesía: acumulación de líquido en las cavidades o en los tejidos del organismo.
562. Hierático: se refiere a lo sagrado o al estado sacerdotal.
563. Hieroscopia: adivinación por medio de las entrañas de los animales.
564. Higrófilo: plantas que requieren un medio muy húmedo para su desarrollo.
565. Higrometría: parte de la física que determina el grado de humedad atmosférica.
566. Hioides: hueso del cuello situado en su parte anterior, entre la lengua y el esternón.
567. Hipérbaton: alteración del orden sintáctico normal de las palabras.
568. Hipercinesia: aumento de la motilidad, sobre todo de la involuntaria (temblores, tics, etc.).
569. Hiperdulía: culto que se expresa a la Virgen.
570. Hiperión: séptimo satélite de Saturno.
571. Hipermnesia: incapacidad para el olvido, sobreactividad de la memoria.
572. Hiperoxia: situación de un organismo sometido a una respiración con exceso de oxígeno.
573. Hipersomnia: tendencia al sueño excesivo.
574. Hipocentro: parte interior de la corteza terrestre en la que se produce un terremoto.
575. Hipocondría: preocupación obsesiva por la salud propia.
576. Hipogeo: edificio subterráneo excavado con finalidad religiosa, funeraria o para vivir. Sepultura subterránea.
577. Hipomanía: estado maníaco leve.
578. Hipoplasia: desarrollo insuficiente de un órgano.
579. Hipotaxis: proposición subordinada (Lingüística).
580. Hipoxia: disminución del oxígeno en los tejidos o en la sangre.
581. Hístico: se refiere a los tejidos animales y su composición.
582. Histrionisa: mujer en el teatro clásico que bailaba y cantaba.
583. Hogaza: pan grande, de más de un kilo.
584. Holoceno: último periodo del cuaternario.
585. Hollejo: piel muy delgada que cubre algunas frutas y legumbres.
586. Hollín: sustancia de color negro que el humo deposita en lo que tiene contacto asiduo con él.
587. Homilía: sermón para explicar la palabra de Dios.
588. Homófono: palabras que se pronuncian igual, se escriben diferente y su significado no es el mismo.
589. Homogéneo: se aplica a lo que es del mismo género o naturaleza.
590. Homólogo: se aplica a todo aquello que responde a la misma estructura, norma, etc., que otra cosa.
591. Homonimia: fenómeno por el que palabras gráficamente iguales tienen sentidos diferentes (gato, animal y herramienta).
592. Horadado: capullo del gusano de seda con ambos extremos abiertos.
593. Horadar: perforar, taladrar.
594. Horcajo: unión de dos corrientes de agua, montañas, colinas, etc.
595. Horda: tribu nómada.
596. Hormazo: acumulación de piedras; golpe de horma.
597. Hortense: hortelano.
598. Hospicio: asilo para niños pobres o huérfanos.
599. Hostelería: agrupación de hosteleros.
600. Hostigar: incitar a alguien para que lleve a cabo alguna cosa.
601. Huacatay: hierba anual de la familia Compuestas.
602. Huachafo: Perú. Cursi.
603. Huajito: Méx. Plantas de la familia Cucurbitáceas.
604. Huave: grupo amerindio de México, de la familia zoque-mixeana.
605. Huélfago: enfermedad crónica de los equinos se manifiesta con una respiración dificultosa.
606. Hueste: ejército o milicia en campaña; seguidores de una causa.
607. Huipil: Amér. C., Méx. Vestido de mujer de origen azteca, con bordados de colores llamativos.
608. Humícola: población animal que vive en el humus —conjunto de materiales orgánicos, total o parcialmente descompuestos en el suelo—.
609. Hurgar: inmiscuirse alguien donde no le llaman; escarbar algo con un instrumento o con los dedos. Revolver, remover.
610. Iconología: ciencia que estudia el significado intrínseco de las imágenes y las formas de una obra de arte.
611. Ictiófago: que come peces.
612. Idiosincrasia: temperamento, manera de ser de cada individuo.
613. Idolopeya: figura retórica consistente en hacer decir a un muerto una frase o texto.
614. Ignición: arder un cuerpo; acción de arrancar un motor.
615. Ignífero: que lleva o lanza fuego.
616. Ignifugación: proceso de tratamiento de una sustancia combustible para disminuir su inflamabilidad.
617. Imberbe: que carece de barba; muy joven.
618. Impío: sin piedad, que no cree.
619. Implícito: sobreentendido, incluido.
620. Implosiva: articulación o sonido oclusivo que por estar a final de sílaba no termina con explosión (abertura en la pronunciación: rapto).
621. Impresor: de imprimir. Persona que dirige o es dueña de una imprenta.

622. Inasequible: que no puede obtenerse.
623. Incisión: corte, hendidura que se practica en un cuerpo. En métrica, cesura.
624. Incisivo: que puede cortar o penetrar; agudo, ingenioso, mordaz; dientes que están en la parte anterior de los maxilares.
625. Indemne: sin daño.
626. Indicio: conjetura, signo, etc., que posibilita el conocimiento fundamentado de algo.
627. Indigente: carente de medios de subsistencia.
628. Indivisibilidad: calidad de indivisible.
629. Indivisible: que no puede ser dividido.
630. Indivisión: carente de división.
631. Indiviso: que no se puede dividir, permanece entero.
632. Indulgencia: disposición a perdonar o dispensar las culpas.
633. Inflexión: inclinación de algo que era plano o recto; atenuación o elevación de la voz.
634. Inflexo: doblado hacia adentro.
635. Influenza: italianismo por gripa.
636. Infuso: conocimientos o aptitudes que Dios infunde en los hombres; lo que se obtiene sin trabajo.
637. Ingénito: innato.
638. Ingesta: alimentos ingeridos.
639. Inhibir: suspender o frenar la acción o función de un órgano por efectos patológicos o fisiológicos.
640. Inmerso: de inmersión. Sumergido, introducido en un líquido.
641. Inmigración: de inmigrar. Llegar a un país o zona ajenos para vivir en él, en especial por razones económicas.
642. Innato: propio de un ser, congénito a él.
643. Insectívoro: animal cuya dieta está formada total o parcialmente por insectos.
644. Insurgente: insurrecto —sublevarse, indignarse—.
645. Interjección: palabra o expresión exclamativa que expresa por sí sola una oración.
646. Internuncio: cada uno de los participantes en un coloquio —plática, diálogo—. Representante diplomático del Vaticano en tanto no se designe nuncio o éste no pueda cumplir sus funciones.
647. Ipecacuana: planta arbustiva de la familia Rubiáceas.
648. Iperita: sulfuro de diclorodietilo.
649. Ipiales: Ciudad de Colombia.
650. Ipil: árbol de la familia Cesalpináceas.
651. Ipoh: Ciudad de Malaysia.
652. Ipomeico: ácido.
653. Istanbul: nombre turco de Estambul.
654. Istmo: estrecha lengua de tierra que une dos áreas terrestres mayores, en otro tiempo separadas por el mar.
655. Itzá: pueblo precolombino mexicano.
656. Ivanovo: Ciudad de la URSS.
657. Ixtlixóchitl I: Rey de Texcoco desde 1409.
658. Iztaccíhuatl: volcán situado al E. del Valle de México.
659. Jabeba: flauta morisca.
660. Jagüel: Amér. Pozo donde se retiene agua.
661. Jarabe: bebida muy azucarada, dulce. Danza popular.
662. Jayabacaná: planta arbustiva de la familia Euforbiáceas.
663. Jayán: gigante, persona muy alta y fortachona.
664. Jebe: goma elástica. Amér. Árbol de caucho.
665. Jefe: persona que dirige o está al frente de un trabajo.
666. Jenabe: mostaza.
667. Jenjibre: planta herbácea de la familia Zingiberáceas.
668. Jenofonte: historiador y General griego.
669. Jerarquía: escalafón, orden según su importancia de personas o cosas.
670. Jerguilla: tejido similar a la jerga.
671. Jinglar: mecerse algo que pende —cuelga—.
672. Juncia: planta herbácea de la familia Ciperáceas.
673. Jurisprudencia: ciencia del Derecho. Principios jurídicos derivados de las reiteradas decisiones de tribunales.
674. Kemerovo: Ciudad de la URSS.
675. Labrusca: variedad de vid procedente de América del Norte.
676. Lánguido: sin energía, carente de vigor físico o moral.
677. Lasitud: falta de vigor por cansancio o dejadez.
678. Lastex: hebra elástica recubierta de algodón, nilón u otra fibra textil.
679. Lavativa: operación de inyectar líquido en el recto, con el objeto de evacuarlo.
680. Lavazas: agua llena de suciedad de lo que se ha lavado en ella.
681. Legibilidad: de legible. Que puede ser leído.
682. Legislar: dictar, dar o establecer leyes.
683. Leguleyo: despectivo. Persona que habla de leyes sin saber mucho de ellas.
684. Lejía: solución de álcalis o sales alcalinas en agua.
685. Lemnáceas: plantas monocotiledóneas del orden Espatifloras.
686. Lemnisco: cinta honorífica que acompañaba a la corona de laurel de los antiguos atletas.
687. Lemnos: Isla griega del mar Egeo.
688. Lenzuelo: tela fuerte.
689. Lerense: de Pontevedra —provincia del NO. de España—.
690. Lesiva: que causa o puede causar algún tipo de lesión o perjuicio.
691. Léxico: vocabulario.
692. Lexicografía: ciencia que permite organizar y escribir un diccionario.
693. Lexicología: parte de la Lingüística que estudia los elementos universales que se le suponen a cada léxico —vocabulario—.
694. Lezna: utensilio compuesto de un vástago de acero con punta y un mango de madera.
695. Licnobio: que vive de noche y duerme de día.
696. Lignícola: que vive en los árboles.
697. Lignívoro: que se nutre de madera.
698. Limnímetro: dispositivo para medir el nivel de un líquido.
699. Limnívoro: organismo que se alimenta de las sustancias orgánicas, presentes en sedimentos.
700. Lingüística: estudio científico del lenguaje.
701. Lisérgico: ácido derivado de la degradación de los alcaloides.
702. Lisogenia: forma no virulenta de un bacteriófago —virus parásito—.
703. Lisonjear: adular; alegrar; pavonear.
704. Lobectomía: resección quirúrgica de un lóbulo de un órgano.
705. Lobezno: lobato —cachorro de lobo—.
706. Lóbrego: tétrico; triste, funesto.
707. Lodazal: terreno lleno de barro.

708. Logotipo: símbolo gráfico de una sociedad o empresa.
709. Loísmo: uso de las formas lo/los del pronombre personal de tercera persona.
710. Lonja: pedazo fino, estrecho y alargado que se corta o se separa de algo. Edificio público creado para efectuar transacciones comerciales.
711. Lontananza: profundidad o fondo en una pintura.
712. Loor: elogio, alabanza.
713. Lorza: doblez cosido para doblar una tela.
714. Lúgubre: fúnebre; hechos relacionados con muertos y fantasmas.
715. Lumbago: dolor osteomuscular de la región lumbar —situada en el dorso entre las últimas costillas y la cresta ilíaca—.
716. Llavín: llave pequeña.
717. Macagüita: palma espinosa de la familia Palmáceas.
718. Macrófago: animal que se alimenta de presas grandes en relación a su propio tamaño.
719. Magenta: color carmesí oscuro, mezcla de rojo y azul.
720. Magnánimo: generoso.
721. Magüeto: novillo.
722. Malabo: Capital de Guinea Ecuatorial.
723. Mancebía: condición de mancebo —muchacho, joven—.
724. Manigero: capataz de jornaleros.
725. Manismo: conjunto de teorías derivadas del culto a los muertos.
726. Mansedumbre: calidad de manso; dulzura; domesticidad.
727. Marcescente: hojas y flores de las plantas que se secan sin llegar a desprenderse por un tiempo.
728. Marcial: de Marte, Dios de la guerra. Se refiere a la guerra o al ejército.
729. Marmosa: mamíferos marsupiales de la familia Didélfidos.
730. Masoquista: persona que disfruta de su propio sufrimiento.
731. Mastaba: construcción funeraria del antiguo Egipto.
732. Matritense: madrileño.
733. Mayestático: se refiere a Majestas.
734. Mayéutica: consistía en ayudar al individuo a descubrir por sí mismo la verdad y a rescatarlo de su error.
735. Mazmorra: calabozo subterráneo.
736. Meditabundo: que le gusta reflexionar sobre algo.
737. Mejer: agitarse un líquido.
738. Melaza: jarabe denso, viscoso y dulce.
739. Melopeya: arte de crear melodías; entonación rítmica para recitar algo.
740. Mendaz: que engaña con desfachatez.
741. Menesteroso: probre, necesitado.
742. Meníngeo: de meninges. Éstas rodean la cavidad craneal.
743. Mercadotecnia: marketing. Es el análisis de los aspectos relacionados con la comercialización de un producto.
744. Merluza: pez gadiforme de la familia Gádidos.
745. Merluzo: tonto.
746. Mesura: discreción.
747. Metamorfosear: modificación de una cosa en otra.
748. Meticuloso: esmerado, minucioso.
749. Micalex: material aislante.
750. Migración: desplazamiento de grupos humanos a un nuevo lugar para vivir.
751. Misofobia: temor a contaminarse.
752. Misógamo: reacio al matrimonio.
753. Misógino: que siente rechazo por las mujeres.
754. Mitografía: escritura sobre mitos y hechos fabulosos.
755. Mitología: conjunto de mitos propios de un pueblo o cultura determinados.
756. Moho: conjunto de hongos del género Penicillium.
757. Mojave: desierto de los EUA.
758. Molicie: propenso a una vida excesivamente cómoda; blando.
759. Morcilla: caballería de pelaje de color negro con cierto contraste rojizo.
760. Morfología: parte de la Lingüística que se ocupa de las partes en las que se divide una palabra: lexema y gramema.
761. Moribundo: que está a punto de morir.
762. Morigerar: mesurar —moderar— el comportamiento.
763. Morillo: cada uno de los 2 caballetes que se colocan en el hogar para sostener los troncos.
764. Morrillo: nunca abultada.
765. Movilidad: de móvil —movible—.
766. Moyuelo: salvado muy fino.
767. Multitud: gentío.
768. Mullido: blando, esponjoso.
769. Muz: Mar. Punta del tajamar —tablón curvo—.
770. Nabateo: antiguo pueblo de origen árabe.
771. Nabería: cantidad de nabos.
772. Nabla: instrumento musical parecido a la lira.
773. Nacarigüe: Hond. Plato de carne guisado con harina de maíz tostado y miel de caña.
774. Naftalina: naftaleno —hidrocarburo aromático—.
775. Naguabo: Ciudad de Puerto Rico.
776. Namibia: Territorio del SO. de América.
777. Nártex: pórtico de la basílica paleocristiana destinada a los catecúmenos, y posteriormente, a los penitentes.
778. Nauseabundo: que produce náuseas —sensación desagradable provocando vómito—.
779. Necromancia: nigromancia —arte de invocar a los muertos; magia negra—.
780. Nectanebo: nombre de dos faraones egipcios.
781. Nerviación: conjunto y disposición de los elementos tubulares de las alas membranosas de los insectos.
782. Nictofobia: temor enfermizo a la noche y a lugares oscuros.
783. Ninfa: divinidades menores grecorromanas que, bajo forma de doncellas, simbolizaban la fecundidad y la gracia de la naturaleza; joven hermosa, a veces con sentido negativo.
784. Ninfea: nenúfar —planta perenne acuática, de la familia Ninfeáceas—.
785. Noguera: nogal —árbol—.
786. Noología: ciencia de los principios del conocimiento de la realidad.
787. Nortada: viento continuo que sopla del N.
788. Nosofobia: temor anormal a enfermarse.
789. Nosogenia: patogenia —formación y desarrollo de la enfermedad—.
790. Noval: tierra que se cultiva por primera vez y a los frutos que produce.
791. Novar: en Derecho, cambiar una obligación anterior sustituyéndola por otra.

792. Nubia: región del NE. de África.
793. Obcecar: empecinarse en algo, terco.
794. Obelisco: signo que se pone ante el nombre de una persona fallecida o fecha de su fallecimiento.
Monumento conmemorativo o decorativo de origen egeo.
795. Oblicuo: inclinado.
796. Obliteración: obstrucción de un vaso o conducto anatómicos.
797. Obnubilación: confusión, terquedad; estado de semiinconsciencia.
798. Obsoleto: caduco, anticuado, en desuso.
799. Obtestación: figura retórica en la que se toma a Dios o seres animados o inanimados por testigos de lo que se defiende.
800. Obvención: sobresueldo fijo o eventual.
801. Obvio: evidente.
802. Ojén: aguardiente preparado con anís y azúcar.
803. Olisco: que despide mal olor; receloso, que sospecha.
804. Omnisciente: que todo lo sabe.
805. Omnívoro: animal que se alimenta indistintamente de vegetales y animales.
806. Omóplato: hueso plano y triangular; atrás del tórax.
807. Onfalitis: proceso inflamatorio en el ombligo.
808. Onicofagia: hábito vicioso de morderse y comerse las uñas.
809. Oniromancia: arte de adivinar el porvenir a través de los sueños.
810. Onomancia: arte de adivinar el futuro de una persona a través de su nombre.
811. Ontogenia: conjunto de fenómenos que integran el desarrollo de un individuo.
812. Opulencia: que sobra en exceso.
813. Oquedad: hueco en el interior de una masa sólida; superficialidad de un discurso o escrito.
814. Orcina: sustancia colorante roja que se obtiene de algunas especies de líquenes y se usa en tintorería.
815. Orejuela: cualquier tipo de asa pequeña.
816. Orfanato: residencia benéfica para huérfanos.
817. Oriundo: que proviene de determinado lugar o ascendencia.
818. Ornitología: disciplina de la zoología que se ocupa de las aves.
819. Ortiga: planta herbácea de la familia Urticáceas.
820. Ortografía: parte de la gramática que se ocupa de la forma correcta de escribir.
821. Orzuela: horquilla para el cabello. Méx. Afección capilar.
822. Osamenta: esqueleto de un hombre o animal. Huesos que lo componen.
823. Osario: depósito de huesos extraídos de antiguas sepulturas.
824. Oscense: de Huesca —provincia de España—.
825. Óseo: se refiere al hueso o al tejido que lo forma.
826. Osezno: cachorro del oso.
827. Osta: conjunto de cabos o aparejos con los que se sujetan los cangrejos de un velero.
828. Ostalgia: dolor en un hueso.
829. Ostrogodo: pueblo germánico.
830. Otalgia: sensación dolorosa en un oído.
831. Ovetense: de Oviedo.
832. Ovoide: oval —figura de óvalo; forma de huevo—.
833. Óvolo: moldura convexa de sección en cuarto de círculo.
834. Ozonización: proceso químico en el que se usa el ozono.
835. Pacense: de Badajoz —provincia de España—.
836. Pacer: apacentar —llevar a pastar al ganado—.
837. Pagaza: aves lariformes de la familia Láridos.
838. Paidología: ciencia que estudia los niños y su desarrollo.
839. Paje: adolescente que acompañaba a un caballero y le servía personalmente.
840. Paleógeno: periodo inferior de la era Terciaria.
841. Paleografía: ciencia que estudia el conocimiento e interpretación de escrituras antiguas.
842. Palmitieso: caballería que tiene los cascos planos o convexos.
843. Panchevo: Ciudad del NE. de Yugoslavia.
844. Panegírico: discurso oratorio o poema en alabanza de alguien o algo (corporación, gremio, etc.).
845. Panfleto: folleto.
846. Parafasia: trastorno del lenguaje consistente en confundir las palabras al hablar.
847. Parafrasear: de paráfrasis. Explicación de un texto siguiéndolo paso a paso en su desarrollo lógico.
848. Paraje: zona, lugar alejado.
849. Paramaribo: Capital de Surinam.
850. Paramnesia: alteración cualitativa de la memoria consistente en recordar personas, hechos, etc., totalmente desconocidos para el sujeto.
851. Paranza: lugar donde el cazador espera la caza.
852. Paraplejía: afección paralítica que interesa a los dos miembros inferiores.
853. Paremiología: estudio de los refranes y sentencias —frase breve que contiene un consejo o enseñanza moral—.
854. Párrafo: cada una de las partes de un escrito que terminan en punto y aparte.
855. Patofobia: temor exagerado a las enfermedades.
856. Patogenia: formación y desarrollo de la enfermedad.
857. Paya: improvisación poética que realiza un payador —cantor errante—.
858. Payacate: Méx. Pañuelo de bolsillo.
859. Payo: campesino; rústico, tosco.
860. Pedigüeño: que pide de forma insistente e inoportuna.
861. Penígero: que tiene plumas o alas.
862. Perdiz: ave galiforme de la familia Faisánidos.
863. Perecer: morir; desaparecer; quebrarse; hundirse moralmente.
864. Perífrasis: expresión de un concepto único mediante un rodeo.
865. Perihelio: punto de la órbita de un planeta o cometa, en que se encuentra más cerca del Sol.
866. Perillo: cierta pasta dulce.
867. Perrillo: gatillo de un arma.
868. Petulancia: actitud engreída, fatua e insolente.
869. Peyorativo: se dice esp. de la opinión negativa que nos merece la conducta de alguien.
870. Pezuelo: fleco de muchos hilos.
871. Piave: Río de Italia.
872. Pictografía: tipo de escritura en el que los conceptos se representan por medio de dibujos de los objetos.
873. Pingue: buque de carga de bodega ancha.
874. Pingüe: rico, abundante.
875. Piragüismo: deporte olímpico que consiste en navegar en canoas varias personas por aguas tranquilas o bravas.

876. Pirexia: estado febril.
877. Pirógeno: sustancias capaces de causar fiebre.
878. Piromancia: forma de predicción que se basa en la observación de la llama.
879. Piscívoro: ictiófago —que come peces—.
880. Plagio: de plagiar. Amér. Secuestrar con el fin de obtener un rescate. Apoderarse de obras ajenas y darlas como propias.
881. Planicie: llanura, especialmente la extensa.
882. Plebiscito: fórmula democrática que permite a todo un pueblo tomar una resolución mediante votación general.
883. Pleistoceno: periodo inferior de la era Cuaternaria.
884. Pleonasmo: uso de palabras o expresiones innecesarias.
885. Pléyade: cualquier grupo selecto de personas que aparece en una determinada época.
886. Plioceno: último periodo de la era Terciaria.
887. Polemología: disciplina que se ocupa del estudio de la guerra como fenómeno social general.
888. Polimnia: musa inventora de la agricultura y la lira.
889. Polizoico: animales que viven agrupados en colonias.
890. Poltava: Ciudad de la URSS.
891. Pontazgo: derechos que se pagaban por cruzar algunos puentes.
892. Pragmático: se refiere a la realidad o experimentación y no a la teoría.
893. Pratense: vegetación propia de los prados.
894. Prebenda: renta que conllevan algunos oficios eclesiásticos; beneficio que cuesta poco esfuerzo.
895. Preboste: persona que dirige una comunidad. Persona con poder.
896. Prevaricar: faltar al cumplimiento del deber; delirar.
897. Primazgo: parentesco que entre sí tienen los primos.
898. Primogénito: primer hijo de una pareja.
899. Probidad: moralidad, honradez en el proceder.
900. Probóscide: prolongación de la zona nasal o bucal de distintas especies, utilizadas para defensa o alimentación.
901. Proboscídeos: orden de mamíferos.
902. Procaz: insolente, deslenguado.
903. Proctología: rama de la medicina especializada en las enfermedades del recto y ano.
904. Profecía: pronóstico, adivinación.
905. Prologuista: persona que redacta el prólogo de una obra ajena.
906. Prosaico: vulgar.
907. Protuberancia: abultamiento, por lo general de forma redondeada.
908. Provecto: antiguo, caduco. Se aplica a la persona de edad avanzada.
909. Providencial: se refiere a la providencia divina. Se dice de la persona o cosa que nos libra de un daño o esfuerzo.
910. Psicología: ciencia que estudia el comportamiento del hombre.
911. Psicotecnia: rama de la psicología que se ocupa de examinar y clasificar las aptitudes, actitudes, etc.
912. Pudibundo: extremadamente pudoroso, mojigato —santurrón—.
913. Pugilista: púgil —boxeador—.
914. Pusinesco: figuras reproducidas en un tercio de su medida real.
915. Quebranto: desaliento, decaimiento físico o del ánimo.
916. Querellarse: pelearse, reñir.
917. Quetzal: ave trogoniforme de la familia Trogónidos.
918. Quicio: parte de la puerta o ventana en que entra el espigón del quicial. Fuera de, sacar de quicio, exasperar, irritar; exagerar algo.
919. Quintillizo: cada uno de los cinco que nacieron en un parto.
920. Quirología: estudio de la psicología del individuo por sus líneas de la mano, modo de hablar de los sordomudos.
921. Quiromancia: adivinación basada en el estudio de las rayas de la palma de la mano.
922. Rabino: maestro hebreo que se encarga de transmitir la religiosidad y la Ley judías.
923. Racial: se refiere a la raza.
924. Radiestesia: cierta sensibilidad para descubrir o identificar materias escondidas (agua, oro, etc.).
925. Raigambre: conjunto de tradiciones, hábitos adquiridos, etc., que condicionan el pensamiento y actuación de algo o alguien.
926. Rancio: vino y alimentos que con el paso del tiempo saben mal.
927. Rapaz: aficionado al robo.
928. Ravioles: pequeños cuadrados de pasta, rellenos de carne.
929. Reacio: que rechaza o se opone a hacer algo o a recibir una influencia, etc.
930. Recuesta: requerimiento, intimación.
931. Reencarnación: creencia religiosa, filosófica o espiritista, según la cual el alma se traslada a otro cuerpo tras la muerte del anterior.
932. Reflex: cámara fotográfica que al enfocar reproduce la imagen del objetivo en una pantalla.
933. Refulgencia: resplandor —brillo que poseen algunas cosas—.
934. Regenta: mujer del Regente; profesora de algunos centros de enseñanza.
935. Regüeldo: eructo.
936. Rehoyar: remover un hoyo antes de plantar un árbol.
937. Relejar: dejar restos de alguna sustancia como el sarro en la boca, en los labios.
938. Remitente: que envía una carta, paquete o documento de crédito.
939. Rémora: peces perciformes de la familia Equeneidos.
940. Renvalso: rebajar el canto —orilla— de la hoja de una puerta y ventanas.
941. Repeluzno: escalofrío breve y repentino.
942. Repiso: vino de baja calidad que se hace con la uva repisada o prensada por segunda vez.
943. Reprensor: que reprende —llama la atención, regaña—.
944. Reprisar: reponer un espectáculo.
945. Resarcir: dar satisfacción a una deuda o agravio.
946. Retórica: teoría y preceptiva del arte de la oratoria.
947. Retozón: de carácter inquieto o travieso.
948. Revirada: fibras de la madera que están retorcidas.
949. Revulsivo: de revulsión. Lo que provoca un cambio brusco o una reacción violenta.
950. Reyerta: disputa, pelea, altercado.
951. Rezno: larva de insectos dípteros.
952. Riba: ribazo —divisoria prominente de tierra y hierba entre dos campos—.

953. Ribaldo: rufián, canalla.
954. Ribete: reborde ornamental de una prenda o calzado. En un relato, matiz que le da un tono determinado.
955. Riboflavina: vitamina B2.
956. Ribosa: carbohidrato del grupo de las pentosas.
957. Ritmo: alternancia periódica de los elementos de una composición o proceso.
958. Rodopsina: pigmento rojo que se halla en los bastones de la retina y participa de la acción visual.
959. Rojez: calidad de rojo.
960. Romancear: traducir al castellano.
961. Ronzal: cuerda pasada por el cuello de una cabalgadura para guiarla.
962. Roya: distintas enfermedades provocadas en las plantas por hongos.
963. Rubefacción: enrojecimiento de la piel por vasodilatación superficial.
964. Rubéola: enfermedad infectocontagiosa aguda de origen vírico —de algún virus—. Frecuente en niños.
965. Rubicundo: rubio rojizo.
966. Rubión: variedad de trigo muy dorado y de sus semillas.
967. Rublo: unidad monetaria de Rusia.
968. Rubro: rojo. Amér. Rúbrica, título, epígrafe.
969. Ruezno: corteza blanda que envuelve la nuez.
970. Rumazón: En la mar. conjunto o grupo de nubes.
971. Sable: arma blanca de origen oriental similar a la espada.
972. Sagaz: astuto; perro diestro en levantar la caza.
973. Salbanda: capa arcillosa.
974. Salpullido: urticaria; huellas que dejan en la piel las picaduras de las pulgas.
975. Sangüeño: arbusto.
976. Sapiencia: sabiduría.
977. Sarcófago: urna para enterrar cadáveres.
978. Sardesco: caballería pequeña; persona de mal carácter.
979. Sarraceno: miembro de una tribu de N. de Arabia.
980. Sasebo: Ciudad del Japón.
981. Saxátil: que vive entre las rocas o adherido a ellas.
982. Sáxeo: de piedra.
983. Seguidilla: estrofa de cuatro versos.
984. Segundogénito: hijo nacido después del primero.
985. Seje: árbol de la familia Palmas.
986. Semántico: parte de la Lingüística que se ocupa del significado de las palabras.
987. Seminívoro: animal que se alimenta de semillas.
988. Senescente: que comienza a hacerse viejo.
989. Servicial: que siempre está dispuesto para hacer favores.
990. Sigilografía: parte de la diplomática que estudia las impresiones de sellos con que se autorizaban los documentos.
991. Sigma: decimoctava letra del alfabeto griego.
992. Sigmatismo: tendencia de una consonante a transformarse en "s".
993. Signatario: que ha estampado su firma en un documento.
994. Significado: parte del signo lingüístico que aporta el aspecto conceptual, semántico —contenido de la palabra—.
995. Significante: parte del signo lingüístico que designa la representación fonética o gráfica del mismo.
996. Signo: todo aquello que, (con carácter convencional, represente, sugiera o signifique) nos comunica algo.
997. Siguiriya: forma de cante popular andaluz.
998. Símplex: dispositivo empleado en telecomunicaciones para transmitir los mensajes secuencialmente.
999. Sindéresis: capacidad natural para pensar con acierto.
1000. Sinéresis: licencia métrica consistente en la fusión de dos vocales de distintas sílabas (beo-do).
1001. Sinergia: cooperación de dos o más fármacos para una acción determinada.
1002. Sinfonía: conjunto de sonidos que se escuchan de forma acorde y simultánea.
1003. Singlar: navegar con rumbo fijo.
1004. Sinología: estudio de la cultura china en todos sus aspectos.
1005. Sinopsis: exposición de una ciencia o materia de forma sistemática y global con esquemas o resúmenes.
1006. Sintáctico: parte de la Lingüística que se ocupa de las funciones de las palabras en un enunciado —núcleo del sujeto, objeto directo, etcétera—.
1007. Sintagma: grupo de dos o más signos lingüísticos —palabras— que tienen entre sí relaciones de tipo sintáctico.
1008. Sisa: corte hecho en las prendas de vestir, especialmente el correspondiente a las axilas.
1009. Sitibundo: que está sediento.
1010. Sobreseer: renunciar al empeño o pretensión que se tenía; acabar en el cumplimiento de una obligación.
1011. Sofisma: argumento sólo valedero en apariencia; cualquier razonamiento o argumento falaz —falso— con el que se pretenda confundir a uno.
1012. Sonetillo: soneto de arte menor.
1013. Soslayo: oblicuo, ladeado. De perfil, para atravesar un sitio angosto. Con disimulo.
1014. Suabia: región histórica del SO. de Alemania.
1015. Subalimentación: deficiencia en el aporte proteico o calórico de un régimen alimenticio.
1016. Subjuntivo: modo verbal cuya acción expresa duda, deseo, posibilidad. Ejemplo: Deseo que **cantes** mejor la próxima vez.
1017. Sublingual: se refiere a las estructuras anatómicas que se sitúan debajo de la lengua (arteria, glándula, etc.).
1018. Subordinar: someter a una persona o cosa a la dependencia de otra.
1019. Subrepción: Derecho. Ocultación de datos o hechos para obtener un propósito determinado.
1020. Subversivo: que perturba o atenta contra el orden social establecido.
1021. Subyacente: que se halla o yace debajo de otra cosa.
1022. Suceava: Ciudad de Rumania.
1023. Suevo: miembro de un grupo de pueblos germanos.
1024. Sufragio: ayuda, subsidio.
1025. Sumarísimo: se refiere a cierta clase de procedimientos judiciales, civiles o penales.
1026. Suscitar: causar, originar, provocar.
1027. Suspicaz: desconfiado.
1028. Tabernáculo: tienda donde los judíos guardaban el Arca de la Alianza. Taberna, tasca, bodega.
1029. Tabú: toca prohibición supersticiosa o sin motivos racionales.

1030. Tabulador: máquina que tabula e imprime datos.
1031. Tahúr: persona que juega con habilidad y especialmente lo hace por dinero. Frecuenta casas de juego.
1032. Talasocracia: dominio político o control económico del mar.
1033. Taleguilla: pantalón del traje de luces de los toreros.
1034. Taltuza: rata de abazones.
1035. Tamarisco: árbol de la familia Tamaricáceas.
1036. Tamazul: anfibio anuro de la familia Bufónidos.
1037. Tanatofobia: manifestación hipocondríaca que consiste en el temor enfermizo a la propia muerte.
1038. Tangente: recta que toca una curva sin cortarla.
1039. Taperiba: planta arbustiva de la familia Leguminosas.
1040. Taquifagia: ingestión excesivamente rápida de los alimentos.
1041. Taquifilaxia: inmunización a un veneno por inoculación de dosis pequeñas del mismo.
1042. Taquigrafía: escritura a base de signos especiales que nos permite transcribir un texto con rapidez.
1043. Taquilalia: defecto consistente en hablar con excesiva rapidez.
1044. Taquipnea: aumento de frecuencia de los movimientos respiratorios.
1045. Tarazar: romper en pedazos, destruir; mortificar o apenar a alguien.
1046. Taumaturgia: arte del taumaturgo —persona que realiza prodigios—.
1047. Tauromaquia: arte de torear.
1048. Tautología: repetición, bajo distinta forma verbal, de un concepto ya expresado.
1049. Taxativo: limitado a un caso concreto, o a una acepción o sentido determinado.
1050. Taxidermia: técnica de conservación de animales por disecación.
1051. Taya: reptil escamoso de la familia Vipéridos.
1052. Tectorial: se refiere a una membrana que realiza una función de techo o cubierta.
1053. Tejaroz: alero que sobresale del tejado.
1054. Telefonazo: llamada telefónica.
1055. Tendencia: inclinación o propensión hacia algo.
1056. Teología: ciencia sagrada que versa sobre Dios y lo divino.
1057. Tepozán: árbol de la familia Budleyáceas.
1058. Terbio: elemento químico.
1059. Termofagia: costumbre de ingerir los alimentos bastante calientes.
1060. Terrazgo: pedazo de tierra cultivable; renta que paga el labrador al propietario.
1061. Terrezuela: tierra pobre.
1062. Terrígeno: nacido de la tierra.
1063. Tersar: poner tersa —sin arrugas— una cosa.
1064. Terzuelo: tercio, tercera parte. Halcón macho.
1065. Testuz: frente del caballo y otros animales; nuca del toro, buey y la vaca.
1066. Tetralogía: en el teatro clásico griego, conjunto de tres tragedias y un drama satírico.
1067. Tez: piel del rostro humano.
1068. Tiesta: cada una de las piezas que cierran los extremos de los toneles.
1069. Tizón: leño a medio quemar.
1070. Tlazol: exremo de la caña de azúcar y del maíz.
1071. Topónimo: nombre de un lugar.
1072. Torcaz: variante de paloma.
1073. Torrezno: trozo de tocino frito o por freír.
1074. Torzuelo: halcón macho.
1075. Toxofobia: temor a ser envenenado.
1076. Transfixión: acción de perforar de parte a parte con un instrumento puntiagudo.
1077. Trasbocar: Amér. Vomitar.
1078. Trascender: propagarse los efectos de unas cosas a otras; empezar a conocerse algo que estaba oculto.
1079. Trashumancia: migración estacional del ganado desde los pastos de los llanos a los de las montañas o viceversa.
1080. Traslucir: ser perceptible una cosa.
1081. Traumatopnea: entrada y salida de aire al tórax a través de una herida.
1082. Trebia: Río de Italia.
1083. Tremebundo: que causa espanto o temor.
1084. Trepanación: perforación de un hueso practicada con trépano, especialmente de la bóveda craneana.
1085. Triásico: primer periodo de la era Secundaria.
1086. Triblástico: animales pluricelulares con tres hojas embrionarias.
1087. Tribraquio: pie métrico con tres sílabas breves.
1088. Tribulación: dolor, padecimiento, desgracia.
1089. Trigémino: nervio craneal.
1090. Trinchera: excavación extrecha y larga para proteger a los soldados del fuego enemigo.
1091. Trióxido: óxido cuya molécula contiene tres átomos de oxígeno.
1092. Tríptico: pintura o relieve realizado en tres tablas.
1093. Triunviro: en la antigua Roma, cada uno de los 3 Magistrados que ejercían conjuntamente un cargo judicial, etc.
1094. Trivalente: elemento o radical de valencia 3.
1095. Trivial: insignificante; muy corriente o conocido por todos.
1096. Trivio: punto de confluencia o separación de los 3 ramales de un camino.
1097. Trofolaxia: intercambio de alimento entre los individuos de una misma colonia de insectos sociales —hormigas—.
1098. Troje: granero.
1099. Trombogénesis: trombopoyesis —proceso fisiológico por el que se forman las plaquetas sanguíneas—.
1100. Trovo: composición poética de origen popular y asunto amoroso.
1101. Truhán: persona que vive engañando o estafando.
1102. Tullecer: de tullir —individuo que no puede mover el cuerpo o alguno de sus miembros—.
1103. Turba: carbón natural; muchedumbre confusa que marcha en desorden.
1104. Turbio: poco claro, confuso.
1105. Turbulento: turbio, agitado, alborotado.
1106. Túrmix: batidora eléctrica de cocina.
1107. Tusígeno: que origina tos.
1108. Uácari: 4 primates platirrinos de la familia Cébidos.
1109. Uadi: lecho fluvial casi siempre seco de zonas desérticas de Arabia y del N. de África.
1110. Ualabí: diversas especies de mamíferos marsupiales de la familia Macropódidos.
1111. Uapití: mamífero artiodáctilo de la familia Cérvidos.
1112. Uaraycú: miembro de un pueblo amerindio de la familia arauca.
1113. Uarequena: miembro de un pueblo amerindio de la familia arawak.
1114. Uaura: miembro de un pueblo amerindio de la familia arawak.
1115. Uliginoso: terrenos húmedos y de la vegetación propia de ellos.

1116. Ulterior: más allá de un lugar o territorio; que se dice, hace u ocurre después de otra cosa.
1117. Ultraje: de ultrajar —humillar, ofender a alguien—.
1118. Uma: diversos reptiles escamosos de la familia Iguánidos.
1119. Umbela: tejadillo voladizo sobre una ventana o un balcón.
1120. Umbilical: se refiere al ombligo.
1121. Umbráculo: cobertizo para proteger del Sol a las plantas o a otras cosas.
1122. Umbral: parte inferior o escalón en la puerta o entrada de una casa; inicio o principio de cualquier cosa.
1123. Umbrío: sombrío, poco soleado.
1124. Uncial: las letras de un tipo de escritura.
1125. Uncir: sujetar el yugo a la yunta.
1126. Undoso: que ondea.
1127. Ungir: untar con aceite, ungüento u otra materia grasa.
1128. Urajear: graznar.
1129. Uropigial: glándulas sebáceas situadas en el uropigio —rabadilla en las aves— de las aves y cuya secreción se usa para asear el plumaje.
1130. Urticales: orden de plantas dicotiledóneas, que incluye especies herbáceas o leñosas.
1131. Usanza: uso o práctica de una cosa; uso vigente, moda.
1132. Vanagloriarse: jactarse —pavonearse, presumir de algo—.
1133. Vanguardismo: tendencia en las artes o en las letras hacia nuevas formas de expresión.
1134. Vasoconstricción: reducción de la luz vascular esp. de las arteriolas, por contracción de su capa muscular.
1135. Vate: poeta; adivino.
1136. Veedor: curioso, mirón; criado de confianza vigilando la despensa.
1137. Vehemente: que actúa, siente o se expresa con ímpetu, fuerza o viveza.
1138. Veleidoso: voluble.
1139. Vendimia: cosecha de la uva; beneficio abundante obtenido de una cosa.
1140. Ventanaje: conjunto de ventanas de una construcción.
1141. Vergel: huerto o jardín con variedad de flores y árboles frutales.
1142. Vermívoro: animal que se alimente principalmente de gusanos.
1143. Versallesco: del estilo de Versalles; lenguaje y modales afectadamente corteses.
1144. Versificar: hacer versos.
1145. Vexilología: disciplina que estudia los estandartes y banderas.
1146. Vicepresidente: persona encargada de sustituir al Presidente.
1147. Vigía: persona que vigila.
1148. Vigueta: viga pequeña.
1149. Vihuela: instrumento musical de cuerda.
1150. Villancico: canción breve tradicional popular.
1151. Villanesca: cancioncilla y danza rústicas.
1152. Villazgo: calidad de villa —casa de recreo, especialmente en el campo—.
1153. Virosis: proceso patológico de infección causada por un virus.
1154. Visillo: cortina translúcida para ventanas o puertas con cristales. Suele usarse en plural.
1155. Vivaz: sagaz, listo, astuto.
1156. Vizcacha: mamífero roedor de la familia Chinchíllidos.
1157. Vocablo: palabra.
1158. Volverina: mamífero carnívoro de la familia Mustélidos.
1159. Voraz: que come mucho y ávidamente.
1160. Vulgata: versión latina de la Biblia.
1161. Vulnerable: susceptible de sufrir algún daño.
1162. Vultuoso: rostro congestionado —enrojecido—.
1163. Xantismo: coloración parcial del cuerpo de un animal en tonos amarillos.
1164. Xantopsia: trastorno de la visión que puede observarse en ciertas intoxicaciones en que las cosas se ven amarillas.
1165. Xenofobia: hostilidad u odio hacia lo extranjero.
1166. Xerófilo: organismos que viven en zonas áridas.
1167. Xerófito: vegetales adaptados para un desarrollo en ambiente seco.
1168. Xerografía: procedimiento de impresión en seco para reproducir copias sin contacto directo con el original.
1169. Xerotérmico: clima cálido y seco.
1170. Xífidos: familia de peces Perciformes.
1171. Xilófago: animales que se alimentan de madera.
1172. Xilófilo: organismo cuyo ciclo biológico se desarrolla en la madera.
1173. Xilófito: planta leñosa.
1174. Xilófono: instrumento de percusión.
1175. Xilografía: técnica del grabado en madera.
1176. Xilología: estudio de las propiedades físicas y químicas de la madera.
1177. Xiuhcóatl: dios nahua del fuego, del cielo y del rayo solar.
1178. Xiuhtecuhtli: Dios mexica del fuego.
1179. Xochicalco: Yacimiento arqueológico, en el Estado de Morelos (México).
1180. Xochimilco: Delegación del Distrito Federal de México.
1181. Xochipilli: Dios nahua de la primavera, las flores y la fecundidad masculina.
1182. Xochiquetzal: Diosa nahua de las flores, la primavera, el amor y el arte.
1183. Xólotl: Dios nahua de los monstruos y de las cosas extraordinarias; Jefe chichimeca.
1184. Yaba: árboles de la familia Papilionáceas.
1185. Yacimiento: depósito natural en el que se encuentran acumulados minerales o hidrocarburos.
1186. Yacio: árbol de la familia Euforbiáceas.
1187. Yambo: pie métrico de la poesía griega y latina formado por dos sílabas; árbol de la familia Mirtáceas.
1188. Yana: árbol de la familia Combretáceas.
1189. Yarey: Cuba. Planta de la familia Palmáceas.
1190. Yatay: planta de la familia Palmáceas.
1191. Yegüerizo: pastor de yeguas.
1192. Yelmo: parte de la armadura, protectora de cabeza y rostro.
1193. Yesca: material tratado para que resulte muy seco e inflamable.
1194. Yeta: Amér. Desdicha, mala suerte.
1195. Yezgo: planta herbácea de la familia Caprifoliáceas.
1196. Yo: pronombre personal en primera persona, en singular.
1197. Yogui: se refiere al yoga. Antiguo sistema de disciplina desarrollado en la India para el despertar del hombre a la experiencia gozosa de la divinidad.
1198. Yuan: unidad monetaria de China.

1199. Yunque: prisma cuadrangular de acero, con uno o dos extremos prolongados en punta.
1200. Yunta: par de mulas, bueyes, etc., uncidos.
1201. Yute: diversas plantas de la familia Tiliáceas.
1202. Yuxtaponer: colocar una cosa junto a otra.
1203. Zabila: áloe —diversas plantas de la familia Liliáceas—.
1204. Zabra: nave medieval.
1205. Zabulón: uno de los 12 hijos del patriarca Jacob.
1206. Zafrero: jornalero que sólo trabaja durante la recolección agrícola, etc.
1207. Zagua: planta arbustiva de la familia Quenopodiáceas.
1208. Zahareño: ave indómita; hosco y bravo.
1209. Zahína: planta herbácea de la familia Gramíneas.
1210. Zahonado: la res cuyas patas son de distinto color por delante que por detrás.
1211. Zahondar: cavar un hoyo; hundirse los pies en la tierra.
1212. Zaino: caballería de pelo enteramente castaño oscuro.
1213. Zalamero: cariñoso en exceso.
1214. Zalea: cuero de ovino.
1215. Zampoña: instrumento musical de viento.
1216. Zanfonía: instrumento musical medieval.
1217. Zanga: juego de naipes que se juega entre 4.
1218. Zángano: abeja macho; persona floja.
1219. Zarabanda: danza cortesana muy popular en España y Francia.
1220. Zaragalla: carbón vegetal de pequeño tamaño.
1221. Zarazas: mezcla de comida, veneno, vidrios, agujas, etc., amasada en forma de bolas, para matar animales.
1222. Zarigüeya: mamíferos marsupiales de la familia Didélfidos.
1223. Zarina: esposa del Zar. Emperatriz de Rusia.
1224. Zarrapastroso: sucio, descuidado; andrajoso.
1225. Zarzaparrilla: planta sarmentosa de la familia Liliáceas.
1226. Zarzuela: forma escénica musical en la que el canto y el baile alternan con el diálogo hablado.
1227. Zendo: Avéstico.
1228. Zenódoto: gramático alejandrino.
1229. Zeolita: silicato de aluminio hidratado.
1230. Zeus: divinidad suprema del panteón griego.
1231. Zeuxis: pintor clásico griego.
1232. Zigofiláceas: plantas del orden Geraniales.
1233. Zigomorfo: órganos con simetría bilateral.
1234. Zigzag: línea quebrada alternativamente de derecha a izquierda.
1235. Zoantropía: alteración mental en la que el enfermo se cree convertido en un animal.
1236. Zocayo: mamífero primate de la familia Cébidos.
1237. Zocor: rata topo.
1238. Zoncear: hacer tonterías.
1239. Zonuro: reptil escamoso de la familia Cordílidos.
1240. Zoofobia: temor a los animales.
1241. Zoófago: organismo que se alimenta de animales.
1242. Zoogenia: producción técnicamente controlada de animales.
1243. Zoografía: disciplina de la zoología dedicada a la descripción de los animales.
1244. Zoolatría: culto religioso a los animales.
1245. Zoonosología: estudio de las enfermedades de los animales.
1246. Zoopsia: alucinación visual en la que el enfermo cree estar rodeado de animales.
1247. Zootomía: anatomía de los animales.
1248. Zopilote: ave falconiforme de la familia Catártidos.
1249. Zorzal: aves paseriformes de la familia Túrdidos.
1250. Zorzalear: Chile. Vivir como un parásito.
1251. Zozobra: desasosiego.
1252. Zuavo: cuerpo de infantería francés, formado por argelinos.
1253. Zubia: vertiente de aguas caudalosas.
1254. Zucurco: planta herbácea de la familia Umbelíferas.
1255. Zumaque: arbusto de la familia Anacardiáceas.
1256. Zumillo: planta herbácea de la familia Umbelíferas.
1257. Zuncuya: planta arbustiva de la familia Anonáceas.
1258. Zurano: se dice de la paloma silvestre.
1259. Zurcir: remendar una tela rota o desgastada por medio de pequeñas puntadas.
1260. Zurear: arrullar la paloma.
1261. Zurupeto: entre corredores de bolsa y notarios, intruso profesional.
1262. Zuzón: hierba cana.

EJERCICIOS

Elabore una oración con las palabras homófonas, parónimas y del glosario que a continuación se le proporcionan.

1. Abal: ______________________
   Aval: ______________________
2. Adolescente: ______________________
   Adolecente: ______________________
3. Aya: ______________________
   Halla: ______________________
   Haya: ______________________
4. Basar: ______________________
   Bazar: ______________________
   Vasar: ______________________

5. Cabal: ______

Caval: ______

6. Cenado: ______

Senado: ______

7. Ciento: ______

Siento: ______

8. Haltera: ______

Altera: ______

9. Hierba: ______

Hierva: ______

10. Incipiente: ______

Insipiente: ______

11. Malla: ______

Maya: ______

12. Maso: ______

Mazo: ______

13. Montarás: ______

Montaraz: ______

14. Pisciforme: ______

Pisiforme: ______

15. Polisón: ______

Polizón: ______

16. Profetisa: ______

Profetiza: ______

17. Rehusar: ______

Reusar: ______

18. Saque: ______

Zaque: ______

19. Versa: ______

Berza: ______

20. Zamba: ______

Samba: ______

21. Acmé: ______

Acné: ______

22. Actitud: ______

Aptitud: ______

23. Adiar: ______

Odiar: ______

24. Artesano: __________

Artesiano: __________

25. Astil: __________

Hostil: __________

26. Bursátil: __________

Versátil: __________

27. Cabida: __________

Cavidad: __________

28. Cohorte: __________

Corte: __________

29. Cutización: __________

Cotización: __________

30. Didáctico: __________

Didáctilo: __________

31. Empozar: __________

Empezar: __________

32. Espiar: __________

Expiar: __________

33. Laso: __________

Laxo: __________

34. Moleta: __________

Muleta: __________

35. Nóbel: __________

Novel: __________

36. Perjuicio: __________

Prejuicio: __________

37. Respecto: __________

Respeto: __________

38. Sotileza: __________

Sutileza: __________

39. Tanor: __________

Tenor: __________

40. Vértice: __________

Vórtice: __________

41. Zofra: __________

Sufra: __________

42. Acrofobia: __________

43. Anorexia: __________

44. Bibliografía: __________

45. Biografía: ______

46. Carnívoro: ______

47. Consorcio: ______

48. Disacucia: ______

49. Estrambótico: ______

50. Florilegio: ______

51. Gemebundo: ______

52. Gente: ______

53. Glosario: ______

54. Herbazal: ______

55. Hidropesía: ______

56. Homófono: ______

57. Ipecacuana: ______

58. Léxico: ______

59. Lingüística: ______

60. Matritense: ______

61. Mitología: ______

62. Morfología: ______

63. Nictofobia: ______

64. Nosofobia: ______

65. Ovetense: ______

66. Paidología: ______

67. Párrafo: ______

68. Probóscide: ______

69. Remitente: ______

70. Semántico: ______

71. Sintáctico: ______

72. Tanatofobia: ______

73. Tez: ______

74. Umbrío: ______

75. Versificar: ______

76. Xenofobia: ______

77. Xilología: ______

78. Xochimilco: ______

79. Yana: ______

80. Zalamero: ______

81. Zocayo: ______

82. Zoofobia: ______

DÉCIMA PARTE

EL USO DE LAS MAYÚSCULAS

Letra o grafía: Es la representación gráfica de un fonema (sonido).
Letra mayúscula: Es la grafía de mayor tamaño con uso específico dentro de la escritura.

Repasemos las reglas o normas

Se escribe letra inicial mayúscula en los siguientes casos:

a) En los nombres propios de personas, apellidos, animales.

Julia, Rodríguez, Dodó.

b) En los nombres de entidades federativas, ríos, mares, ciudades, continentes, océanos.

Michoacán, Bravo, Mediterráneo, Madrid, Asia, Pacífico.

c) En los nombres de corporaciones, instituciones y establecimientos o comercios, con excepción de los artículos —el, la, los, las; un, una, unos, unas—; las preposiciones —a, ante, bajo, con, contra, de, desde, etc.—; y las contracciones del Español —al, del—.

Organización de las Naciones Unidas. Universidad Nacional Autónoma de México. Palacio de Hierro.

d) Al iniciar todo escrito, después de punto y seguido y punto y aparte.

Un pastor que apacentaba (apacentar: pastar —comer la hierba el ganado—) su rebaño...

e) Después de los signos de interrogación ¿? y admiración ¡!

¿Cuál es tu nombre?
¡Qué alegría!

f) No se escribe con mayúscula cuando le precede una coma al signo de interrogación ¿?

Sí, ¿por qué? No, ¿por qué?

g) Después de dos puntos en las formas de cortesía empleadas en cartas, documentos y citas textuales.

—Querida mamá: Recibí tu carta...
—La Directora del Centro de Capacitación Técnica y Comercial, certifica: Que el alumno...

—Ricardo Gullón, nos dice: "Lamento que la crítica..."

h) En los nombres de productos.

Chanel

i) En los números romanos.

XXIV, XV, XCIII.

j) En la mayoría de las abreviaturas.

Profr., Profra., Sr., etc.

k) Los tratamientos —manera de nombrar a una persona según su categoría, sus títulos o grado de confianza— se anotan con mayúscula, sobre todo si están abreviados.

Excmo. (Excelentísimo)
Emmo. (Eminentísimo)
Rdmo. (Reverendísimo)

l) La primera letra de los títulos de libros, artículos periodísticos, piezas teatrales, etc. Deberán escribirse con mayúscula los sustantivos y adjetivos que lo requieràn.

"El alumno ejercitará el uso de las mayúsculas".

m) En los nombres de las ciencias.

Matemáticas, Biología, etc.

n) En las siglas.

SEP, DIF, ONU, etc.

ñ) En los títulos de dignidades, autoridades, poderes públicos y atributos divinos.

Príncipe, Director, Presidente y Dios.

o) Los nombres de colonias, calles y avenidas.

Colonia Melchor Ocampo
Calle Nicaragua 198
Avenida Juárez

p) Los nombres de astros —cuerpos celestes: estrellas, planetas, satélites, cometas, etc.— y las constelaciones —agrupación convencional de estrellas fijas según un esquema—.

Tierra, Sol, Osa Mayor.

q) Los nombres y sobrenombres como se conocen algunas personas.

Alfonso el Sabio.

r) En las letras dobles —ch, ll—, la primera letra, se escribe con mayúscula.

Chabela
Lloyd

Solo es posible duplicarla cuando se escriben mayúsculas.

CHABELA, LLOYD.

s) En los nombres de lugares públicos —parques— y culturales —teatros, museos, etc.—.

Parque de Chapultepec
Teatro de la Ciudad
Museo de las Tres Culturas
Palacio de Bellas Artes

t) En los nombres de fiestas y fechas patrias y bíblicas.

Cinco de Febrero
La Batalla de Puebla
Navidad
Viernes Santo
Corpus Christi

Excepciones

No se escriben con mayúscula por considerarse nombres comunes:

a) Los meses y estaciones del año.

Febrero, septiembre, diciembre; primavera, invierno.

b) Los puntos cardinales.

Sur, este, norte, oriente.

c) Las notas musicales.

Fa, re, do.

d) Los días de la semana.

Miércoles, jueves, viernes, sábado.

Ejercicios

1. Relea las reglas sobre el uso de las mayúsculas.
2. Lea las oraciones dos o tres veces y ponga atención a las palabras subrayadas.

a) Julia no llama por teléfono con frecuencia a su hijo Ricardo, que se encuentra en Montreal.
b) El Sr. Rodríguez es un buen carpintero.
c) No supe la ubicación del Estado de Michoacán, el río Bravo, el mar Mediterráneo, el continente de Asia y el océano Pacífico.
d) El Centro de Capacitación Técnica y Comercial se encuentra en Saltillo 557.
e) ¿Cuál es tu dirección?
f) Estimado amigo: Recibí tu carta del día 23 de noviembre...
g) Roberta compró un perfume llamado Chanel.
h) La Profra. Rosita es agradable y nos gusta su clase.
i) Rdmo. Juan Pablo II, le enviamos un cordial saludo desde México.
j) Los turistas visitarán el Museo de Antropología mañana.
k) Las materias que reprueban frecuentemente los estudiantes son Matemáticas, Física y Química.
l) Los participantes olvidaron algunas siglas: UNAM, INBA y SEP.
m) El Presidente de la República visitó al Director de la Escuela Secundaria Técnica Núm. 18.

n) Le he pedido a Dios que me permita ver a mi madre, a mis hermanos y familiares.
ñ) Ramiro vive en Bolivia 3489, Colonia Exhipódromo, Cd. Juárez, Chih.
o) La Tierra tiene un solo satélite llamado Luna.
p) Chucho ya no escribe la h, de la letra doble ch, con mayúscula. Por ejemplo: Chucho.
q) Necesitaba el tomo X de la enciclopedia y no lo pude encontrar.
r) Juan Ramón Jiménez, gran poeta español, nos dice: "Tengo sensibilidad..."
s) Esta Navidad quería visitar a mi familia y no fue posible.
t) Mi sobrina aprendió en clase los días de la semana: lunes, martes, miércoles, jueves, viernes, sábado y domingo.
u) En invierno nos visitaron unos primos que no conocíamos.
v) ¿Considera que es fácil el libro de Ortografía? Sí, ¿por qué? No, ¿por qué?
w) ¡Qué satisfacción sentí al terminar el capítulo del uso de las mayúsculas!
x) ¿Dónde vives? En Ciudad Juárez.

3. Explique por escrito en su cuaderno la regla de las palabras subrayadas, de los 25 casos que se le han proporcionado.
4. Siga el mismo orden de las reglas del uso de las mayúsculas y anote un ejemplo en cada caso.

a) ______________________________

b) ______________________________

____

c) ______________________________

____

d) ______________________________

____

e) ______________________________

____

f) ______________________________

____

g) ______________________________

____

____

____

____

h) ______________________________

i) ______________________________

j) ______________________________

k) ______________________________

l) ______________________________

m) ______________________________

n) ______________________________

ñ) ______________________________

o) ______________________________

p) ______________________________

q) ______________________________

r) ______________________________

s) ______________________________

t)

No se escriben con mayúscula por considerarse nombres comunes:

a) ______________________________

b) ______________________________

c) ______________________________

d) ______________________________

5. Explique oralmente los ejemplos proporcionados por Ud., de manera individual o en equipo (corrillos, philips 6-6, etc.).
6. Escoja un tema que le agrade y aplique lo aprendido sobre el uso de las mayúsculas:

—La drogadicción
—El alcoholismo
—Mi último viaje

7. Subraye en algunos párrafos de las lecturas sugeridas en el programa, o las que Ud. acostumbra leer, las palabras que están con mayúscula y explique la regla.
8. Exponga, individualmente o en equipo, la importancia del uso correcto de las mayúsculas.

LOS SIGNOS DE PUNTUACIÓN

Realice el siguiente ejercicio para que compruebe la importancia de los signos de puntuación.

Lea detenidamente los párrafos que a continuación se le proporcionan:

Las fortalezas de la tiranía son arrasadas saltan en astillas las puertas de las cárceles y el alba del nuevo día alumbra a un pueblo libre de pastores y cazadores de pescadores y campesinos encallecidos en el trabajo que se abrazan bendiciendo un nombre libertador Guillermo Tell. (Alejandro Casona.)

Las fortalezas de la tiranía son arrasadas; saltan en astillas las puertas de las cárceles. Y el alba del nuevo día alumbra a un pueblo libre, de pastores y cazadores, de pescadores y campesinos encallecidos en el trabajo, que se abrazan bendiciendo un nombre libertador: Guillermo Tell. (Alejandro Casona.)

Si observó, en el primer párrafo, no hay signos de puntuación; y es difícil captar el mensaje. En cambio, el segundo, se pudo leer fácilmente y sin dificultades, debido, a la puntuación adecuada de éste.

Los signos de puntuación son trascendentales —importantes—, porque nos sirven para entender el contenido de los textos que leamos; y evitaremos contratiempos de comprensión.

De esta manera, también, Ud. podrá darle la entonación adecuada a los textos que Ud. acostumbra leer.

Fíjese en el primer caso, después, resuelva el ejemplo o ejemplos; anotando los signos de puntuación que sean necesarios.

El punto

El punto es un separador conciso y nos expresa una pausa larga en la lectura.

a) Punto y seguido: se utiliza cuando los enunciados tienen relación entre sí.
b) Punto y aparte: nos indica que debemos utilizar otro renglón, expresa término de párrafo y se tratará un tema diferente.
c) Punto final: expresa término de párrafo.

Pero el pueblo está todavía muy allá. Es el viento el que lo acerca (Juan Rulfo).

Y por aquí vamos nosotros los cuatro a pie Antes andábamos a caballo y traíamos terciada una carabina Ahora no traemos ni siquiera la carabina (Juan Rulfo).

La Coma

La coma indica una pausa pequeña en la lectura.
Se utiliza:

a) En los enunciados explicativos.
   1. La diosa, de quien se habla en la obra, es Afrodita.
   2. Los alumnos que tienen capacidad para ello compusieron hermosas fábulas.
b) La aposición (consiste en ampliar la información del sujeto y va entre comas).
   1. Juan Ramón Jiménez, el gran poeta español, nació en Moguer.
   2. El perro el amigo del hombre es un excelente guardián.
c) La omisión de un verbo.
   1. Verónica cumplió once años; Martha, dieciséis.
   2. Gabriel tiene cinco coches; Mario dos coches.
d) Antes de las conjunciones adversativas.
   1. La estimo, a pesar de su pésima conducta.
   2. Tendré que leerlo aunque no tenga tiempo.
   3. Se lo sugerí pero se fue disgustado.
e) En las locuciones conjuntivas, prepositivas y adverbios (van entre comas).
   1. Desearía, finalmente, que me diera sus conclusiones.
   2. Es preferible no obstante que no falte a su compromiso.
   3. Luisa en efecto es la mejor concursante.
f) En la separación de enunciados que van seguidos y son breves.
   1. Roberto limpia la cocina, Eloísa sacude los muebles y Teresa los observa.
   2. Beto ve la televisión Arianna teje y su hermanita Arazai se fue a Cuba.
g) En enumeraciones de sustantivos, adjetivos, verbos y adverbios; excepto, en el último enlazado con las conjunciones: y, e, o, ni.
   1. Teníamos pájaros, un pez dorado, un perro hermosísimo, conejos, un pequeño mono y un gato. (Edgar Allan Poe.)
   2. Mi artista favorita es versátil alegre y simpática.
   3. Ahora mañana dentro de un año siempre la tendré presente.
   4. Las corrientes vanguardistas son: el cubismo futurismo surrealismo dadaísmo creacionismo estridentismo y ultraísmo.
   5. Los alumnos se prepararon concursaron y triunfaron por su entusiasmo.

El punto y coma

El punto y coma nos indica una pausa menor que el punto, pero mayor que la coma.

Se utiliza:

a) Delante de las conjunciones adversativas (pero, mas, aunque, sin embargo, etc.) cuando el enunciado sea largo.

1. Conforme bajamos, la tierra se hace buena. Sube polvo desde nosotros como si fuera un atajo de mulas lo que bajara por allí; pero nos gusta llenarnos de polvo. (Juan Rulfo).
2. Había una vez en una colmena una abeja que no quería trabajar. Es decir, recorría los árboles uno por uno para tomar el jugo de las flores pero en vez de conservarlo para convertirlo en miel, se lo tomaba del todo. (Horacio Quiroga).

b) En la separación de oraciones diferentes que llevan más de una coma.
1. Era difícil comunicarse: unos conversaban, chino; otros, francés; los demás inglés.
2. Rodrigo planeaba llevar a la reunión un traje negro Luis, uno gris Pedro, uno azul.

Los dos puntos

Los dos puntos nos indican una pausa larga y les sigue una aclaración.
Se utiliza:

a) Antes de una enumeración y después de las palabras: son, por ejemplo, verbigracia, a saber, los siguientes, como sigue y otras similares.
1. Los signos se clasifican en: visuales, tactiles, olfativos y acústicos.
2. Los diferentes tipos de acentos son ortográfico, prosódico, enfático y diacrítico.

b) Antes de citar textualmente las palabras de otra persona.
1. Hice desaparecer los escombros con el más prolijo esmero y expurgué el suelo, por decirlo así. Miré triunfalmente en torno mío, y me dije: "Aquí, a lo menos, mi trabajo no ha sido perdido". (Edgar Allan Poe).
2. Sankara le respondió con dulce voz "No temas nada por mí, porque estoy acostumbrado a estos lugares. ¿Cómo ha podido agradarte este paraje tan incómodo?" (Mahabarata).

c) Después de las expresiones de cortesía y saludo con que se inician cartas, documentos y discursos.
1. Estimada tía:
Recibí tu carta del día...
2. Respetable cliente
A la empresa es grato comunicarle...
3. Sres. Padres de Familia
Les agradezco su asistencia al festival...

El guión

El guión largo se emplea para separar en diálogos, el cambio de interlocutor.

Falín. —¿Cuándo somos mayores, abuelo?
Abuelo. —Pronto. Cuando sepáis leer y escribir.

La Dama del Alba
Alejandro Casona

Enriqueta. ¿Siguen las malas noticias?
Ricardo. Así parece.

La Barca sin Pescador
Alejandro Casona

El guión menor se emplea para separar una palabra compuesta, en la división silábica y cuando la palabra no cabe al final del renglón.

teórico-práctico ple-o-nas-mo
no se puede evi-
tar la...

Las comillas

Las comillas se emplean en: títulos, apodos, citas textuales, frases célebres y en expresiones que queremos destacar.

a) La obra más importante de Dante Alighieri se llama: "La Divina Comedia".
b) Mi primer libro se titula: Primer Diccionario Bilingüe de Homófonos.

El paréntesis

El paréntesis se usa para encerrar palabras incidentales o aclaratorias, pero que pueden omitirse —quitarse— y se entiende el sentido del enunciado.

a) Y de paso caballeros, vean aquí una casa singularmente bien construida (en mi ardiente deseo de decir alguna cosa, apenas sabía lo que hablaba). Yo puedo asegurar que ésta es una casa admirablemente hecha.

El gato negro
Edgar Allan Poe

b) Telva. —Acompañando a la Madre hasta la escalera. —¿Va a dormir?
Madre. —Por lo menos a estar sola. Ya que nadie quiere escucharme, me encerraré en mi cuarto a rezar. Subiendo. Rezar es como gritar en voz baja... Pausa mientras sale. Vuelve a ladrar el perro.

La Dama del Alba
Alejandro Casona

Signos de admiración

Los signos de admiración los utilizamos en enunciados exclamativos para manifestar diversos estados de ánimo: sorpresa, alegría, etc. Se escriben al principio y al final del enunciado o interjección.

a) ¡Ah! que al menos Dios me proteja y me libre de las garras del demonio. (Edgar Allan Poe).
b) Bah no es posible que no hayas ido a recoger la maleta.
c) Que excelente oportunidad

Signos de interrogación

Los signos de interrogación los empleamos para hacer preguntas. Se escriben al principio y final de la oración.

Para elaborar preguntas deberás utilizar estas palabras:

¿Qué? ¿Dónde?
¿Cuál? ¿Por qué? Porque (para la respuesta)
¿Cuántos? ¿A qué?
¿Cómo? ¿Para qué?
¿Cuándo?

a) ¿Cuál es tu nombre?
b) Dónde vives

Nota: A veces, no se empieza con estos pronombres interrogativos. Veamos:

a) ¿Van a ir al teatro el próximo lunes?

Los puntos suspensivos

Los puntos suspensivos suelen ser tres, aunque pueden ser cinco; nos indican una interrupción momentánea o definitiva. En la Literatura moderna se emplea como un recurso para sugerir.

a) Yo puedo asegurar que ésta es una casa admirablemente hecha. Esos muros... (Edgar Allan Poe.)
b) Espérenos usted para explicarle. Mire, vamos a comenzar por donde íbamos (Juan Rulfo.)
c) Quise disculparme, pero

El corchete

El corchete se emplea para separar enunciados.

a) [Perdió luego el conocimiento.] [Los dos días finales deliró sin cesar a media voz.] [Las luces continuaban fúnebremente encendidas en el dormitorio y la sala.] (Horacio Quiroga.)
b) Hemos vuelto a caminar. Nos habíamos detenido para ver llover. No llovió. Ahora volvemos a caminar. Y a mí se me ocurre que hemos caminado más de lo que llevamos andado. Se me ocurre eso. De haber llovido quizá se me ocurrieran otras cosas. (Juan Rulfo).

La diéresis o crema

La diéresis se escribe sobre la letra "ü" y ésta deberá pronunciarse; en poesía se coloca sobre la vocal de un diptongo para separar éste y aumentar las sílabas de un verso.

a) Bilingüe El poëta que sueña amores imposibles... (Juan Rulfo Jiménez).
b) Aguita, Guiraldes, lenguita, Linguistica, pinguino.

El asterisco

El asterisco nos sirve para aclarar algo y se anota al pie de página —abajo de la página— (*).

APÉNDICES

NORMAS DE PROSODIA Y ORTOGRAFÍA

Declaradas, por la Real Academia Española de la Lengua, de aplicación preceptiva desde el 1o. de enero de 1959.

1. Cuando el diccionario autorice dos formas de acentuación de una palabra, se incluirán ambas en un mismo artículo, separadas por la conjunción **o: quiromancia (o quiromancía)**. Actualmente la segunda forma aparece entre corchetes.
2. La forma colocada en primer lugar se considera la más corriente en el uso actual, pero ha de entenderse que la segunda es tan autorizada y correcta como la primera.
3. Respecto de las formas dobles incluidas por primera vez en la edición XVIII del Diccionario (1956), el orden de preferencia adoptado se invertirá en los casos siguientes:

   pentagrama/pentágrama
   reuma/reúma

4. Se autoriza la simplificación de los grupos iniciales de consonantes en las palabras que empiezan con **ps, mn, gn**: **sicología, nemotecnia, nomo**. Las formas tradicionales, psicología, mnemotecnia, gnomo se conservan en el Diccionario y en ellas se da la definición correspondiente.
5. Se autoriza el empleo de las formas contractas **remplazo, remplazar, rembolso, rembolsar**, que se remiten en el Diccionario a las formas con doble e.
6. Cuando un vocablo simple entre a formar parte de un compuesto como primer elemento del mismo, se escribirá sin el acento ortográfico que como simple le habría correspondido: **decimoséptimo, asimismo, rioplatense, piamadre**.
7. Se exceptúan de esta regla los adverbios en **mente**, porque en ellos se dan realmente dos acentos prosódicos, uno en el adjetivo y otro en el nombre **mente**. La pronunciación de estos adverbios con un solo acento, es decir, como voces llanas, ha de tenerse por incorrecta. Se pronunciará, pues, y se escribirá el adverbio marcando en el adjetivo el acento que debiera llevar como simple: **ágilmente, cortésmente, ilícitamente**.
8. Los compuestos de verbo con enclítico más complemento (tipo **sabelotodo**) se escribirán sin el acento que solía ponerse en el verbo.
9. En los compuestos de dos o más adjetivos unidos con guión, cada elemento conservará su acentuación prosódica y la ortográfica si le correspondiere: **hispano-belga, anglo-soviético, cántaro-astur, histórico-crítico-bibliográfico**.
10. Los infinitivos en **uir** seguirán escribiéndose sin tilde, como hasta hoy.
11. Sin derogar la regla que atribuye al verbo **inmiscuir** la conjugación regular, se autorizarán las formas con (**inmiscuyo**) por analogía con todos los verbos terminados en uir.
12. Se establecerán como normas generales de acentuación las siguientes:

    a) El encuentro de vocal fuerte tónica con débil átona, o de débil átona con fuerte tónica, forma siempre diptongo, y la acentuación gráfica de éste, cuando sea necesaria, se hará con arreglo a lo dispuesto en el número 539, letra e, de la Gramática.
    b) El encuentro de fuerte átona con débil tónica, o de débil tónica con fuerte átona, no forma diptongo, y la vocal débil llevará acento ortográfico, sea cualquiera la sílaba en que se halle.

13. La combinación **ui** se considerará, para la práctica de la escritura, como diptongo en todos los casos. Sólo llevará acento ortográfico cuando lo pida el apartado e del número 539 de la Gramática; y el acento se marcará, como allí se indica, en la segunda de las débiles, es decir, en la **i**: **casuístico, benjuí**; pero **casuista**, voz llana, se escribirá sin tilde.
14. Los vocablos agudos terminados en **ay, ey, oy, uy**, se escribirán sin tilde: **taray, virrey, convoy, maguey, Uruguay**.
15. Los monosílabos **fue, fui, dio, vio**, se escribirán sin tilde.
16. Los pronombres **éste, ése, aquél**, con sus femeninos y plurales, llevarán normalmente tilde, pero será lícito prescindir de ella cuando no exista riesgo de anfibología.
17. La partícula **aun** llevará tilde (**aún**) y se pronunciará como bisílaba cuando pueda susti-

tuirse por **todavía** sin alterar el sentido de la frase: **aún está enfermo; está enfermo aún**. En los demás casos, es decir, con el significado de **hasta, también, inclusive** (o **siquiera**, con negación), se escribirá sin tilde: **aún los sordos han de oírme; ni hizo nada por él, ni aún lo intentó**.

18. La palabra **solo**, en función adverbial, podrá llevar acento ortográfico, si con ello se ha de evitar una anfibología.
19. Se suprimirá la tilde en **Feijoo Campoo** y demás paroxítonos terminados en **oo**.
20. Los nombres propios extranjeros se escribirán, en general, sin ponerles ningún acento que no tenga en el idioma a que pertenecen; pero podrán acentuarse a la española cuando lo permitan su pronunciación y grafía originales. Si se trata de nombres geográficos ya incorporados a nuestra lengua o adaptados a su fonética, tales nombres no se han de considerar extranjeros y habrán de acentuarse gráficamente de conformidad con las reglas generales.
21. El uso de la diéresis sólo será preceptivo para indicar que ha de pronunciarse la **u** en las combinaciones **gue, gui**: **pingüe, pingüino**. Queda a salvo el uso discrecional de este signo cuando, por licencia poética o con otro propósito, interese indicar una pronunciación determinada.
22. Cuando los gentilicios de dos pueblos o territorios formen un compuesto aplicable a una tercera entidad geográfica o política en la que se han fundido los caracteres de ambos pueblos o territorios, dicho compuesto se escribirá sin separación de sus elementos: **hispanoamericano, checoslovaco**. En los demás casos, es decir, cuando no hay fusión, sino oposición o contraste entre los elementos componentes, se unirán éstos con guión: **franco-prusiano, germano-soviético**.
23. Los componentes de nueva formación en que entren dos adjetivos, el primero de los cuales conserva invariable la terminación masculina singular, mientras el segundo concuerda en género y número con el nombre correspondiente, se escribirán uniendo con guión dichos adjetivos: **tratado teórico-práctico, lección teórico-práctica, cuerpos técnico-administrativos**.
24. Las reglas que establece la Gramática (número 553, párrafos 1o. a 8o.) referentes a la división de palabras, se modificarán de este modo:

A continuación del párrafo 1o. se insertará la cláusula siguiente: "Esto no obstante, cuando un compuesto sea claramente analizable como formado de palabras que por sí solas tienen uso en la lengua, o de una de estas palabras y un prefijo, ser potestativo dividir el compuesto separando sus componentes, aunque no coincida la división con el silabeo del compuesto". Así podrá dividirse **no-sotros** o **nos-otros, desamparo** o **des-amparo**.
Así podrá dividirse no-nostros o nos-otros, desamparo o des-amparo.

En lugar de los párrafos 4o. y 5o., que se suprimen, se intercalará uno nuevo: "Cuando al dividir una palabra por sus sílabas haya de quedar en principio de línea una **h** precedida de consonante, se dejará ésta al fin del renglón anterior y comenzará el siguiente con la **h: alharaca, in-humación, clor-hidrato, des-hidratar**".

Los párrafos 6o. y 7o. continuarán en vigor.

El párrafo 8o. se sustituirá por las reglas para el uso del guión contenidas en estas Normas (22o. y 23o.).

25. Se declara que la **h** muda colocada entre dos vocales no impide que éstas formen diptongo: **de-sahu-cio, sahu-me-rio**. En consecuencia, cuando alguna de dichas vocales, por virtud de la regla general, haya de ir acentuada se pondrá el acento ortográfico como si no existiese la **h**: **vahído, búho, rehúso**.

VOCABULARIO DE SECUNDARIA

Nota importante:

El vocabulario no se ordenó alfabéticamente de manera que sea más funcional. Al maestro le servirá para impartir la materia, y a los estudiantes para preparar y repasar las evaluaciones correspondientes. Los espacios que observe le auxiliarán para darse cuenta de los cambios de grado y de unidad en los objetivos específicos y sugerencias bibliográficas.

Ejercicios

Separe en sílabas las siguientes palabras con una diagonal /, y escriba el acento ortográfico cuando sea necesario. En la parte superior derecha escriba una **A**, si es aguda; una **G**, si es grave; una **E**, si es esdrújula; y una **SE**, si es sobresdrújula.

Practíquelas en voz alta.

En algunas palabras se subrayó la sílaba tónica —la que se pronuncia más fuerte— para evitar cualquier confusión.

Vo/ca/bu/la/rio
tres
grados
secundaria

objetivos
particulares
expresion
oral
escrita
Literatura
nocion
nociones
Lingüistica
especificos

primer
grado

primera
unidad

1.1 **realizara**
realizara
conversacion
conversaciones
sencillas
guiadas
maestro

1.2 **advertira**
establece
circuito
habla
proceso
comunicacion
interlocutores
hablante
emisor
mensaje
oyente
receptor
codigo
lengua

1.3 **apreciara**
apreciara
lengua
sistema
eficaz
comunicar
pensamiento
lenguaje
mimico
pictografico
escrito
oral

1.4 **conocera**
lengua
sistema
articulado
signos
acusticos
tactil
tactiles
olfativos
signo
lingüistico
caracteristicas
biplanico
significado
imagen
conceptual
significante
imagen
acustica
economico
arbitrario
lineal
articulado
niveles
Lingüistica
sintaxis
semantica
morfologia
fonologia
fonetica

1.5 **desarrollara**
desarrollara
habilidad
redaccion
textos
breves
temas
expuestos
oralmente

1.6 **cuidara**
cuidara
requisitos
presentacion
trabajo
escrito
orden
hojas
margen
margenes
sangria
distribucion
limpieza
legibilidad
ortografia

1.7 **cuidara**
cuidara
legibilidad
letra
autoevaluacion
escala
estimativa
presentacion
atencion
copiar
legibilidad
limpieza
tamaño
ortografia
inclinacion
puntuacion
combinacion
mayusculas
minusculas
trazos
espaciamiento
antologia
literaria

1.8 **afirmara**
afirmara
uso
mayusculas
excepcion
excepciones

1.9 **atendera**
condicion
condiciones
mejor
aprovechamiento
lectura
horario
lugar
adecuado
posicion
posiciones
correcta
material
completo

1.10 **aprovechara**
aprovechara
lectura
medio
informacion
informaciones
periodicos
revistas
libros
diferencias
semejanzas
materiales

1.11 **conocera**
partes

libro
estructura
interna
portadilla
prologo
introduccion
prolegomenos
prefacio
capitulos
unidad
unidades
ilustracion
ilustraciones
indice
colofon
externa
portada
contraportada
lomo
cantos
solapa
solapas

1.12 **utilizara**
utilizara
lectura
literaria
fuente
recreacion
cuentos
leyendas
fabulas

1.13 **elaborara**
elaborara
fichas
bibliograficas
nombre
autor
autores
titulo
libro
prologuista
edicion
numero
tomo
coleccion
lugar
edicion
editorial
año
pagina
paginas
ilustracion
ilustraciones

sugerencias bibliograficas

Ermilo
Abreu
Gomez
Christian
Andersen
Alejandro
Casona
Jakob
Grimm
Andres
Henestrosa
Tomas
Iriarte
Antonio
Mediz
Bolio
Augusto
Monterroso
Francisco
Rojas
Gonzalez
Bruno
Traven

segunda unidad

2.1 **adecuara**
adecuara
requisitos
hablar
leer
grupo
posicion
posiciones
correcta
volumen
fluidez
diccion
ritmo
puntuacion
emotividad

2.2 **comentara**
comentara
contenido
exposicion
exposiciones
orales
radio
television
ceremonias
civicas
clases
reunion
reuniones
escolares

2.3 **comprobara**
comprobara
lengua
sistema
doblemente
articulado
primera
articulacion
morfemas
texto
enunciado
palabras
morfemas
segunda
fonemas

2.4 **afirmara**
afirmara
conocimiento
relacion
fonemas
grafias
Español
originan
ortograficos
uso
determinadas
letras
Ejemplo
ginete
jinete

2.5 **precisara**
precisara
problemas
ortograficos
frecuentes
uso
algunas
letras

2.6 **utilizara**
utilizara
alfabeto
medio
ordenamiento

2.7 **usara**
usara
diccionario
resolver
dudas
ortograficas
vocabulario

2.8 **utilizara**
utilizara
lectura
ampliar
informacion
libros
periodicos
revistas

2.9 **identificara**
identificara
enunciados
interrogativos
exclamativos
imperativos
declarativos

2.10 **empleara**
empleara
punto
coma
signos
exclamativos
interrogacion

2.11 **diferenciara**
diferenciara
enunciados
unimembres
bimembres

2.12 **advertira**
estructuras
unimembres
bimembres
dentro
enunciado

2.13 **identificara**
identificara
personajes
principales
obra
literaria
cuentos
leyendas
fabulas

2.14 **localizara**
localizara
obras
literarias
acontecimientos
sucesos
notorios
circunstancias
lugar
epoca

2.15 **desarrollara**
desarrollara
creatividad
literaria

sugerencias bibliograficas

Martin
Cortina
Lazaro
Ros
Anton
Paulovich
Chejov
Maximo
Gorki
Guy
Maupassant

tercera unidad

3.1 **identificara**
identificara
ideas
esenciales
secundarias
lectura

3.2 **distinguira**
asunto
ideas
esenciales
exposicion
oral
escuchada
clase
radio
television

3.3 **opinara**
opinara
relacion
contenido

expuesto
compañeros

3.4 **empleara**
empleara
convenientemente
dos
puntos
punto
coma

3.5 **acrecenta**
acrecentara
habilidad
registrar
informacion

3.6 **redactara**
redactara
resumen
resumenes
concisos
caracteristicas
legibilidad
letra
continuidad
coherencia
signos
puntuacion
adecuados

3.7 **elaborara**
elaborara
fichas
estudio
tarjetas
hojas
titulo
tema
desarrollado
datos
esenciales
referencia
libro
revista
periodico
ordenar
fichas
areas
alfabeticamente

3.8 **formulara**
formulara
recados
escolares
familiares
sociales
laborales
breve
mensaje
caracteristicas
sencillez
claridad
signos
puntuacion
adecuados
cuidar
presentacion

3.9 **narrara**
narrara
experiencias
personal
personales
forma
escrita
ordenelas
mentalmente
estructure
guion
evite
repeticiones
innecesarias

3.10 **distinguira**
situacion
situaciones
esenciales
desarrollo
obra
literaria
principio
conflicto
fin
advierta
participacion
personajes

3.11 **sugerira**
final
distinto
obra
literaria
leida

3.12 **localizara**
localizara
sujeto
predicado
oracion
oraciones

3.13 **destacara**
destacara
funcion
nucleos
sujeto
sustantivo
nucleos
predicado
verbo

sugerencias bibliograficas

Roberto
Fongere
Pablo
Gonzalez
Casanova
Martos
Jimenez
Maria
Pina
Lazaro
Rosa
Leopoldo
Alas
Clarin
Juan
Jose
Arreola
Seymour
Menton

cuarta unidad

4.1 **formulara**
formulara
preguntas
respuestas

4.2 **identificara**
identificara
modificadores
sustantivo
construccion
sustantiva

4.3 **utilizara**
utilizara
lectura
obtener
informacion
diversos
temas
elabore
ficha
estudio

4.4 **localizara**
localizara
datos
temas
especificos
enciclopedias

4.5 **hara**
resumenes
resumen
sintesis
temas
consultados

4.6 **expondra**
oralmente
resumenes
sintesis
preparados
elabore
guion
prepare
exposicion
oral
evite
repeticion
repeticiones
inutiles
muletillas
fluidez

4.7 **elaborara**
elaborara
cuadros
sinopticos
tema
subtemas
contenidos
orden
importancia
use
signos
adecuados
llaves
conciso
redaccion
distribuya
contenido

4.8 **interpretara**
interpretara
cuadros
sinopticos

4.9 **advertira**
construccion
sustantiva
funcion
modificadora
adjetivo
complemento

4.10 **notara**
notara
concordancia
entre
sustantivo
adjetivo

4.11 **identificara**
identificara
personajes
sobresalientes
cuento
novela
corta

4.12 **describira**
personaje
seleccionado

4.13 **redactara**
redactara
descripciones
objetos
paisajes
personas

4.14 **utilizara**
utilizara
construcción
modificador
sustantivo

sugerencias bibliograficas

Ignacio
Manuel
Altamirano
Anonimo
Arkadi

Timofeievich
Averchenko
Morelos
Herrejon
Washington
Irving
Robert
Louis
Stevenson
Gustavo
Adolfo
Becquer
Longo
Pierre
Loti

quinta unidad

5.1 **captara**
captara
contenido
lecturas
dialogadas

5.2 **formulara**
formulara
precisión
preguntas
respuestas

5.3 **utilizara**
utilizara
propiedad
guion
mayor
dialogos

5.4 **utilizara**
utilizara
guion
menor
separacion
silabica

5.5 **superara**
superara
problemas
acentuacion
palabras
clasificacion
acentos
ortografico
utilizar
tilde
prosodico
enfatico
diacritico
silaba
tonica
atona

5.6 **realizara**
realizara
entrevistas

5.7 **aplicara**
aplicara
guion
largo
enumeraciones
elaborar
instructivos

5.8 **elaborara**
elaborara
instructivos
sencillos
indicar
material
necesario
pasos
recomendables
procedimiento
usar
enunciados
imperativos

5.9 **captara**
captara
rasgos
fisicos
psicologicos
personajes
importantes
desarrollo
cuento
novela
corta

5.10 **precisara**
precisara
sujeto
morfologico

5.11 **utilizara**
utilizara
tiempos
simples
modo
indicativo
presente
preterito
futuro
copreterito
pospreterito

5.12 **usara**
usara
formas
perifrasticas
tiempos
presente
futuro
modo
indicativo

5.13 **manejara**
manejara
tiempos
antepresente
antecopreterito
modo
indicativo
analizar
relacion
preterito
antecopreterito

sugerencias bibliograficas

Alfonso
Daudet
Edgar
Rice
Bourroughs
Ruben
Dario
Angel
del
Campo
Micros
Jack
London
Maurice
Maeterlinck
Benito
Perez
Galdos
Stendhal
Gabriel
Garcia
Marquez
Vicente
Riva
Ralacio
Luis
Coloma

sexta unidad

6.1 **empleara**
empleara
abreviaturas
siglas
aplicables
comunicacion

6.2 **redactara**
redactara
vales
recibos
otros
documentos
necesarios
investigue
formato

6.3 **redactara**
redactara
cartas
familiares
comerciales
elabore
album
correspondencia
documentacion
investigue
formatos

6.4 **resolvera**
problemas
acentuacion

6.5 **manejara**
maneja
adecuadamente
formularios
usual
usuales
explique
terminologia

6.6 **registrara**
registrara
ordenadamente
investigacion
investigaciones

6.7 **captara**
captara
emotividad
cuento
novela
corta
emocion
emociones
realista
fantastica
narrativa
dialogada
recta
figurada
directa
indirecta

6.8 **adquirira**
habilidad
exponer
efectos
produjo
lectura
obra
literaria

6.9 **interpretara**
interpretara
instructivos
cocina
juegos

6.10 **usara**
usara
circunstancial
circunstanciales
modificadores
nucleo
verbal
expresan
tiempo
lugar
modo

6.11 **utilizara**
utilizara
adecuadamente
refran
refranes

sugerencias bibliograficas

Pedro

Antonio
de
Alarcon
Ignacio
Manuel
Altamirano
Edgar
Allan
Poe
Juana
Spyri
Mark
Twain
Milka
Waltari
Benito
Lynch
Pierre
Loti

septima unidad

7.1 **obtendra**
informacion
asuntos
especificos
lectura
escoja
tema
consulte
fuentes
informacion
organizar
notas
evite
copia
textual
coherencia
contenido
bibliografia

7.2 **expondra**
precision
claridad
investigacion

7.3 **estimara**
estimara
imagen
imagenes
poeticas

7.4 **redactara**
redactara
version
versiones
personal
personales
poemas
leidos

7.5 **utilizara**
utilizara
comillas
parentesis

7.6 **empleara**
empleara
signos
puntuacion
analizados

7.7 **advertira**
ritmo
poema

7.8 **afinara**
afinara
mecanismos
lectura
oral
recitacion
coro
poemas
seleccionados

7.9 **usara**
usara
objeto
directo

7.10 **perfeccionara**
perfeccionara
recitacion
individual
requisitos
volumen
diccion
entonacion
mimica

7.11 **redactara**
redactara
telegramas
breves
coherentemente
remitente
signatario
destinatario
suprimir
nexos
palabras
innecesarias
usar
formas
encliticas

sugerencias bibliograficas

Miguel
Leon
Portilla
Ramon
Lopez
Velarde
Antonio
Machado
Francisco
Monterde
Pablo
Neruda
Amado
Nervo
Jose
Emilio
Pacheco
Carlos
Pellicer
Leon
Tolstoi
Felipe
Leon

octava unidad

8.1 **utilizara**
utilizara
lectura
investigar
asuntos
especificos
coherencia

8.2 **lograra**
lograra
precision
claridad
narrar
hechos
reales
imaginarios

8.3 **afirmara**
afirmara
diferencia
verso
prosa
ritmo
rima

8.4 **parafraseara**
parafraseara
poemas
leidos
limpieza
ortografia
coherencia

8.5 **advertira**
contenido
poetico
textos
prosa
introduzca
imagen
imagenes
poeticas

8.6 **mejorara**
mejorara
diccion
volumen
entonacion
lectura
coral

8.7 **comentara**
comentara
poemas
seleccionados
oralmente
forma
escrita

8.8 **usara**
usara
apropiadamente
puntos
suspensivos
utilizalos
enunciados
incompletos
expresan
temor
duda

8.9 **utilizara**
utilizara
adecuadamente
signos
puntuacion

8.10 **manejara**
manejara
correctamente
objeto
indirecto
oracion
oraciones

8.11 **afirmara**
afirmara
nocion
nociones
Lingüistica
estudiadas
curso

8.12 **acrecentara**
acrecentara
habilidad
recitar
poemas
analice
contenido
memoricelo
diccion
volumen
entonacion
mimica

8.13 **autoevaluara**
autoevaluara
trabajos
escritos
requisitos
presentacion
legibilidad
claridad
coherencia
ortografia

sugerencias bibliograficas

Ermilo
Gomez
Abreu
Juan
Jose
Arreola
Juan
Ramon

Jimenez
Jose
Marti
Gabriela
Mistral
Rabindranath
Tagore
Manuel
Gutierrez
Najera
Pablo
Neruda
Nellie
Campobello

segundo curso

primera unidad

1.1 **relatara**
relatara
naturalidad
fluidez
anecdotas
sucesos
requisitos
diccion
volumen
entonacion

1.2 **utilizara**
utilizara
recursos
expresivos
lengua
creacion
creaciones
personal
personales
metafora
comparacion
adjetivo
hiperbaton

1.3 **mejorara**
mejorara
legibilidad
letra
revisar
escala
estimativa
primer
curso

1.4 **acrecentara**
acrecentara
seguridad
uso
signos
puntuacion
analisis
objetivo
trabajos
escritos

1.5 **aumentara**
aumentara
habilidad
lectura
oral
silencio

1.6 **ubicara**
ubicara
Literatura
campo
bellas
artes
clasificacion
arte
mecanicas
cientificas
liberales
bellas
artes
escultura
arquitectura
pintura
musica
danza
cine
Literatura

1.7 **estimara**
estimara
muestras
Literatura
clasica
china
situacion
geografica
norte
Manchuria
Mongolia
desierto
Gobi
oeste
montañas
Tibet
sur
este
mar
capital
Republica
Popular
China
Pekin
Republica
China
Tai-Pei
rio
amarillo
Hoang-Ho
azul
Yan-Tse-Kiang
gobierno
chino
dinastico
primer
Principe
Wu-Wang
sociedad
feudal
escritura
nodica
ideografica
templos
llamados
pagodas
lengua
monosilabica
importancia
muralla
china

1.8 **advertira**
riqueza
imaginativa
Literatura
hindu
situación
geografica
peninsula
sur
Asia
capital
India
Nueva
Delhi
rios
Indo
Ganges
dioses
importantes
Brahma
Brahmanismo
creador
mundo
Vishnu
Siva
sociedad
hindu
castas
sacerdotes
brahmanes
guerreros
comerciantes
raza
aria
sudras
raza
dravidas
reformador
religioso
Sakkia
Muni
Buda
Budismo
significa
sabio
iluminado
principios
religiosos
escritos
lengua
sanscrita
Literatura
Vedas
Codigo
Manu
Ramayana
Mahabharata
hindues
originan
cuento
fabula
apologo
intencion
didactica
caracteristicas
literatura
orientales
simbolismo
religion
fantasia

1.9 **corregira**
error
errores
acentuacion
palabras

1.10 **identificara**
identificara
predicativo
diversos
textos
caracteristicas
bivalente
verbos
ser
estar

1.11 **empleara**
empleara
predicativo
forma
oral
escrita

sugerencias bibliograficas

Mahatma
Gandhi
moralistas
chinos
Confucio
Confucionismo
Lao-Tse
creador
Taoismo
poetas
chinos
Li-Tai-Po
Tu-Fu
Wu-Fu
India
Vyasa
Mahabharata
Valmiki
Ramayana
Vedas
Codigo
Manu

segunda unidad

2.1 **investigara**
investigara
temas

diversos
investigando
fuentes
alcance

2.2 **incrementara**
incrementara
exponer
exponer
oralmente
temas
investigados

2.3 **incrementara**
incrementara
capacidad
sintetizar
textos
mediante
elaboracion
cuadros
sinopticos

2.4 **distinguira**
enunciados
coordinacion
oraciones

2.5 **manejara**
manejara
oraciones
coordinadas
elaboracion
textos
coordinacion
hace
mediante
conjunciones

2.6 **apreciara**
apreciara
caracteristicas
Literatura
mesopotamica
situacion
geografica
norte
Asia
Menor
montañas
Armenias
este
montes
Zagros
sur
Golfo
Persico
oeste
desiertos
Arabia
Siria
Mesopotamia
capital
Babilonia
actualmente
antigua
Mesopotamia
conoce
Republica
Irak
capital
Bagdad
rios
Eufrates
Tigris
pueblos
antiguos
elamitas
sumeros
acadios
creador
Imperio
Hammurabi
sociedad
dividida
nobles
libres
esclavos
Gobernador
Babilonia
Nabopolasar
Nabucodonosor
inventaron
escritura
cuneiforme

2.7 **estimara**
estimara
caracteristicas
contenido
muestras
Literatura
Antiguo
Egipto
situacion
geografica
norte
Mediterraneo
oeste
desierto
Libia
este
Mar
Rojo
sur
desierto
Nubia
Egipto
capital
Cairo
rio
Nilo
maxima
autoridad
faraon
hijo
Ra
sociedad
egipcia
nobles
sacerdotes
guerreros
clase
media
comerciantes
profesionistas
pueblo
artesanos
libres
campesinos
siervos
religion
politeista
dioses
Osiris
Ra
escritura
jeroglifica
escribian
papiro
reinos
Alto
Bajo
Egipto
Menes
unificador
caracteristicas
culto
muertos
codigo
preces
oraciones
tributo
religioso

2.8 **advertira**
subjetivo
poesia
lirica
forma
contenido

2.9 **advertira**
presencia
elementos
liricos
textos
Literatura
hebrea
situacion
geografica
norte
montañas
Libano
oeste
Mediterraneo
este
rio
Jordan
sur
desierto
Sinai
Republica
Israel
capital
Jerusalen
Palestina
llamada
Tierra
Santa
primitivos
habitantes
cananeos
hebreos
amalecitas
moabitas
amonitas
pueblo
pastores
nomadas
patriarcado
primer
patriarca
Abraham
otros
Isaac
Jacob
jueces
Gedeon
Jefte
Sanson
Samuel
reyes
Saul
David
Salomon
profetas
Elias
Amos
Isaias
Jeremias
Ezequiel
Daniel
primer
pueblo
monoteista
Moises
Mesias
historia
hebrea
localiza
Nuevo
Antiguo
Testamento
Biblia
expresa
origen
mundo
exodo
historia
profetas
forma
religiosa
politica
social
hebreos

sugerencias bibliograficas

Mesopotamia

Epopeya
Gilgamesh
Himnos
religiosos

Egipto

Libro
Muertos
compuesto
Thot
Dios
sabiduria

Hebreos

Pentateuco
autor
Moises
cinco
libros
Genesis
Exodo
Deuteronomio
Levitico
Numeros
otros
Biblia
Salmos
Cantar
Cantares
Libro
Jueces

tercera unidad

3.1 **ampliara**
ampliara
capacidad
comprension
localizar
ideas
principales
texto

3.2 **acrecentara**
acrecentara
habilidad
empleo
mecanismos
necesarios
dialogo

3.3 **redactara**
redactara
dialogos
fluidez
claridad
seleccione
fabula
explique
contenido
personajes
circunstancias
elabore
dialogos
originales

3.4 **estimulara**
estimulara
desarrollo
capacidad
expresiva
aplicando
tecnicas
entrevista
entreviste
imaginariamente
personaje
cuide
coherencia
preguntas
respuestas
protagonista

3.5 **advertira**
diversidad
personajes
circunstancias
pasajes
narrativa
griega
clasica
situacion
geografica
norte
Macedonia
Epiro
sur
Mar
Grecia
este
Mar
Egeo
oeste
Mar
Jonico
peninsula
helenica
localizada
sur
Balkanes
capital
Grecia
Atenas
rios
Mesta
Vistriza
Salambria
helenos
raza
indoeuropea
pueblos
primitivos
aqueos
jonios
eolios
dorios
ciudades
importantes
Esparta
Atenas
religion
antropomorfica
adoraban
dioses
heroes
vida
relatada
mitologia
dioses
mayores
Zeus
Dios
Supremo
Hera
matrimonio
nacimientos
Demeter
vegetacion
Atenea
razon
sabiduria
Apolo
musica
poesia
Ares
guerra
Dionisos
viña
Artemisa
cazadora
dioses
menores
Pan
pastores
Ninfas
divinidades
vagaban
bosques
Nereidas
ninfas
mar
Anfitrite
reina
aguas
Eolo
viento
Eos
aurora
heroes
considerados
semidioses
Heracles
Teseo
primer
Rey
Atenas
Jason
recobro
Vellocino
Oro
griegos
rendian
culto
muertos
principales
templos
Zeus
Olimpia
Apolo
Delfos
fiestas
nacionales
Panateneas
honor
diosa
Atenea
Dionisiacas
honor
Dionisos
internacionales
Panhelenicas
juegos
piticos
honor
Apolo
santuario
Delfos
istmicos
honor
Poseidon
Istmo
Corinto
olimpicos
Olimpia
honor
Zeus
dioses
caracteristicas
humanas
hombres
divinas

3.6 **distinguira**
narrativa
genero
literario

3.7 **distinguira**
estructura
oracion
compleja
principal
subordinada

3.8 **empleara**
empleara
oraciones
complejas
elaboracion
textos

3.9 **aumentara**
aumentara
capacidad
compresion
utilizar
fuentes
consulta

sugerencias bibliograficas

epicas
Homero
Iliada
Odisea
Teatro
Esquilo
Sofocles
Euripides
Aristofanes
Filosofia
Anaxagoras
Socrates
Platon
Aristoteles

cuarta unidad

4.1 **advertira**
lenguaje
usado
cartas
literarias

4.2 **desarrollara**
desarrollara
habilidad
expresiva
mediante
redaccion
cartas

4.3 **descubrira**
emotividad
muestras
Literatura
lirica
romana

4.4 **acrecentara**
acrecentara
habilidad
lectura
auditorio
volumen
pausas
adecuadas
inflexiones
convenientes
voz

4.5 **descubrira**
amor
naturaleza
lirica
romana
Roma
localiza
Italia
situacion
geografica
norte
Cordillera
Alpes
divide
Francia
Suiza
Austria
Yugoslavia
este
Adriatico
oeste
Mar
Tirreno
sur
isla
Sicilia
latinos
origen
indoeuropeo
rio
Po
Roma
reside
Papa
localiza
Vaticano
origenes
Roma
obscuros
primer
Rey
Romulo
otros
Numa
Pompilio
Tulio
Hostilio
Anco
Marcio
sociedad
romana
patricios
pebleyos
clientes
esclavos
reyes
sustituidos
Consules
otra
institucion
gobernante
Senado
Guerras
Punicas
primer
triunvirato
Pompeyo
Craso
Julio
Cesar
segundo
triunvirato
Marco
Antonio
Lepido
Octavio
llamado
Augusto
inicio
epoca
Imperial
nacio
Jesus
llamado
Mesias
sucesores
Caligula
Claudio
Neron
gobernante
cruel
religion
politeista
Jupiter
Dios
Supremo
Marte
guerra
Vesta
hogar
Juno
esposa
Jupiter
Quirino
primer
Rey
convertido
Dios
Pales
pastoreo
Pamona
frutos
Diana
noche
Jano
dia
Lar
hogar
culto
romano
consistia
plegarias
inmolaciones

4.6 **reconocera**
genero
didactico
textos
seleccionados

4.7 **aplicara**
aplicara
recursos
morfologicos
formacion
palabras
lexema
gramema

4.8 **conocera**
fragmentos
piezas
oratorias
discurso
corresponde
genero
didactico
analice
partes
pieza
oratoria

4.9 **desarrollara**
desarrollara
habilidad
expresar
ideas
auditorio

4.10 **conocera**
significado
vocabulario
cientifico
tecnicismos
diccionarios
enciclopedias

sugerencias bibliograficas

final
Republica
inicios
Imperio
sobresalen
Lucrecio
Virgilio
Horacio
Ovidio
Teatro
Plauto
Terencio
Historiadores
Cesar
Salustio
Tito
Livio
Tacito
Plutarco
Plinio
Filosofia
Seneca
Epicteto
Marco
Aurelio
Poesia
satirica
Petronio
Juvenal

quinta unidad

5.1 **distinguira**
caracteristicas
requeridas
redaccion
convocatoria
orden
dia
acta
asamblea

5.2 **redactara**
redactara
correctamente
proyecto
documentos
analizados

5.3 **lograra**
lograra
habilidad
participar
activamente
discusion
discusiones

5.4 **conocera**
ejemplos
Literatura
epica
feudal
española

5.5 **apreciara**
apreciara
pasajes
Literatura
medieval
italiana
antecedentes
Feudalismo
Reconquista
Cruzadas
tematica

eminentemente
religiosa
guerra
exaltacion
valores
morales
sociales
religiosos
arquitectura
estilo
gotico
mester
juglaria
mester
clerecia
gesta
Cantares
Gesta
primeras
manifestaciones
verso
populares
caracter
heroico
transmitidas
oralmente
finalidad
diversion
recursos
poeticos
versos
endecasilabos
tercetos
cuartetos

5.6 **conocera**
empleo
antefuturo
antepospreterito
modo
indicativo

5.7 **apreciara**
apreciara
uso
poco
frecuente
antepreterito
modo
indicativo
sustituya
antepreterito
por
preterito
modo
indicativo

sugerencias bibliograficas

Anonimo
Cantar
Mio
Cid
Dante
Alighieri
Divina Comedia

sexta unidad

6.1 **valorara**
valorara
contenido
textos
diversos

6.2 **aumentara**
aumentara
capacidad
expresiva
mediante
recitacion
coral

6.3 **redactara**
redactara
sucesos
vida
escolar
social

6.4 **utilizara**
utilizara
diferentes
formas
enunciados
imperativos

6.5 **empleara**
empleara
adecuadamente
formas
especificas
modo
imperativo

6.6 **advertira**
rasgos
renacentistas
lirica
española

6.7 **apreciara**
apreciara
contenido
Literatura
española
renacentista
fragmentos
selectos
prosa
Renacimiento
proviene
Italia
extendiendose
resto
Europa
excepto
Rusia
significa
volver
nacer
resurreccion
pueblo
grecorromano
caracteristicas
imitacion
modelos
grecolatinos
resurreccion
antiguos
generos
poeticos
mitologia
grecolatina
moderacion
caracter
estatico
naturalidad
sencillez
importancia
forma
naturaleza
adquiere
valor
cosmopolitismo
espiritu
cristiano
desaparece
soneto

sugerencias bibliograficas

Juan
Boscan
Garcilaso
Vega
Gutierre
Cetina
Fernando
Rojas

septima unidad

7.1 **distinguira**
caracteristicas
tematicas
formales
literatura
nahuatl
aztecas
localizan
altiplano
Republica
Mexicana
idiomas
aztecas
nahuatl
tematica
guerra
muerte
religion
formas
preferidas
poesia
nahuatl
himno
canto
recursos
literarios
metaforas
alegorias
simbolos
caracteristicas
mezcla
elementos
sagrados
humanos
poemas
caracter
ritmico
influencia
religiosa
diferencie
terminos
metafora
comparacion

7.2 **perfeccionara**
perfeccionara
habilidad
expresiva
interpretacion
poemas

7.3 **elaborara**
elaborara
invitaciones
programas
correctamente
investigue
formato

7.4 **destacara**
destacara
caracteristicas
Literatura
maya
pasajes
representativos
pueblo
maya
localiza
Estados
Yucatan
Quintana
Roo
Campeche
codices
mayas
tiras
plegadas
forma
biombo
figuras
pintadas
evolucion
pictogramas
figuras
texto
escrito
caracteristicas
heterogeneidad
cantos
leyendas
sentido
agudo
maravilloso
grotesco
uso
constante
metafora
simbologia

estribillos
paralelismo
difrasismo

7.5 **precisara**
precisara
secuencia
logica
narracion
leida

7.6 **aplicara**
aplicara
presente
preterito
modo
subjuntivo

7.7 **utilizara**
utilizara
antepresente
antepreterito
modo
subjuntivo
adecuadamente

7.8 **advertira**
uso
futuro
antefuturo
modo
subjuntivo

sugerencias bibliograficas

Nahuatl

Poema
Quetzalcoatl
Poema
Ixtlixochitl
Poema
Netzahualcoyotl
Poema
Chalco
Poema
Mixcoatl
Peregrinacion
Aztecas
Poema
Huitzilopochtli
Poema
Moctezuma
Ilhuicamina
Poemas
Moctezuma
Xocoyotzin
Poema
Creacion
Poemas
Solares
Poesia
ritual

Maya

Chilam
Balam
Libro
Profecias
Libro
Consejo
Popol
Vuh
Rabinal
Achi

octava unidad

8.1 **mejorara**
mejorara
capacidad
expresiva
lecturas
dialogadas

8.2 **acrecentara**
acrecentara
habilidad
expresiva
redaccion
guiones
dramaticos

8.3 **conocera**
someramente
obra
destacada
narrativa
española
Quijote

8.4 **reconocera**
genero
dramatico
textos
literarios

8.5 **distinguira**
caracteristicas
piezas
dramaticas
epoca
teatro
Shakespeare
reflejo
pasiones
humanas
personajes
completamente
definidos
universales
Lope
Vega
variedad
medida
versos
diversidad
tematica
tono
heroico
patriotico
popular
combinacion
tragico
comico
Juan
Ruiz
Alarcon
tendencia
moralizante
personajes
caracterizados
pueblo
mexicano
composicion
esmerada

8.6 **estimara**
estimara
caracteristicas
fragmentos
obra
lirica
Sor
Juana
Ines
Cruz
rasgos
distintivos
poesia
variedad
estrofas
contraste
sencillo
complejo
popular
culto
religioso
profano
profundo
ingenuo

8.7 **determinara**
determinara
significado
palabras
campos
semanticos

8.8 **utilizara**
utilizara
adecuadamente
sinonimos
antonimos

8.9 **revisara**
revisara
conocimientos
lingüisticos
adquiridos
curso

tercer curso

primera unidad

1.1 **formulara**
formulara
preguntas
respuestas
precisas
forma
oral
escrita

1.2 **elaborara**
elaborara
cuestionarios
escritos

1.3 **empleara**
empleara
algunos recursos
expresion
literaria
metaforas
comparacion
comparaciones
hiperbaton
adjetivos

1.4 **señalara**
señalara
recursos
literarios
Literatura
barroca
procede
latin
verruca
berrueco
significa
perla
irregular
caracteristicas
pesimismo
artificiosidad
complicacion
manifestadas
uso
excesivo
adornos
dinamismo
uso
hiperbaton
metafora
rebuscada
abundante
adjetivacion
neologismos
personajes
tomados
mitologia
grecolatina
Barroco
España
dos
variantes
Culteranismo
representante
Gongora
verso
principalmente
importancia
forma
riquezas
cromaticas
lexicas
sintacticas
uso

alusiones
mitologicas
historicas
geograficas
abuso
metaforas
neologismos
hiperbaton
estilo
complejo
Conceptismo
representante
Quevedo
usa
prosa
verso
importancia
fondo
contenido
preocupacion
profundizacion
pensamiento
menor
uso
cultismos
menor
complejidad
sintactica
empleo
ingeniosas
antitesis
paradojas
juego
palabras
pensamientos
filosoficos

1.5 **explicara**
explicara
resurgimiento
modelos
clasicos
literatura
significa
nuevo
clasicismo
retorno
letras
clasicas
grecolatinas
periodo
criticos
investigadores
impulso
cultura
caracteristicas
sencillez
claridad
modelos
tradicion
clasica
predominio
razon
arte
sujeto
reglas
fijas
obras

literarias
demuestran
preocupacion
cientifica
tematica
cientifica
retorno
teatro
temas
formas
literatura
griega
tragedia
comedia
reviven
teatro
unidades
clasicas
Aristoteles
lugar
tiempo
accion
tendencia
moralizante
predominio
fabula
preocupacion
filantropica

1.6 **explicara**
explicara
uso
adjetivo
adorno
lenguaje
embellece
lengua

1.7 **explicara**
explicara
uso
locucion
locuciones
adverbiales

sugerencias bibliograficas

Luis
Gongora
Argote
Francisco
Quevedo
Villegas
Neoclasicismo
Jean
Baptista
Poquelin
Moliere
Leandro
Fernandez
Moratin
Jean
Racine
Pierre
Corneille
Jean
Fontaine
Tomas

Iriarte
Felix
Maria
Samaniego
Jose
Rosas
Moreno

segunda unidad

2.1 **expresara**
expresara
ideas
claridad
precision
discusion
discusiones

2.2 **explicara**
explicara
distintas
posibilidades
uso
dialogo
ventajas
comunicacion
informacion
educacion

2.3 **diferenciara**
diferenciara
diversas
formas
expresion
dialogada
teatral
costumbrista
pedagogico
filosofico
historico

2.4 **transformara**
transformara
diálogo
cuento
breve

2.5 **descubrira**
ideales
creaciones
literarias
romanticas
proviene
romantica
invencion
muestra
libertad
imaginativa
romances
caracteristicas
predominio
imaginacion
sentimiento
amor
libertad
temas
formas
metricas

lugares
epocas
lenguaje
estilo
promueve
individualismo
rebeldia
patriotismo
devocion
pasado
medievalismo
mezclan
tragico
comico
prosa
verso
tematica
novela
diversa
importancia
paisaje
culto
soledad
muerte
misterio
predominio
lirica
subjetivismo

2.6 **señalara**
señalara
valores
texto
relacionados
tema
estructura
formas
expresion
epoca
historica
genero
literario
forma
literaria
prosa
verso
lenguaje
coloquial
literario
contenido
tema
argumento
personajes
ambiente

2.7 **distinguira**
funcion
desempeñan
infinitivo
participio

2.8 **distinguira**
empleo
fundamental
gerundio

2.9 **empleara**
empleara

voz
activa
enunciados
voz
pasiva

sugerencias bibliograficas

Gustavo
Adolfo
Becquer
Jose
Zorrilla
Justo
Sierra
Mendez
Lord
George
Gordon
Byron
Enrique
Heine
Alfonse
Marie
Louis
Lamartine
Alejandro
Pushkin
Jose
Espronceda
Johann
Wolfgang
Goethe

tercera unidad

3.1 **expondra**
claridad
ideas
derivadas
investigaciones

3.2 **aportara**
aportara
ideas
caracterizar
personajes
objetos
lugares
describa
personajes
fisicamente
exprese
estatura
complexion
rostro
ojos
psicologicamente
indique
costumbres
habitos
sentimientos
caracter

3.3 **explicara**
explicara
contenido
textos
literarios

3.4 **señalara**
señalara
valores
forma
contenido
Realismo
caracteristicas
exactitud
objetividad
lenguaje
llano
cotidiano
estilo
sencillo
claro
preciso
tematica
vida
cotidiana
surge
novela
costumbrista

3.5 **empleara**
empleara
correctamente
formas
irregulares
verbo
y eufonica
diptongacion
trueque
vocalico
alternativa
vocales
preterito
llano
futuro
alterado
guturizacion

sugerencias bibliograficas

Juan
Valera
Pedro
Antonio
Alarcon
Benito
Perez
Galdos
Emilio
Rabasa
Jose
Lopez
Portillo
Rojas
Rafael
Delgado
Angel
Campo

cuarta unidad

4.1 **distinguira**
caracteristicas
forma
poesia
modernista

4.2 **identificara**
identificara
tematica
Modernismo
grupo
tendencias
espirituales
literarias
diferentes
escritores
poetas
pintores
corriente
literaria
abarca
todo
surge
escuelas
francesas
Simbolismo
busca
perfeccion
formal
utiliza
simbolos
precursores
Paul
Verlaine
Sthephane
Mallarme
Jean
Arthur
Rimbaud
Parnasianismo
proviene
termino
Parnaso
montaña
griega
donde
vivian
musas
busca
perfeccion
formal
usa
alusiones
mitologicas
representante
Leconte
Lisle
caracteristicas
Modernismo
exotismo
indigenismo
rinden
culto
pasado
cosmopolitismo
evasionismo
escapismo
gusto
raro
fantastico
muerte
sensual
erotico
individualismo
pesimismo
afrancesamiento
mundo
modernistas
poblado
cisnes
palomas
pavo reales
ninfas
trasposiciones
pictoricas
ensayaron
nuevas
combinaciones
metricas
gusto
musicalidad
cromatismo
libertad
expresion
valor
Modernismo
renovacion
constante
lenguaje
tematica
soledad
angustia
existencial
pesimismo
subjetivismo
creacion
numerosas
tendencias
poeticas
personales

4.3 **seleccionara**
seleccionara
informacion
necesaria
elaborar
cuadros
sinopticos
aspectos
paises
poetas
tema
forma

4.4 **observara**
observara
funcion
desempeñan
nexos
prepositivos
preposicion
preposiciones

sugerencias bibliograficas

Amado
Nervo
Ramon
Lopez
Velarde
Enrique

Gonzalez
Martinez
Gabriela
Mistral
Juana
Ibarbourou

quinta unidad

5.1 **leera**
apropiadamente
textos
diversos
forma
coral
requisitos
claridad
fluidez
entonacion
ritmo
diccion

5.2 **discutira**
asuntos
interes
comun

5.3 **descubrira**
diversidad
tematica
creacion
lirica
contemporanea

5.4 **comentara**
comentara
variedad
formas
lirica
contemporanea
antecedentes
Primera
Segunda
Guerra
Mundiales
Guerra
Civil
Española
Revolucion
Mexicana
avances
cientificos
contemporaneos
telefono
fotografia
vanguardismo
vanguardia
caracteristicas
lirica
contemporanea
tematica
diversa
variedad
formas
poeticas
soneto
poemas
metrica
irregular
enfasis
ritmo
figuras
literarias
especialmente
metaforas
carece
estilo
propio
epoca
Futurismo
surgio
Italia
precursor
Marinetti
ausencia
elementos
orden
sintactico
textos
Cubismo
surgio
Francia
precursor
Guillermo
Apollinaire
elimina
elementos
anecdoticos
superfluos
predominio
imagenes
interiores
plenitud
subjetivismo
metaforas
simultaneidad
visiones
Dadaismo
Alemania
precursor
Tristan
Tzara
fundamental
libertad
individuo
destruccion
existente
Surrealismo
Francia
precursor
Andre
Breton
asociacion
libre
ideas
surgidas
primera
frase
llamada
escritura
automatica
Ultraismo
España
precursor
Ramon
Gomez
Serna
suprime
puntuacion
omision
ocasional
articulos
adverbios
supresion
rima
pretende
rehabilitacion
lirica
metaforas
imagenes
Creacionismo
España
precursor
Vicente
Huidobro
eliminacion
cualquier
indicio
mostrara
alguna
semejanza
pretendian
innovar
Estridentismo
surgio
Mexico
omision
nexos
gramaticales
adjetivos
inutiles
predomina
metafora
interes
valor
fonetico
palabras
prefiere
libertad
ataca
pasado
abandona
medida
versos
Lirica
Mexicana
Contemporanea
Generacion
Revista
Contemporaneos
poesia
jugo
imagenes
abstracciones
movidas
inteligencia
intuicion
ironia
predominio
tema
muerte
excepcion
Pellicer
eruditos
disciplinados
Generacion
Revista
Taller
conciencia
artistica
rigor
tecnico
prefieren
cultura
europea
vivencias
diversas
marxismo
surrealismo
Poesia
Contemporanea
Hispanoamericana
rechazo
tradicion
literaria
pretendian
lenguaje
accesible

5.5 **explicara**
explicara
importancia
actual
Español

5.6 **identificara**
identificara
diferencias
linguisticas
paises
integran
mundo
hispanico
textos
representativos
radio

sugerencias bibliograficas

Nicolas
Guillen
Pablo
Neruda
Federico
Garcia
Lorca
Porfirio
Barba
Jacob
Leon
Felipe
Rosario
Castellanos
Margarita
Paz
Paredes
Jaime
Torres
Bodet
Salvador
Novo

Carlos
Pellicer
Octavio
Paz
Jorge
Luis
Borges

sexta unidad

61. **expondra**
claridad
oralmente
escrito
analisis
obra
literaria
epoca
genero
literario
forma
expresion
verso
prosa
estilo
argumento
personajes
ambiente
autor

6.2 **utilizara**
utilizara
recursos
expresivos
lectura
aspectos
volumen
diccion
actitud
entonacion
enfasis
emotividad

6.3 **comprobara**
comprobara
novela
corresponde
genero
narravito

6.4 **comprobara**
comprobara
textos
seleccionados
variedades
novela
contemporanea
historica
biografica
detectivesca
psicologica
aventuras
costumbres
ciencia
ficcion
nacionalista
regionalista

6.5 **comprobara**
comprobara
cuento
corresponde
genero
narrativo

6.6 **explicara**
explicara
proceso
diacronico
lengua
observe
cambios
lingüisticos
Español
anterior
actual
lengua
cambia
tiempo
explicar
origen
lenguas
romances

6.7 **explicara**
explicara
diferencias
lingüisticas
personas
diferentes
grupos
sociales
edades
analice
habla
personas
diferentes
grupos
sociales
estudiantes
profesionistas
obreros
campesinos
explique
diferencias
manera
hablar

sugerencias bibliograficas

Selma
Lagerlof
Jose
Martinez
Ruiz
Azorin
Antonio
Machado
Aldous
Huxley
Gregorio
Lopez
Fuentes
Emil
Ludwig
Stephan
Zweig
Jose
Vasconcelos
Martin
Cortina
Gerardo
Murillo
Juan
Jose
Arreola
Rudyard
Kipling

septima unidad

7.1 **practicara**
practicara
lectura
reflexiva

7.2 **defendera**
opiniones
debate
argumentos
convincentes
caracteristicas
claridad
fluidez
entonacion
evitar
muletillas
repeticiones
indicar
solucion
soluciones
conclusion
conclusiones

7.3 **redactara**
redactara
conclusiones
obtenidas
debate

7.4 **explicara**
explicara
diversidad
narrativa
mexicana
antecedentes
Revolucion
Mexicana
caracteristicas
caracter
fragmentario
valor
documental
tono
amargo
pesimista
libertad
uso
signos
puntuacion
interes
problemas
sociales
politicos
alteracion
narrativa
temporal
mezcla
dialogo
monologo
narracion
carece
continuidad
combinacion
realismo
fantasia

7.5 **identificara**
identificara
ensayo
genero
didactico
exige
dominio
tematico
escrito
breve
resaltando
cualidades
defectos
problema
intencion
principal
enseñar
criticar
advertir
sobre
algo
provechoso
caracteristicas
variedad
extension
originalidad
diversidad
tematica
prosa
genero
hibrido
objetivo
subjetivo

7.6 **explicara**
explicara
importancia
aporte
cultural
lenguas
indigenas
Mexico
elabore
lista
vocablos
origen
indigena
patronimicos
toponimicos
nombres
vegetales
animales
utensilios

comidas
Fernandez
mexicah
chayote
guajolote
comal
atole
tamal

sugerencias bibliograficas

Jose
Vasconcelos
Ruben
Romero
Mariano
Azuela
Carlos
Gonzalez
Peña
Martin
Luis
Guzman
Agustin
Yañez
ensayo
Jose
Vasconcelos
Antonio
Caso
Alfonso
Reyes
Jaime
Torres
Bodet

octava unidad

8.1 **distinguira**
valores forma
contenido
textos
seleccionados
teatro
contemporaneo

8.2 **explicara**
explicara
diversidad
contenido
teatro
contemporaneo
genero
dramatico
origen
tipo
religioso
Grecia
tragedia
comedia
drama
variedades
sociologico
costumbrista
psicologico
policiaco
historico
religioso

8.3 **explicara**
explicara
elementos
integran
estructura
obra
teatral
autor
personajes
actores
Director
General
Director
Escenico
Actos
Escenas
Intermedios
Acotaciones

8.4 **participara**
participara
representacion
tetral
seleccion
obra
designacion
Director
General
Escenico
distribucion
personajes
perfeccion
diccion
mimica
caracterizacion
fisica
actitudes
interpretacion
memorizacion
parlamentos
escenografia
sonido
luz
traspuente
tramovista
comision
comisiones
propaganda
recepcion
orden

8.5 **elaborara**
elaborara
guiones
apoyo
valorar
obras
teatrales

8.6 **expondra**
claridad
opinion
acerca
obra
teatral
titulo
obra
nombre
autor
argumento
analisis
personajes
principales
secundarios
incidentales
explicacion
planteamiento
problematica
nudo
conflicto
desenlace
actuacion
Direccion
actuacion
Direccion
Escenica
Escenas
epoca
desarrolla
accion
mensaje
autor
publico
genero
correspondiente

8.7 **explicara**
explicara
necesidad
lengua
hispanica
comun

VOCABULARIO DE BACHILLERES

Nota importante:

El vocabulario no se ordenó alfabéticamente de manera que sea más funcional.
Al maestro le servirá para impartir la materia, y a los estudiantes para preparar y repasar las evaluaciones correspondientes.

Ejercicios

Separe en sílabas las siguientes palabras con una diagonal /, y escriba el acento ortográfico cuando sea necesario.
En la parte superior derecha escriba una **A**, si es aguda; una **G**, si es grave; una **E**, si es esdrújula y una **SE**, si es sobresdrújula.

Practíquelas en voz alta. .

Vocabulario
cuatro
semestres
bachilleres

primer
semestre
taller
lectura
redaccion

programa
asignatura
consta
siguientes
elementos
presentacion
esquema
estrategia
pedagogica
relacion
contenidos
objetivos
lineamientos
generales
evaluacion
bibliografia

intencion
materia
desarrollar
estudiantes
habilidad
practica
discursos
orales
escritos

recomendamos
realizacion
constante
ejercicios
profundizando
aspectos
lectura
redaccion

expresion
oral

1. **desarrollar**
habilidad
lectura
redaccion
diversos
tipos
textos
partiendo
manejo
codigo
linguistico
desarrollo
asignaturas
dominando
tecnicas
lectura
redaccion

1.1 **detectar**
necesidades
grupo
a traves
ejercicios
redaccion
obtener
informacion
evaluacion
diagnostica

1.2 conocer
utilizar
tecnica
comprension
lectura
usando
adecuadamente
expresion
escrita
partiendo
identificacion
funciones
gramaticales

elaborando
texto
informativo

1.2.1 identificar
funcion
funciones
lenguaje
texto
informativo
partiendo
ejercicios
escritura
señalando
funciones
vocabulario
elaborando
parafrasis

1.2.2 seguir
desarrollo
acontecimiento
social
politico
cultural
textos
periodisticos
elaborando
cronica
oral
escrita

1.3 conocer
utilizar
tecnica
comprension
lectura
usando
adecuadamente
expresion
escrita
partiendo
relacion
otras
asignaturas
tema
especifico
realizando
reporte

1.3.1 identificar
ideas
principales
secundarias
texto

cientifico
afin
otra
asignatura
elaborando
cuadros
sinopticos
resumenes

1.3.2 seleccionar
tema
relacionado
asignatura
organizando
informacion
cuadros sinopticos
resumenes
elaborando
reportes
investigacion

1.4 conocer
utilizar
tecnica
comprension
lectura
textos
literarios
partiendo
identificacion
codigo
linguistico
utilizado
texto
redaccion
reseña

1.4.1 comprender
interpretar
desarrollo
tema
literario
funcion
palabras
frecuentes
uso
referentes
elaborando
resumen
comentario
escrito

1.4.2 elaborar
resumenes
comentarios

partiendo
señalamiento
formas
contenido
texto
literario
redactando
reseña
critica

propuesta
grafica
evaluacion

diversos
tipos
ejercicios

subproductos
parafrasis
cuadro
resumen
comentario
productos
terminales
reseña
cronica
reporte

lista
cotejo
contenido
recopilacion
consulta
parafrasis
quince
textos
informativos
articulos
reportajes
notas
informativas
cronicas
diferentes

uso
correcto
logica
temporal
evento
social
politico
cultural
seleccionado
alumno

uso
adecuado
sinonimos
antonimos
homofonos
paronimos
nexos
redaccion
cronica

uso
correcto
ortografia

uso
adecuado
funciones
gramaticales
sujeto
predicado
objeto
directo
indirecto
modificador
circunstancial

sugerencias
bibliograficas
Mortimer
Adler
Martin
Alonso
Ronald
Barthes
Emile
Benveniste
Malberg
Bertil
Fraser
Bond
Jorge
Calvimontes
Noam
Chomsky
Lazaro
Carreter
Jaramillo
Cazares
Fowler
Susana
Gonzalez
Reyna
David
Hernandez
Jarrold
Katz
Agustin
Mateos
George
Mounin
Porzig
Luis
Prieto
Jose
Roca
Pons
Edward
Sapir
Haben
Elgin
Sugette
Mauricio
Swadsesh
Jorge
Tenorio
Bahena
Ernesto
Torre
Villar
Jesus
Tuson
Leticia

Perez
Gutierrez
Armando
Zubizarreta

segundo
semestre
taller
lectura
redaccion

programa
consta
siguientes
elementos
presentacion
reticula
asignatura
esquema
estrategia
pedagogica
relacion
contenidos
objetivos
bibliografia

proposito
fundamental
materia
desarrollar
habilidad
estudiantes
abordando
manera
sistematica
practica
formas
adoptan
discursos
orales
escritos

2. usar
adecuadamente
lengua
redactando
interpretando
textos
diferentes
tipos

2.3 desarrollar
capacidad
redactar
forma
logica
clara
precisa
diversos
tipos
textos

2.3.6 interpretar
realidad
denotiva
connotativamente
partiendo
ejercicio
integracion

2.3.7 elaborar
redaccion
integrando
elementos
narracion
descripcion
partiendo
lectura
textos
ejercicios
expresion
oral

2.3.8 elaborar
monografia
partiendo
seleccion
temas
lectura
textos
organizacion
elementos
integran

2.3.9 elaborar
escrito
incluyendo
interpretacion
textos
informativos
cientificos
literarios
considerando
estructura
vocabulario

2.3.10 elaborar
ensayo
partiendo
informacion
generada
interpretacion
textos

3. expresarse
oralmente
manera
logica
clara
precisa

3.1 practicar
diferentes
formas
expresion
oral

3.1.1 interpretar
mensajes
orales
vivos
grabados
distinguiendo
denotacion
connotacion

3.1.2 participar
diferentes

tipos
dialogos
charla
conversacion
entrevista
argumentacion
analizando
formas
expresion
oral

3.1.3 exponer
diferentes
temas
individualmente
equipos
generando
discusiones
llegando
conclusiones

sugerencias
bibliograficas
basica
profesor
Gonzalo
Martin
Vivaldi
Mortimer
Adler
Humberto
Batiz
Jorge
Rufinelli
Arturo
Souto
Florence
Tousssaint
Angeles
Mendieta
Alatorre
Pedro
Olea
Franco

consulta
profesor
Alejandro
Acevedo
Ibañez
Antonio
Alcala
Raul
Avila
Edith
Chehaybar
Kuri
Antonio
Paoli
Martin
Alonso
Hilda
Basulto
Ario
Garza
Mercado
Lazaro
Carreter
Raul
Gutierrez
Saenz

general
profesor
Martin
Alonso
Luis
Alonso
Schökel
Hilda
Basulto
Gaston
Fernandez
Torriente
Wolfang
Wolfgang
Kayser
Federico
Sainz
Robles
Manuel
Seco

alumno
basica
Luis
Adolfo
Dominguez
Susana
Gonzalez
Reyna
Pedro
Olea
Franco
Arturo
Souto
Armando
Zubizarreta
Margarita
Valle
Montejano

tercer
semestre
literatura
uno

programa
asignatura
consta
siguientes
elementos
presentacion
estructura
explicativa
materia
Literatura
lineamientos
generales
evaluacion
relacion
contenidos
objetivos
bibliografia

intencion
materia
consiste
trabajar
numero
reducido
producciones
literarias
representativas
diversos
momentos
evolucion
cultural
partiendo
funcion
comunicativa
institucion
literaria

bloque
uno
Grecolatina
Edad
Media
Renacimiento
Prehispanica

bloque
dos
Barroco
Neoclasicismo
Romanticismo
Realismo
Naturalismo

bloque
tres
Modernismo
Vanguardismo
Literatura
actual
contemporanea

1.1 diferenciar
autor
narrador
sujeto
lirico
identificando
funcion
autor
literario

1.2 identificar
lector
interno
externo
estableciendo
relacion
lector
autor

1.3 identificar
caracteristicas
discurso
literario
diferenciando
Literatura
otro
tipo
codigos

1.3.1 diferenciar
formas
discurso
literario
estructura
externa

1.3.2 identificar
tipos
discurso
literario
estructura
interna

1.3.3 diferenciar
generos
literarios
lirico
narrativo
dramatico

1.4 diferenciar
contextos
internos
externos
estableciendo
niveles
contenido

2.1 confrontar
datos
biograficos
autor
rasgos
psicologicos
identificandolos
contexto
interno

2.2 identificar
funciones
lector
a traves
tiempo

2.3 identificar
elementos
narracion
drama
poesia
lirica

2.4 identificar
elementos
historicos
sociales
artisticos
contexto
externo
refiriendonos
texto

lista
cotejo
identificacion

autor
narrador
sujeto
lirico

relacion
autor
lector

diferenciacion
formas
tipos
generos

diferenciacion
contexto
externo
interno
establecimiento
niveles
contenido

sugerencias
bibliograficas
Damaso
Alonso
Martin
Alonso
Carlos
Altamirano
Enrique
Anderson
Imbert
Roland
Barthes
Helena
Beristain
Raul
Castagnino
Julio
Cortazar
Maria
Corti
Oswald
Ducrot
Robert
Escarpit
Forster
Jean
Franco
Cesar
Gonzalez
Arnold
Hauser
Tinianov
Jakobson
Wolfgang
Kayser
Fernando
Lazaro
Carrreter
George
Lukacs
Middleton
Murry
John
Tomas
Navarro
Johannes
Pfeiffer
Luisa
Puig
Alfonso
Reyes
Ivor
Richards
Jorge
Rufinelli
Jean
Paul
Sartre
Levin
Schü King
Tzvetan
Todorov
Rene
Wellek

cuarto
semestre
literatura
dos

programa
asignatura
consta
siguientes
elementos
presentacion
estructura
explicativa
relacion
contenidos
objetivos
estrategia
pedagogica
lineamientos
generales
evaluacion
bibliografia

analisis
texto
literario
consta
tres
niveles
lectura

A. **apreciacion**

texto
consistira
obras
seleccionadas
partiendo
estrategias
pedagogicas
permitiendo
alumno
elaborar
comentario
oral
escrito
partiendo
primera
impresion
producida
obra

B. **interpretacion**

alumno
conocera
elementos
analisis
texto
teorica
practicamente

C. **valoracion**

integramos
elementos
analisis
alumno
emita
juicio
obra

1. integrar
trabajo
escrito
elementos
manejados
analisis
relato
interpretando
valorando
texto

1.1 diferenciar
autor
narrador
relato

1.2 identificar
elementos
relato

Historia
funciones
integrativas
distributivas
secuencias
acciones
personajes
caracteristicas
funcion

Discurso
temporalidad
orden
duracion
frecuencia
espacialidad
perspectiva
narrador
objetiva
subjetiva
estrategia
presentacion
directa
indirecta
elementos
retoricos
imagenes
metaforas
simbolos
exposicion
oral
escrita

1.3 reconocer
elementos
biograficos
psicologicos
autor
manifestados
texto

1.4 identificar
caracteristicas
psicologicas
personajes
texto

2. integrar
trabajo
escrito
elementos
manejados
analisis
poema
interpretando
valorando
texto

2.1 diferenciar
autor
sujeto
lirico
poema

2.2 identificar
niveles
fonico
metrica
rima
retorico
imgenes
metaforas
simbolos
lexico
semantico
paradigmas
significacion
comprension
poema

2.3 reconocer
elementos
biograficos
psicologicos
autor
manifestados
texto

3. conocer
elementos
intervienen

competencia
lingüistica
explicando
influencia
factores
socio
culturales
lector
interpretacion
texto

3.1 analizar
influencia
edad
interes
lectura

3.2 establecer
influencia
tipo
numero
lecturas
formacion
cultural

3.3 concluir
condiciones
ambientales
economicas
geograficas
sociales
politicas
religiosas
culturales
inciden
competencia
lingüística

4. establecer
elementos
ideologicos
autor
texto
confrontandolos
contexto

4.1 definir
concepto
ideologia

4.2 descubrir
ideas
politicas
sociales
filosoficas
eticas
esteticas
religiosas
presentes
texto

4.3 identificar
ideologia
autor
texto
partiendo
investigacion

4.4 contrastar
ideologia
autor
texto
trabajo
escrito

5. identificar
elementos
miticos
estableciendo
relaciones
texto
universo
realidad

5.1 definir
mitos
clasificandolos

5.2 reconocer
mitos
cosmogonicos
presentados
texto
mediante
discusion
dirigida

5.3 descubrir
mitos
vuelta
origen
presentados
texto

5.4 encontrar
mitos
arquetipicos
texto
confrontandolos
realidad
partiendo
interrogatorio
dirigido

6. analizar
funcion
social
Literatura
enriqueciendo
cultura
arte
denuncia
politica

6.1 comprender
Literatura
amplia
vision
mundo
enriqueciendo
cultura

6.2 descubrir
Literatura
cumple
funcion
denuncia
politica
algunos
autores

6.3 reconocer
Literatura
como
producto
artistico
social

analisis relato

A. **apreciacion**

1. **seleccion**
relatos
2. **lector**
lectura
individual
parafrasis
oral
escrita
decodificando
relato

B. **interpretacion**

autor

1. **establecer**
diferencia
autor
narrador
mediante
lectura
comentada

texto historia

1. **identificar**
funciones
acciones
texto
seleccionado
mediante
exposicion
oral
escrita
individual
grupal

texto discurso

1. **identificar**
espacialidad
temporalidad
perspectiva
narrador
estrategia
presentacion
relato
mediante
exposicion
oral
escrita

2. **identificar**
elementos
retoricos
imagenes
metaforas
simbolos
relato
mediante
tecnica
grupal

contexto

1. **identificar**
grupos
sociales
presentados
texto
estableciendo
relacion

C. **valoracion**

1. **integrar**
trabajo
escrito
elementos
manejados
analisis
otro
relato
valorandolo

analisis poema

A. **apreciacion**

1. **seleccion**
poemas
2. **lector**
lectura
individual
parafrasis
oral
escrita
texto
decodificando
poema

B. **interpretacion**

autor

1. **establecer**
diferencia
autor
sujeto
lirico
mediante
lectura
comentada

texto

1. **identificar**
elementos
fonicos
poema

metrica
rima
mediante
ejercicios
orales
escritos
diversos
textos

2. **comprender**
significacion
poema
partiendo
organizacion
paradigmas
mediante
discusion
dirigida

3. **identificar**
elementos
retoricos
imagenes
metaforas
simbolos
poema
mediante
tecnica
grupal
llegando
significacion
mediante
ejercicio
escrito

contexto

1. **analizar**
vision
mundo
sujeto
lirico
interpretando
mensaje

C. **valoracion**

1. **integrar**
trabajo
escrito
elementos
manejados
analisis
otro
poema

analisis
texto
partiendo
autor

A. **apreciacion**

1. **seleccion**
texto
2. **lectura**
individual
grupal
decodificando
texto

B. **interpretacion**

1. **investigar**
datos
biograficos
psicologicos
autor
identificando
aquellos
manifestados
texto
discusion
clase

2. **partiendo**
conclusiones
elaborar
descripciones
narraciones
tema
autor
texto
seleccionado

3. **identificar**
caracteristicas
psicologicas
personajes
partiendo
acciones
funciones
texto

4. **interpretar**
caracteristicas
psicologicas
personajes
sociodramas

5. **relacionar**
caracteristicas
biograficas
psicologicas
autor
personajes
obra

6. **identificar**
ideas
autor
interpretando
mensaje
texto
partiendo
discusion
dirigida

C. **valoracion**

1. **integrar**
ideas
autor
plasmadas
texto
determinar
tema

analisis
texto

partiendo
condiciones
socio
culturales
lector

A. **apreciacion**

1. **seleccion**
textos
2. **lectura**
individual
interpretando
texto
partiendo
factores
socio
culturales
lector

B. **interpretacion**

1. **reflexionar**
grupalmente
influencia
factores
socio
culturales
lector
interpretacion
texto
partiendo
guion
elaborado
maestro
redactar
conclusiones

C. **valoracion**

1. **argumentar**
trabajo
escrito
influencia
factores
socio
culturales
vision
mundo
tiene
lector

analisis
relato
partiendo
elementos
ideologicos
texto
autor
lector

A. **apreciacion**

1. **seleccion**
relatos
2. **lectura**
individual
grupal
decodificando
texto

partiendo
elementos
Historia

B. **interpretacion**

1. **identificar**
vision
mundo
formas
pensar
ser
actuar
clases
presentes
obra
mediante
tecnica
grupal
estableciendo
concepto
ideologia

2. **interpretar**
ideologia
texto
partiendo
vision
mundo
contexto
autor
relacionandolos
mediante
tecnica
grupal
redactar
conclusiones

C. **valoracion**

1. **establecer**
trabajo
escrito
ideologia
autor
partiendo
relato
confrontandola
contexto

analisis
poema
partiendo
elementos
ideologicos
texto
autor
lector

A. **apreciacion**

1. **seleccion**
poemas
2. **lectura**
individual
grupal
identificando
ideologia
presente
texto

partiendo
elementos
retoricos

B. **interpretacion**

1. **interpretar**
ideologia
poema
partiendo
vision
mundo
contexto
autor
relacionandolos
mediante
tecnica
grupal
redactar
conclusiones

C. **valoracion**

1. **establecer**
trabajo
escrito
ideologia
autor
partiendo
poema
confrontandola
contexto

analisis
texto
partiendo
elementos
miticos

A. **apreciacion**

1. **seleccion**
relatos
poemas
2. **lectura**
individual
grupal
decodificando
texto

B. **interpretacion**

1. **diferenciar**
tipos
mitos
mediante
interrogatorio
dirigido
2. **identificar**
tipo
mito
presentado
texto
mediante
discusion
corrillos
3. **relacionar**
mitos
ideas
presentadas
texto

C. **Valoracion**

1. **redactar**
conclusiones

analisis
texto
partiendo
funcion
social
Literatura
cultura

A. **apreciacion**

1. **seleccion**
textos
2. **lectura**
individual
grupal
destacando
funcion
social
Literatura
acerbo
cultural

B. **interpretacion**

1. **discutir**
pequeños
grupos
Literatura
enriquece
nivel
cultural
ampliando
vision
mundo

C. **valoracion**

1. **redactar**
conclusiones

analisis
texto
partiendo
funcion
social
Literatura
denuncia
politica

A. **apreciacion**

1. **seleccion**
textos
2. **lectura**
individual
grupal
destacando
funcion
social
Literatura
denuncia
politica

B. **interpretacion**

1. **descubrir**
denuncia
politica
presentada
texto
mediante
interrogatorio
dirigido

C. **valoracion**

1. **redactar**
conclusiones

analisis
texto
partiendo
funcion
social
Literatura
arte

A. **apreciacion**

1. **seleccion**
textos
2. **lectura**
individual
grupal
destacando
funcion
social
Literatura
como
arte

B. **interpretacion**

1. **mediante**
interrogatorio
dirigido
descubrir
elementos
arte
presentados
texto

C. **valoracion**

1. **redactar**
conclusiones

sugerencias
bibliograficas
Roland
Barthes
Helena
Beristain
Raul
Castagnino
Julio
Cortazar
Maria
Corti
Oswald
Ducrot
Mircea
Eliade
Robert
Escarpit
Jean
Franco
Cesar
Gonzalez
Arnold
Hauser
Wolfgang
Kayser
Fernando
Lazaro
Carreter
George
Lukacs
Marcelo
Pagnini
Luisa
Puig
Alfonso
Reyes
Jorge
Rufinelli
Jean
Paul
Sartre
Levin
Schüking
Tzvetan
Todorov
Rene
Wellek

VOCABULARIO DE COMERCIO

Nota importante:

El vocabulario no se ordenó alfabéticamente de manera que sea más funcional.
Al maestro le servirá para impartir la materia, y a los estudiantes para preparar y repasar las evaluaciones correspondientes.

Ejercicios

Separe en sílabas las siguientes palabras con una diagonal /, y escriba el acento ortográfico cuando sea necesario.

En seguida escriba una **A**, si es aguda; una **G**, si es grave; una **E**, si es esdrújula; y una **SE**, si es sobresdrújula.

Practíquelas en voz alta.

En algunas palabras se subrayó la sílaba tónica —la que se pronuncia más fuerte— para que no exista ningún tipo de confusión.

Vocabulario comercio

mecanografia
taquigrafia
Secretar<u>ia</u>
secre<u>ta</u>ria
secretariado

primer curso

mecanografia
objetivo
general
conozca
domine
teclado
estandar
ejercicios
inicial
iniciales
basicos
adquiriendo
velocidad
forma
continua
constante
cometer
error
errores

primera unidad

1. introduccion
conceptos
importancia
estudio
mecanografia
desarrollo
habilidades
campo
laboral

2. mecanismos
maquina
escribir
operacion
utilizando
terminologia
adecuada

3. posicion
correcta
operador
evitando
fatiga
movimientos
innecesarios

4. nombre
dedos
mano
pulsacion
linea
guia
inicio
escritura

5. uso
dedos
pulgares
manejo
barra
espaciadora

6. operacion
dedos
indices
teclado
forma
ascendente
descendente
iniciando
escritura
mecanografica

segunda unidad

1. movimiento
dedos
indices
extension
operacion
adiestramiento

2. ejercicio
digital
indices
meñique
izquierdo
aprendizaje
dominio

3. ejercitacion
dedos
cordiales
movimiento
ascendente
descendente
aplicacion
practica

4. digitacion
dedos
cordiales
combinandolos
indices
meñique
izquierdo
dominio
ritmico
pulsacion

5. operacion
dedos
anulares
ascendente
descendente
afirmacion
pulsacion
correcta

6. ejercicios
meñique
derecho
movimiento
ascendente
descendente
extension
dominio
practica

7. digitacion
teclado
letras
minusculas
precision
escritura

tercera unidad

1. importancia
utilidad
cubreteclado
escritura
tacto

2. afirmacion
ambos
indices
meñiques
realizar
ejercicios
digitacion

3. uso
cordiales
anulares
ejercicios
incrementar
precision
ritmo
progresivo

4. precision
teclado
estandar
ejercicios
practicos

cuarta unidad

1. empleo
dedos
meñiques
ejecucion
ejercicios
mayuscula
inicial
cubreteclado

2. operacion
tecla
fija
mayusculas
ejercicios
mayuscula
compacta

3. movimiento
meñique
derecho
extension
signos
puntuacion

4. digitacion
teclado
combinacion
combinaciones
mayusculas
signos
puntuacion

quinta
unidad

1. importancia
teclado
superior
numeros
signos
complemento
escritura

2. memoración
precision
practica
escritura
tacto
contenga
teclado
letras
numeros
signos
dominio

3. digitacion
cronometrado
reafirmando
precision
velocidad
utilizando
cubreteclado

sexta
unidad

1. introduccion
importancia
ejercicios
copia
tacto
dominio
precision
velocidad

2. movimientos
correctos
dedos
tacto
ejercicios
copia
exactitud
continua
progresiva
comprension

3. habilite
lectura
escritura
simultanea
precision
velocidad

septima
unidad

1. concepto
importancia
correspondencia
simple
comunicacion
escrita

2. estructura
elementos
carta
simple
diversos
estilos
distribucion

3. estructura
elementos
manejo
dominio
copia

4. digitacion
copia
cronometrada
memoracion
desarrollo
continuo
velocidad

octava
unidad

1. digitacion
copia
cronometrados
obteniendo
nueve
grados
velocidad

2. memoracion
ejercicios
practicos
precision
velocidad

3. copia
maquina
cartas
distribuidas

consolidar
conocimiento

segundo
curso
taquigrafia

objetivo
general
desarrollo
practicas
enriquecimiento
ejercicios
mecanizacion
dictado
proceso
aprendizaje
dominio
teoria
transcripcion
incluyendo
reglas
ortograficas
interpretacion
signos
taquigraficos
diversos
escritos

primera
unidad

1. teoria
taquigrafica
diversas
palabras
reglas
correspondientes

2. gramalogos
frases
transcripcion

3. reglas
gramalogos
curso
anterior
dictado
precision
velocidad

segunda
unidad

1. uso
prefijos
monogramas
diversos
aplicacion

2. empleo
prefijos
aplicandolos
diferentes
ejercicios

3. gramalogos
dictados
cronometrados
transcripcion

tercera
unidad

1. empleo
gancho
empleando
reglas
correspondientes
conocimiento

2. signar
enlaces
gancho
aplicacion
simple
palabras
especificas

3. combinaciones
excepcion
excepciones
gancho
palabras

4. gramalogos
transcripcion
dictado
aplicacion
cronometrada

cuarta
unidad

1. uso
gancho
algunas
letras
combinado
circulos
diptongos
ganchos
iniciales
dictados
precision

2. excepcion
excepciones
gancho
algunas
letras
diferentes
monogramas
aplicacion

3. gramalogos
ejercicios
aplicacion

quinta
unidad

1. aplicacion
lazos
algunas
letras

escritura
taquigrafica

2. lazo
algunas
letras
forma
simple
formacion
monogramas
contengan
sonido

3. signar
lazo
algunas
letras
palabras
contengan
sonido

4. combinacion
combinaciones
excepciones
lazos
ejercicios
precision

5. uso
practica
gramalogos
dictados
precision
transcripcion

sexta
unidad

1. concepto
importancia
empleo
contraccion
contracciones
observar
debida
proporcion
leer
facilidad
monogramas

2. contracciones
combinadas
circulos
ejercicios
cronometrados
precision

3. aplicacion
colocacion
diptongo
empleo
contracciones

4. gramalogos
ejercitacion
palabras
frases
cronometrados

septima
unidad

1. importancia
uso
contracciones
combinadas
ganchos
realice
ejercicios
mecanizacion
dictado

2. combinacion
contracciones
ejercicios
aplicacion
practica

3. gramalogos
ejercicios
mecanizacion
dictados
cronometrados
transcripcion

octava
unidad

1. gramalogos
revision
general
ejercitacion
dominio
velocidad

2. temas
literarios
periodisticos
comerciales
transcripcion

3. reglas
ortograficas
adecuado
manejo
dictado

tercer
curso
taquigrafia

objetivo
general
habilidad
destreza
ejecucion
signos
taquigraficos
velocidad
alumno
capaz
transcribir
escrito

primera
unidad

1. reglas
correspondientes
teoria

taquigrafica
aplicables
palabras

2. reafirmacion
gramalogos
frases
especial
especiales
expresion
expresiones
cortesia

3. dictados
especificos
reglas
taquigraficas
transcripcion

4. diversas
lecturas
signos
taquigraficos

segunda
unidad

1. monogramas
ejecucion
taquigrafia
utilizando
gramalogos
frases
especial
especiales
diversas
lecturas
signos
taquigraficos

2. terminacion
terminaciones
especiales
ejecucion
ejercicios
basicos

3. diversas
aplicaciones
algunas
terminaciones
palabras
especificas
dictados

tercera
unidad

1. ejercitacion
diversos
monogramas
utilizando
determinada
terminacion
gramalogos
correspondientes

2. diversas
terminaciones

ejecucion
taquigrafia

3. palabras
dictados
signacion
diversas
terminaciones
frases
especiales

4. lectura
signos
taquigraficos

cuarta
unidad

1. caracteristicas
comienzos
signados
palabras
dictados
contengan

2. palabras
abreviadas
ejecucion
taquigrafia
aplicandolas
diversos
escritos

3. dictados
cronometrados
ejecucion
taquigrafia

4. lectura
diversos
signos
taquigraficos

quinta
unidad

1. tecnicas
transcripcion
ejecucion
dictados
taquigraficos

2. cartas
oficios
ejecucion
taquigrafia
transcripcion
transcripciones
correspondientes

3. ejercicios
lectura
escritura
taquigrafica

4. diversos
temas

signacion
transcripcion
cronometrada

sexta unidad

1. omision
ganchos
base
reglas
establecidas

2. combinacion
combinaciones
algunas
letras
signacion
palabras
dictados
contengan

3. comienzo
palabra
determinadas
letras
aplicandolas
ejercicios
seleccionadas

4. elaboracion
dictados
signacion
transcripcion
aplicando
omision
omisiones
combinaciones
comienzos

septima unidad

1. determinadas
terminaciones
signacion
palabras
contengan

2. comienzos
determinadas
letras
aplicandolas
diversos
ejercicios

3. signos
taquigraficos
representando
frases
intersectadas
cantidades
medidas
frases
especiales

4. dictados
cronometrados
aplicando
normas
taquigrafia
transcripcion

5. lecturas
signos
taquigraficos
aspectos
cuidar
fluidez
sentido
velocidad

octava unidad

1. teoria
taquigrafica
aplicandola
diversos
ejercicios
basandose
tecnicas
establecidas

2. gramalogos
frases
especial
especiales
vistas
curso
ejercitacion
memorizacion

3. realizacion
dictados
aplicando
reglas
taquigraficas
gramalogos
frases
especial
especiales

formacion integral secretaria

consiste
conocimientos
taquigrafia
mecanografia
Geografia
Historia
Ingles
Archivonomia
Documentacion
Correspondencia
Nocion
Nociones
Derecho
Civil
Mercantil
Practicas
Secretaria
Organizacion
Oficinas
Legislacion
Fiscal
Conocimiento
Maquinas
Oficina

cualidades secretaria

discrecion
lealtad
eficiencia
presentacion
personal
buenos
habitos
disciplina
trabajo
cortesia
jefes
compañeros
publico
amabilidad
responsabilidad
espiritu
colaboracion
iniciativa

manejo libros

guias
consulta
frecuentes
diccionarios
Español
bilingüe
sinonimos
antonimos
homofonos
paronimos
directorio
telefonico
clientes
amigos
familiares
oficinas
gobierno
guias
calles
plano
ciudad
lineas
aereas
vias
ferrocarril
hoteles
restaurantes
tarifa
remesas
postales

cuidado maquina escribir

limpiese
franela
brocha
cubrase
funda
indispensable
revision
periodica

mimeografo

preparacion
grabado
estencil
estenciles

uso adecuado telefono

contestar
cortesia
tono
voz
amable
hablar
claramente
evitar
palabras
innecesarias
identificacion
servicios
emergencia
bomberos
cruz
verde
policia
radiopatrullas
larga
distancia
automatica
nacional
internacional

organizacion block taquigrafia

registro
temas
acuerdos
comunicaciones
disposiciones
expresadas
jefe

transcripcion

taquigrafica
consiste
dominio
reglas
teoricas
evitando
dudas
escribir
confusiones
leer
necesario
trazo
correcto
signos
precisando
posiciones
tamaños
delgados
gruesos
requisitos
buena
transcripcion
exactitud

rapidez
economia
belleza

diversos
medios
reproduccion
impresa

offset
fotocopiadora
rotuladora
sobres

diversos
medios
comunicacion
hablada
escrita

interior
intercomunicador
telefono
local
grabadora
dictafono
exterior
telefono
telegrafo
radiotelegrama
radio
radiotelefonia
teletipo
telex
correo

diversos
medios
transporte

terrestre
acuatico
aereo

distintas
formas
publicidad

personal
escrita
auditiva
visual
mixta
diferentes
medios
periodicos
revistas
ilustradas
radio
television
anuncios
vehiculos
publicos
camiones
tranvias
metro
ferrocarriles
autobuses
carteles
programas
teatrales
cinematograficos

anuncios
escaparates
folletos
volantes
obsequios
cerilleras
calendarios
pared
cartera
billeteras
muestras
producto

correspondencia
documentacion

carta
oficio
memorandum
acuerdo
constancia
certificado
circular
convocatoria
acta
telegrama
concograma
cablegrama
radiograma
recado telefonico
giro
carta poder
recibo
vale
contrato
letra de cambio
pagare
cheque

escritos
sociales
invitaciones
participaciones
nota de
agradecimiento
esquelas
recordatorios

documentos
profesionales
tesis
tesina
memorias
informes
investigaciones
fichas de investigacion
fichas de estudio
fichas de campo
fichas bibliograficas
curriculum vitae

correspondencia
asambleas
convocatoria
informes
proposicion
proposiciones
ponencias
dictamenes

actas
despacho de acuerdos
memorias

correspondencia
tipo
especial
cartas de venta
cartas de cobro
cartas de reclamacion
cartas de ajuste o
conciliacion

archivonomia
clasificaciones
procedimientos
ordenan
sistematicamente
nombres
papeles
datos
expedientes
oficina
registros
medios
materiales
muebles
libros
tarjetas
cajas
sirven
guardar
anotar
datos
previamente
clasificados
archivos
carpetas
muebles
denominan
archiveros
generalmente
verticales
sistemas
clasificadores
alfabetico
cronologico
geografico
asuntos
numerico
decimal

correspondencia
mercantil
oficial

cualidades
claridad
precision
propiedad
concision
sencillez
cortesia

Contabilidad
contador
lexicologia
abonar
abono

accion
accionista
aceptacion
acreditado
acreditante
acreedor
activo
adeudar
adeudo
aduana
aforo
ajuste
alcance
almacen
amortizacion
amparo
anticipos
año fiscal
arancel
archivo
arrendamiento
asiento
auditoria
aval
avalista
avaluo
balance
banca
banco
beneficiario
bienes raices
bolsa
bonificacion
bonos
bursatil
caducidad
caja
capataz
capital
cargo
causante
certificado
cesion
cheques
clientes
codificacion
comitente
compras
conciliacion
consistencia
consolidacion
consorcio
contabilidad
contaduria
contralor
contribucion
copropiedad
corredor
corretaje
costo
cotejar
cotizacion
cotizar
credito
debe
debito
declaracion
deficit

demanda
deposito
depreciacion
depuracion
descuento
desembolso
destinatario
deuda
deudor
devaluacion
diario
disponible
dividendos
divisa
egresos
ejercicio
embalaje
empresa
emprestitos
endosante
endosatario
endosar
enseres
equipo
esqueleto
fabril
factura
fechador
fianza
fideicomiso
fideicomiente
fiduciario
financiar
financiera
flete
foliador
folio
fondos
funcionario
ganancias
garante
garantia
gasto

gerencia
girador
glosa
grafica
gratificacion
gravamen
guantes
haber
herramientas
hipoteca
honorarios
impuesto
incentivo
indemnizar
indice
inflacion
informe
ingreso
industria
interes
inventario
inversion
jinete
jornal
librado
librador
liquidacion
licitacion
lonja
malversar
mancomunar
manufactura
maquila
memoria
memorandum
mercadotecnia
merma
monopolio
monto
mora
moratoria
neto
no deducible

obligaciones
obsoleto
oferta
pago
partida
pasivo
peritaje
plusvalia
poliza
precio
prestamo
presupuesto
prima
producto
prontuario
programista
protesto
proveedores
provision
quorum
razon social
recargos
recibo
recobro
recuento
redito
registro
remate
remesa
renta
requisicion
reserva
rotacion
rubro
salario
saldador
saldo
salidas
sede
semovientes
sobregiro
socio
solvente

stock
subsidio
subtotal
subrogar
sucursal
sueldo
superavit
tara
tasa
tasar
tenedor
tenedor de libros
testamento
total
transitorio
tributario
vale
valor
valuacion
vencimiento
venta
volante

sugerencias
bibliograficas

Jose
Cacho
Juan
Rivera
Tomas
Avila
Roldan
Celia
Balcarcel
Leonor
Lozano
Mancera
Hermanos
Demostenes
Rojas

BIBLIOGRAFÍA

1. Ávila Roldán, Tomás. *Documentación Primer Curso.* México, Ediciones ECA, 1990.
2. Ávila Roldán, Tomás. *Documentación Segundo Curso.* México, Ediciones ECA, 1990.
3. *Diccionario Enciclopédico Grijalbo.* Barcelona, Ediciones Grijalbo, S.A., 1988.
4. *Diccionario Enciclopédico UTEHA.* México, Unión Tipográfica Editorial Hispano Americana, 1953. (10 tomos).
5. Lozano H., Leonor. *Teoría y Prácticas de Archivonomía.* México, Ediciones ECA, 1988.
6. Mancera Hnos. y Colaboradores. *Terminología del Contador.* México, Edit. Banca y Comercio, 1990.
7. Mateos Muñoz, Agustín. *Ejercicios Ortográficos.* México, Edit. Esfinge, 1990.
8. Ortega, Wenceslao. *Ortografía Programada.* México, Edit. Mc-Graw Hill, 1990.
9. P. Cacho, José (et. al.) *Correspondencia Mercantil y Oficial.* México, Ediciones ECA, 1990.
10. P. Cacho, José. *Correspondencia de las Asambleas.* México, Ediciones ECA, 1985.
11. P. Cacho, José. *Prácticas de Oficina.* México, Ediciones ECA, 1985.
12. *Programa de la SEP del primero y segundo cursos de secundaria.* México, 1975.
13. *Programa de la SEP del tercer curso de secundaria.* México, 1977.
14. *Programa de la SEP Secretariado. Curso de Mecanografía. Primer curso.* México, 1990.
15. *Programa de la SEP. Secretariado. Curso de Taquigrafía. Segundo y tercer cursos.* México, 1990.
16. *Programa de los tres semestres del Colegio de Bachilleres.* México, 1983.
17. *Programa del cuarto semestre del Colegio de Bachilleres.* México, 1984.
18. Ramón García, Pelayo y Gross. *Larousse de la Conjugación.* México, Edit. Larousse, 1985.
19. Rivera G., Juan. *Prácticas de Secretaria. Primer curso.* México, Ediciones ECA, 1985.
20. Rojas, Demóstenes. *Redacción Comercial Estructurada.* México, Edit. Mc-Graw Hill, 1982.
21. Rosado Echánove, Roberto. *Elementos de Derecho Civil y Mercantil.* México, Ediciones ECA, 1987.

Esta obra se terminó de imprimir en septiembre
de 1991 en Cía. Editorial Ultra, S.A.
de C.V., Centeno 162 Local 2
Col. Granjas Esmeralda.

La edición consta de 30 000 ejemplares.